# KOLEKCJA NIETYPOWYCH ZDARZEŃ

# TOM HANKS

# KOLEKCJA NIETYPOWYCH ZDARZEŃ

Zdjęcia
Kevin Twomey

Z angielskiego przełożył
Patryk Gołębiowski

Tytuł oryginału
UNCOMMON TYPE: SOME STORIES

Projekt graficzny okładki
*Lauren Wakefield*

Zdjęcie na okładce
*CSA Images/Vetta/Getty Iamges*

Zdjęcie autora na okładce
*Austin Hargrave*


Emotikony na s. 19–20
*EmojiOne*

Redakcja
*Sylwia Bartkowska*

Korekta
*Teresa Zielińska*
*Monika Pruska*



Opowiadanie *Alan Bean i czwórka* zostało opublikowane po raz pierwszy w „The New Yorker” 24 października 2014 roku.

Wielka Litera Sp. z o.o.
ul. Kosiarzy 37/53
02-953 Warszawa

Skład i łamanie
TYPO 2 Jolanta Ugorowska

Druk i oprawa
Abedik S.A.

Oprawa twarda
ISBN 978-83-8032-197-7

Oprawa miękka
ISBN 978-83-8032-196-0

*Dla Rity i wszystkich dzieciaków*

*Przez Norę*

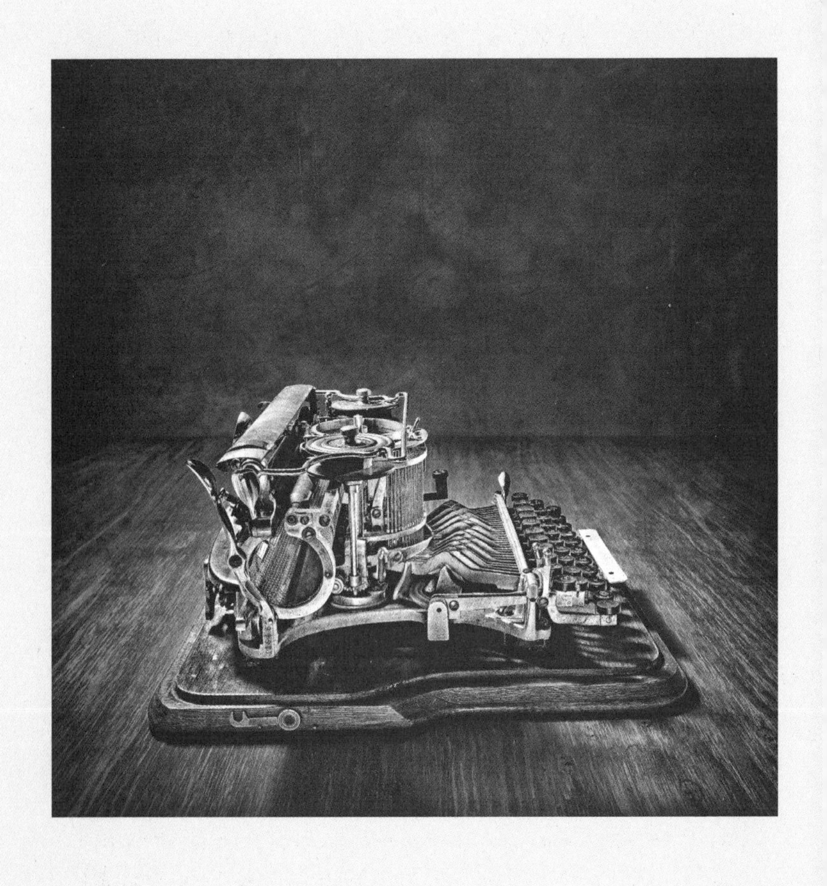

# Trzy tygodnie męki

## DZIEŃ 1

Anna powiedziała, że jest tylko jedno miejsce, gdzie można znaleźć sensowny prezent dla MDywiza – Antique Warehouse, nie tyle skład starych skarbów, ile regularny pchli targ w dawnym Lux Theater. Zanim HBO, Netflix i stu siedmiu innych dostawców rozrywki przyczyniło się do jego plajty, godzinami przesiadywałem w tym niegdyś wspaniałym pałacu kinowym i oglądałem filmy. Teraz ciągną się tam stragany rzekomych antyków. Odwiedziliśmy z Anną wszystkie boksy.

MDywiz miał właśnie zostać naturalizowanym Amerykaninem, co było dla nas tak samo ważne jak dla niego. Dziadkowie Steve'a Wonga otrzymali obywatelstwo w latach czterdziestych dwudziestego wieku. Mój tata uciekł przed pomniejszymi oprychami spod czerwonej gwiazdy z Europy Wschodniej w latach siedemdziesiątych, a w zamierzchłych czasach przodkowie Anny przewiosłowali północny Atlantyk w poszukiwaniu czegoś jeszcze do złupienia w Nowym Świecie. Legenda rodzinna Anny głosi, że odkryli Martha's Vineyard.

Mohammed Dayax-Abdo miał być niedługo tak amerykański jak sz-Abdo-tka, więc chcieliśmy mu znaleźć jakąś staroć, suwenir patrioty, wyraz dziedzictwa i humoru jego nowej ojczyzny. Moim zdaniem stary wózek Radio Flyer w drugim boksie był doskonały.

– Przekaże go w spadku swojemu amerykańskiemu potomstwu – wyjaśniłem.

Ale Anna nie zamierzała zadowolić się pierwszą lepszą starzyzną. Szukaliśmy więc dalej. Kupiłem amerykańską flagę z czterdziestoma ośmioma gwiazdami, z lat czterdziestych. Flaga miała przypominać MDywizowi, że proces kształtowania się jego przybranej ojczyzny nigdy się nie kończy – że na jej obfitującej w owoce ziemi zawsze znajdzie się miejsce dla porządnego obywatela, tak jak na niebieskim kantonie w lewym górnym rogu obok czerwonych i białych pasów zmieszczą się dodatkowe gwiazdy. Anna się zgodziła, ale nie przerywała poszukiwań, polując na prezent, który będzie dużo bardziej wyjątkowy. Zależało jej na unikacie, czymś zupełnie niepowtarzalnym. Trzy godziny później uznała, że wózek to jednak dobry pomysł.

Kiedy wyjeżdżaliśmy z parkingu moim volkswagenem busem, rozpadało się. Wracać musieliśmy powoli, bo wycieraczki są tak stare, że na szybie zostawały zacieki. Burza ciągnęła się do wieczora, więc zamiast pojechać do domu, Anna została u mnie, przesłuchała stare taśmy mojej mamy (które wypaliłem na płytach CD) i ubawiła się jej eklektycznym gustem, kiedy po Pretendersach polecieli O'Jaysi, a potem Taj Mahal.

A kiedy Iggy Pop zaczął śpiewać *Real Wild Child*, zapytała:

– Masz jakąś muzykę z ostatnich dwudziestu lat?

Zrobiłem burrito z szarpaną wieprzowiną. Anna piła wino. Ja piłem piwo. Rozpaliła w moim piecu Franklina, twierdząc, że czuje się jak osadniczka na prerii. Siedzieliśmy na kanapie przy zapadającym zmroku rozświetlanym jedynie płomieniami i słupkami poziomu dźwięku na moim odtwarzaczu, które skakały z zieleni na pomarańcz i niekiedy czerwień. Wiele kilometrów od nas burzowe niebo rozświetliła błyskawica.

– Wiesz co? – zagaiła Anna. – Jest niedziela.

– Wiem – odparłem. – Żyję chwilą.

– Podziwiam cię za to. Bystrość. Opiekuńczość. Luz graniczący z lenistwem.

– Przeszłaś od komplementów do obelg.

– Zamiast „lenistwa" dajmy „rozmarzenie" – poprawiła się, popijając wino. – Rzecz w tym, że cię lubię.

– Ja też cię lubię. – Zastanawiałem się, czy ta rozmowa do czegoś zmierza. – Czy ty ze mną flirtujesz?

– Nie – wyjaśniła Anna. – Składam ci propozycję. To zupełnie inna sprawa. Flirt to połów. Może coś złowisz, a może nie. Propozycja to pierwszy krok do dobicia targu.

Musicie wiedzieć, że znamy się z Anną od liceum (St. Anthony Country Day! *Crusaders*, do boju!). Nie chodziliśmy ze sobą, ale mieliśmy wspólnych znajomych i darzyliśmy się sympatią. Po kilku latach college'u i jeszcze kilku opieki nad mamą zdobyłem licencję i przez chwilę udawałem, że robię w nieruchomościach. Pewnego dnia trafiła do mnie, szukając biura do wynajęcia dla swojego studia graficznego, a ja byłem jedynym agentem, któremu ufała, bo rozstałem się z jej kumpelą bez zbędnych nieprzyjemności.

Anna nadal była bardzo ładna. Nigdy nie straciła szczupłego, twardego ciała trójboistki, którą kiedyś była. Przez cały dzień oprowadzałem ją po biurach do wynajęcia, z których żadne jej się nie podobało, a ja nie rozumiałem dlaczego. Widziałem, że jest ciągle tak samo pełna determinacji, skupiona na celu i spięta jak za czasów szkolnych w SACD. Skrzętnie wychwytywała najdrobniejsze szczegóły i była gotowa poruszyć niebo i ziemię, i wszystko inne zresztą też, jeżeli tylko zaszła taka potrzeba. Dorosła Anna była męcząca. Dorosła Anna nie była w moim typie tak bardzo, jak nie była w nim Anna nastoletnia.

Jednak, co ciekawe, zostaliśmy przyjaciółmi znacznie bliższymi niż w dzieciństwie. Jestem jednym z tych leniwców samotników, którym dzień potrafi przeciec między palcami, a oni nie mają poczucia, że zmarnowali choć sekundę. Tuż po sprzedaży domu mamy i zainwestowaniu pieniędzy odpuściłem sobie swój niby-biznes i rozpocząłem Najlepsze Życie pod Słońcem. Wystarczy kilka cyklów prania i mecz hokeja na NHL-u i mam popołudnie z głowy. W czasie, który zajmują mi rozważania nad białymi i kolorowymi rzeczami, Anna zdąży wyłożyć strych płytami gipsowo-kartonowymi, złoży zeznanie podatkowe, zrobi domowy makaron i zorganizuje w internecie wymianę ubrań. Śpi zrywami od północy do świtu i wystarcza jej energii, żeby przez cały dzień zasuwać jak górnik na przodku. Ja śpię snem sprawiedliwego jak najdłużej się da i codziennie o wpół do trzeciej po południu ucinam sobie drzemkę.

– Teraz cię pocałuję. – Anna zrobiła to, co zapowiedziała.

To był nasz pierwszy raz, jeśli nie liczyć cmoknięć w policzek przy okazji przelotnych objęć. Tego wieczoru zaproponowała mi zupełnie nową wersję siebie, a ja zamarłem zaskoczony.

– Hej, odpręż się – wyszeptała. Jej ręce znalazły się na moim karku. Pachniała bosko i smakowała winem. – Dziś jest szabat. Dzień odpoczynku. To nie będzie praca.

Znów się pocałowaliśmy, ale tym razem byłem opanowanym i chętnym uczestnikiem. Objąłem ją i przyciągnąłem. Wtuliliśmy się w siebie rozluźnieni. Odszukaliśmy szyje i wróciliśmy z nich do ust. Nie całowałem się tak od blisko roku, kiedy moja Zła Kobieta Mona nie tylko mnie rzuciła, ale zwędziła mi gotówkę z portfela (Mona miała problemy, ale jeśli chodzi o całowanie, była bajeczna).

– Zuch dziecina – westchnęła Anna.

– Szabat szalom – westchnąłem ja. – Powinniśmy to zrobić lata temu.

– Nie zaszkodziłoby nam chyba nieco golizny – wyszeptała Anna. – Rozbierz się.

Rozebrałem się. Kiedy ona też się rozebrała, było po mnie.

## DZIEŃ 2

W poniedziałek na śniadanie były naleśniki z mąki gryczanej, kiełbasa chorizo, wielka misa jagód i kawa z ekspresu. Anna zdecydowała się na zachomikowaną w spiżarni wieki temu herbatę ziołową i maleńką miseczkę orzechów, które posiekała tasakiem. Na finał swojego sycącego śniadania odliczyła osiem czarnych borówek. Nie powinienem wspominać, że żadne z nas nie było ubrane podczas posiłku, bo wyjdziemy na nudystów, ale faktycznie wygramoliliśmy się z łóżka bez krzty skrępowania.

Ubierając się do pracy, Anna poinformowała mnie, że zapisujemy się na kurs nurkowania.

– Tak? – zdziwiłem się.

– Owszem. Zdamy egzamin – zapowiedziała. – A ty potrzebujesz ubrania do ćwiczeń. Butów do biegania i dresu. Idź do Foot Locker w Arden Mall. Umówmy się na lunch u mnie w biurze zaraz potem. Weź ze sobą wózek i flagę dla MDywiza, to je zapakujemy.

– Dobra.

– Zrobię wieczorem kolację u siebie, obejrzymy dokument, a potem będziemy robić w moim łóżku to, co przez ostatnią noc robiliśmy w twoim.

– Dobra – powtórzyłem.

## DZIEŃ 3

Koniec końców Anna zawiozła mnie do Foot Locker, zmusiła, żebym przymierzył pięć par butów (ostatecznie wybraliśmy buty do biegania w terenie), cztery wersje spodni i góry od dresu (Nike). Potem kupiliśmy jedzenie oraz napoje na przyjęcie, które Anna chciała urządzić dla MDywiza. Oświadczyła, że na taką imprezę nadaje się tylko mój dom.

Około południa MDywiz był jednym z tysiąca sześciuset przyszłych Amerykanów stojących w hali Sports Arena z prawymi dłońmi uniesionymi podczas przysięgi wierności Ameryce – nowych obywateli, którzy mieli chronić, bronić i strzec konstytucji, teraz obowiązującej ich tak samo jak prezydenta Stanów Zjednoczonych. Steve Wong, Anna i ja siedzieliśmy na odkrytych trybunach, przyglądając się naturalizacji morza imigrantów o kolorach skóry tak różnych jak barwy ludzkiej natury. Widok był wspaniały i wzruszył naszą trójkę – Annę najbardziej. Rozpłakała się z twarzą wciśniętą w moją pierś.

– To... takie... piękne – szlochała. – Boże... Kocham... ten kraj.

Koledzy MDywiza z Home Depot, którym udało się wziąć wolne, pojawili się u mnie z mnóstwem tanich amerykańskich flag kupionych na zniżkę pracowniczą. Steve Wong podłączył maszynę do karaoke i kazaliśmy MDywizowi śpiewać piosenki z Ameryką w tekście. *American Woman. American Girl. Spirit of America* Beach Boysów jest tak naprawdę o samochodzie, ale i tak musiał ją nam zaśpiewać. Radio Flyer posłużył nam za prowizoryczną lodówkę i nasza szóstka zatknęła flagę z czterdziestoma ośmioma gwiazdami niczym piechota morska w bitwie o Iwo Jimę; MDywiz robił za tego gościa z przodu.

Przyjęcie trwało długo, aż została tylko nasza czwórka, podziwiająca księżyc i nasłuchująca łopotu sztandaru na maszcie. Właśnie otworzyłem kolejne piwo wyciągnięte z chlupoczącego w wózku lodu, kiedy Anna wyjęła mi puszkę z dłoni.

– Spokojnie, dziecino – powiedziała. – Jak ci dwaj zwiną się do domu, będziesz musiał się wykazać.

Godzinę później Steve Wong i MDywiz wyszli, nowy obywatel Stanów Zjednoczonych z *A Horse with No Name* (autorstwa zespołu America) na ustach. Gdy tylko auto Steve'a zniknęło z podjazdu, Anna wzięła mnie za rękę i zaprowadziła do ogródka. Ułożyła poduszki na miękkiej trawie i leżeliśmy tam, rozcałowani, a potem… cóż, zacząłem się wykazywać.

## DZIEŃ 4

Anna nie marnuje żadnej okazji, aby upchnąć kilka kilometrów w czterdziestu minutach, i zamierzała mnie też narzucić ów nawyk. Zabrała mnie na jedną ze swoich tras, wiodącą pod górę ścieżkę, która oplata Vista Point i wraca, i kazała mi ruszać. Ona miała śmignąć pierwsza i dołączyć do mnie w drodze powrotnej, wiedząc, że nie mam szans, żeby utrzymać jej tempo.

Nie jestem fanatykiem ćwiczeń. Co jakiś czas jeżdżę na swoim starym trzybiegowym rowerze do Starbucksa albo rozgrywam kilka partyjek dysk golfa (byłem kiedyś w lidze). Tego ranka zasuwałem po ścieżce, Anna wysforowała się tak bardzo, że jej nie widziałem, a moje stopy rozbijały nowe buty (na przyszłość: dodać połówkę do rozmiaru). Krew z niespotykaną furią tętniła mi w całym ciele, więc ramiona i kark się napięły, a głowa pękała. Wracając pędem z Vista Point, Anna klaskała.

– Zuch dziecina! – zawołała, wymijając mnie. – Niezły początek!

Zawróciłem, żeby za nią pobiec.

– Uda mnie pieką!

– Buntują się – rzuciła przez ramię. – Z czasem ulegną!

Kiedy brałem prysznic, Anna przemeblowała mi kuchnię. Uznała, że trzymam patelnie i pokrywki w niewłaściwych szafkach, a w ogóle to dlaczego moja szuflada na sztućce jest tak daleko od zmywarki? Nie miałem na to odpowiedzi.

– Raz, raz. Nie możemy się spóźnić na lekcję nurkowania.

Szkoła nurkowania pachniała gumowymi piankami i basenowym chlorem. Wypełniliśmy formularze i dostaliśmy podręczniki wraz z rozkładem naszych zajęć, jak również możliwymi terminami egzaminu na otwartym morzu. Anna z miejsca wybrała niedzielę za cztery tygodnie i zarezerwowała nam koje na łodzi.

Poszliśmy do baru sałatkowego Viva Verde na lunch – sałatkę z sałatki z sałatką – po czym chciałem wrócić do domu na drzemkę. Jednak Anna oznajmiła, że potrzebuje mojej pomocy przy przenoszeniu jakichś rzeczy u siebie, co ciągle odkładała. To była pół-, a wręcz nieprawda. W rzeczywistości chciała, żebym pomógł jej kolejny raz wytapetować przedpokój i domowe biuro, co znaczyło, że musiałem przenieść jej komputer, drukarkę, skanery i sprzęt graficzny, a potem przez całe popołudnie wykonywać jej polecenia.

Tego wieczoru nie udało mi się dotrzeć do domu. Zjedliśmy kolację u niej – warzywne lazanie z warzywami – i obejrzeliśmy na Netfliksie film o bystrych kobietach w związkach z półgłówkami.

– Patrz, dziecino – ucieszyła się Anna. – To o nas! – Potem zachichotała i sięgnęła mi do spodni, nie zawracając sobie głowy całowaniem.

Albo byłem największym farciarzem świata, albo dawałem robić się w bambuko. Kiedy Anna pozwoliła mi też sięgnąć do jej spodni, nadal nie wiedziałem, co jest grane.

## DZIEŃ 5

Anna musiała dziś pracować w biurze. Zatrudnia cztery konkretne kobiety i stażystkę, „trudną" uczennicę miejscowego liceum. W zeszłym roku wygrała przetarg na projekt graficzny dla wydawcy podręczników – regularne zlecenia, choć nudne jak tapetowanie na cały etat. Powiedziałem jej, że idę do domu.

– Po co? – zapytała. – Nie masz dziś nic do roboty.

– Spróbuję trochę pobiegać – wyjaśniłem, wymyślając to pod wpływem chwili.

– Zuch dziecina – pochwaliła mnie.

Poszedłem do domu i naprawdę włożyłem buty do biegania, po czym potruchtałem po okolicy. Pan Moore, emerytowany glina, z którym sąsiaduję przez płot na tyłach domu, zobaczył, jak biegam, i zawołał:

– Co cię, kurwa, naszło?

– Kobieta! – odkrzyknąłem. Nie dość, że powiedziałem prawdę, to jeszcze zrobiło mi się miło.

Kiedy mężczyzna myśli o swojej pani i nie może się doczekać, żeby zrelacjonować jej, jak przez czterdzieści minut biegał, to cóż, brachu, jesteśmy w Krainie Poważnego Związku.

Tak. Byłem w związku. Związek odmienia mężczyznę, od butów do ćwiczeń po wybór fryzury (którą Anna podyktowała od razu następnego dnia mojemu fryzjerowi) – zmiany były mi potrzebne. Oszołomiony adrenaliną amorów biegłem dalej, niż pozwalała mi wydolność ciała.

Anna zadzwoniła w chwili, kiedy zrezygnowałem z drzemki, bo moje łydki były twarde jak puszki piwa. Wysłała mnie do swojego speca od akupunktury; miała zadzwonić, żeby umówić mnie na pilny zabieg.

East Valley Wellness Oasis to minicentrum handlowe/biurowiec z podziemnym parkingiem. Ciągłe skręcanie między poziomami volkswagenem busem bez wspomagania kierownicy wymagało sporego wysiłku. Rozeznanie się w licznych windach budynku męczyło mi mózg. Znalazłszy w końcu biuro 606-W, wypełniłem pięć stron „kwestionariusza wellnessu", siedząc przy fontannie, której elektryczna pompa hałasowała bardziej niż spływająca woda.

*Czy akceptuje Pan praktykę wizualizacji?* Pewnie, czemu nie? *Czy jest Pan otwarty na medytację kierowaną?* Na pewno nie zaszkodzi. *Proszę opisać powody, dla których zgłasza się Pan na terapię. Prosimy o konkrety.* Moja dziewczyna kazała mi dostarczyć wam moje umęczone, biedne, napięte mięśnie nóg marzące o chwili wytchnienia.

Oddałem odpowiedzi i czekałem. W końcu jakiś gość w białym fartuchu wywołał moje imię i zaprowadził mnie do sali zabiegowej. Kiedy rozbierałem się do bielizny, przeczytał moje papiery.

– Anna mówi, że nogi ci dokuczają? – zapytał. Zajmował się Anną od trzech lat.

– Zgadza się – przyznałem. – Łydki, nie licząc reszty zbuntowanych mięśni.

– Według tego – powiedział, stukając w kartki – Anna to twoja dziewczyna.

– To świeża sprawa – wyjaśniłem.

– Powodzenia. Proszę się położyć na brzuchu. – Kiedy wbił we mnie igły, poczułem mrowienie w całym ciele i nie mogłem zapanować nad dygotaniem łydek. Przed wyjściem z sali włączył odtwarzanie w starym przenośnym boomboksie, z którego puścił mi medytację kierowaną. Usłyszałem polecenie kobiety, żebym oczyścił umysł i pomyślał o rzece. Przez pół godziny starałem się mniej więcej to robić, usiłując zasnąć, co mi się nie udało, bo byłem pokłuty igłami.

Anna czekała u mnie w domu z gotowym obiadem z liściastej zieleniny z nasionami i ryżem koloru ziemi. Następnie rozmasowała mi nogi tak mocno, że kwiliłem. Potem oznajmiła, że co prawda ostatni raz pięć nocy z rzędu kochała się w college'u, ale i tak chce spróbować.

## DZIEŃ 6

Ustawiła alarm w telefonie na za kwadrans szóstą rano, bo miała dużo roboty. Mnie też kazała wstać, pozwoliła mi wypić filiżankę kawy, po czym poleciła mi włożyć strój do biegania.

– Łydki dalej mnie bolą – powiedziałem.

– Bo wmawiasz sobie, że bolą – odparła.

Dziś rano nie mam ochoty na bieganie – pożaliłem się.

– To masz pecha, dziecino. – Cisnęła we mnie spodniami od dresu.

Ranek był zimny i mglisty. Jej zdaniem: – Idealny na trening na szosie. – Zmusiła mnie, żebym wykonywał z nią na własnym podjeździe jej dwunastominutowy zestaw ćwiczeń rozciągających, i ustawiła timer w swoim telefonie, z którego co pół minuty dochodził odgłos dzwonu. Musiałem utrzymać dwadzieścia cztery pozycje, z których każda rozciągała we mnie jakieś ścięgno albo mięsień. Po każdej krzywiłem się z jękiem, głośno przeklinałem albo kręciło mi się w głowie.

– Zuch dziecina – powiedziała.

Potem opisała trasę, którą mamy przebiec po mojej okolicy, ona dwa razy, ja raz. Kiedy mijałem pana Moore'a, właśnie podnosił gazetę z trawnika przed domem.

– To była twoja babka? Ta, co przed chwilą tu biegła? – zawołał.

Byłem tak zasapany, że udało mi się tylko przytaknąć.

– Co ona w tobie, kurwa, widzi?

Chwilę potem Anna minęła mnie podczas drugiego okrążenia, po drodze klepiąc w pośladki.

– Zuch dziecina!

Dołączyła do mnie pod prysznicem. Było dużo całowania i dotykania się nawzajem w różnych wspaniałych miejscach. Poinstruowała mnie, jak mam jej wyszorować plecy, i kazała przyjść do siebie do biura na lunch, żebyśmy mogli pouczyć się z podręcznika o nurkowaniu. Nawet go jeszcze nie zacząłem, a ona była już w połowie. Nie mam pojęcia, kiedy znalazła na to czas.

Spędziłem popołudnie, kręcąc się po jej biurze, wypełniając test wielokrotnego wyboru o sprzęcie do nurkowania i jego zastosowaniach, przeglądając oferty nieruchomości (ciągle trochę w tym jeszcze siedzę) i usiłując zabawiać pochłonięte projektami kobiety. Bez skutku. Przez ten czas Anna przeprowadziła długą telekonferencję z klientem w Fort Worth w Teksasie, zaprojektowała nowe strony tytułowe do serii podręczników, zrobiła korektę trzech projektów, pomogła „trudnej" stażystce w pracy domowej z geometrii, poprzestawiała rzeczy w składziku i przerobiła drugą połowę zadań z podręcznika do nurkowania. Pierwsze zajęcia mieliśmy jeszcze przed sobą.

Co było zresztą bez znaczenia. Byliśmy jedynymi uczniami. Obejrzeliśmy nagrania wspaniałego podwodnego świata, po czym weszliśmy do basenu. Staliśmy na płytkim końcu, a Vin, nasz instruktor, opisywał nam każdą część sprzętu do oddychania pod wodą. To trwało długo, głównie dlatego, że Anna miała do każdego elementu co najmniej pięć pytań. W końcu Vin kazał nam włożyć do ust automat oddechowy, uklęknąć i zanurzyć głowy, wciągnąć sprężone powietrze o metalicznym smaku i wypuścić bąbelki. Na zakończenie lekcji przeszliśmy test sprawności w wodzie, polegający na przepłynięciu dziesięciu okrążeń. Anna podeszła do sprawy niczym olimpijka i kilka minut później suszyła się po wyjściu z basenu. Ja płynąłem ospałą żabką, kończąc na dalekiej drugiej z dwóch pozycji.

Potem pojechaliśmy do East Village Market Mall na koktajl mleczny ze Steve'em Wongiem i MDywizem w Ye Olde Shoppe. Anna zamówiła miseczkę jogurtu bez cukru i mleka z posypką z prawdziwego cynamonu. Kiedy delektowaliśmy się naszymi deserami, wzięła mnie za rękę, a ów wyraz czułości nie uszedł uwagi pozostałych.

W łóżku tego wieczoru Anna przeglądała jak zwykle iPada przed snem, kiedy dostałem wiadomość od Steve'a Wonga.

**SWong:** *Pukasz A???*

Wklepałem odpowiedź:

**Łazikksiężycowy7:** *Twoja sprawa?*
**SWong:** *Tak/nie?*
**Łazikksiężycowy7:** 😁
**SWong:** *Szalony??????*
**Łazikksiężycowy7:** 🏄🏆🚀🎯🏹!! 🏁😏

Potem do wymiany włączył się MDywiz:

**OBLICZEAMERYKI:**
**Łazikksiężycowy7:** ***Uwiodła mnie***
**OBLICZEAMERYKI:** ***„Jak kucharz stuka, przypala się zupa"***
**Łazikksiężycowy7:** ***Zdaniem? Wiejskiego szamana?***
**OBLICZEAMERYKI:** ***„Jak trener posuwa, w zespole obsuwa" – Vince Lombardi***

I tak to się kręciło. Steve Wong i MDywiz nie widzieli perspektyw dla naszego sparowania się z Anną. Ich strata! Tej samej nocy Anna i ja dobraliśmy się do siebie niczym kucharze w Green Bay w Wisconsin, zgotowując sobie pikantną ucztę.

DZIEŃ 7

– Nie powinniśmy porozmawiać o naszym związku?

To było moje pytanie. Stałem w aneksie kuchennym Anny po wyjściu spod prysznica, owinięty tylko ręcznikiem, wyciskając z jej szwajcarskiego ekspresu do kawy swój poranny eliksir. Ona była na nogach od półtorej godziny, już w stroju do biegania. Na szczęście moje obuwie sportowe zostało w domu, więc trening maratończyka mnie ominął.

– Chcesz porozmawiać o naszym związku? – zapytała, sprzątając kilka zmielonych ziarenek kawy, które spadły na nieskazitelnie czysty blat.

– Jesteśmy parą? – zapytałem.

– A jak ci się wydaje? – odparła pytaniem.

– Jestem twoim facetem?

– Jestem twoją dziewczyną?

– Czy któreś z nas sformułuje zdanie twierdzące?

– Skąd mam wiedzieć?

Usiadłem i pociągnąłem łyk zbyt mocnej kawy.

– Mogę poprosić trochę mleka?

– Myślisz, że ta breja ci służy? – Podała mi buteleczkę mleka migdałowego bez konserwantów, które trzeba wypić w ciągu kilku dni i które, choć sprzedawane jako mleko, składa się w istocie z płynnych orzechów.

– Mogłabyś kupić prawdziwe mleko do kawy?

– Dlaczego masz tyle wymagań?

– Czy prośba o mleko to wymaganie?

Uśmiechnęła się i ujęła w dłonie moją twarz.

– Myślisz, że jesteś mężczyzną dla mnie?

Pocałowała mnie. Właśnie miałem sformułować zdanie twierdzące, kiedy usiadła mi na kolanach i zdjęła ręcznik. Nie poszła biegać.

## DNI 8–14

Związek z Anną był jak szkolenie komandosa Marynarki Wojennej podczas pełnoetatowej pracy w magazynie Amazon w rejonie Oklahoma Panhandle w sezonie tornad. Coś się działo w każdej chwili każdego dnia. Moje drzemki o wpół do trzeciej przeszły do historii.

Ćwiczyłem regularnie: nie tylko biegałem rano, ale pływałem na zajęciach z nurkowania, rozciągałem się na jodze, która wydłużyła się do pół godziny, i jeździłem z Anną na rowerze stacjonarnym w ogrzewanej sali, co było taką męką, że puściłem pawia. Można się było wściec, tyle robiliśmy różnych rzeczy, i wszystkie były wymyślane na gorąco, pod wpływem chwili, nie pochodziły z żadnej apki ani listy. Bez przerwy. Jeżeli nie była zajęta pracą, treningiem czy dawaniem mi wycisku w łóżku, Anna coś robiła, czegoś szukała, dopytywała się, co było na zapleczu sklepu, jechała na drugi koniec miasta na wyprzedaż majątku albo do Home Depot, żeby zapytać Steve'a Wonga o szlifierkę taśmową dla mnie, bo blat stolika ogrodowego z sekwoi trzeba wygładzić. Każdy dzień – bez chwili wytchnienia – spędzałem, wykonując jej polecenia, w tym precyzyjne wskazówki za kierownicą.

– Skręć w następną w lewo. Nie zjeżdżaj tędy. Pojedź Webster Avenue. Dlaczego skręcasz właśnie teraz? Nie jedź obok szkoły! Jest już prawie trzecia! Dzieci właśnie wychodzą!

Zorganizowała dla Steve'a Wonga, MDywiza i mnie pokaz wspinaczki skałkowej w nowo otwartym hipermarkecie ze ścianką, sztuczną rzeką, na której można było doświadczyć spływu kajakowego górskim szlakiem, i z tunelem aerodynamicznym – symulatorem swobodnego latania – gdzie potężna dmuchawa utrzymywała w powietrzu śmiałków w kaskach. Czy muszę mówić, że nasza czwórka zaliczyła jednego wieczoru wszystko? Byliśmy tam do zamknięcia. Steve Wong i MDywiz czuli się jak mocarze po całym dniu pracy w bezpłciowych fartuchach w Home Depot. Ja byłem wykończony, za długo już żyłem według przeładowanego rozkładu zajęć Anny. Potrzebowałem drzemki.

Podczas przerwy na batony białkowe przy stoisku z przekąskami energetycznymi przed budynkiem Anna poszła do toalety.

– Jak to jest? – zapytał MDywiz.

– Jak co jest?

– Z tobą i Anną. I waszym bara-bara w szuwarach.

– Dajesz radę? – zapytał Steve Wong. – Wyglądasz na padniętego.

– Cóż, przed chwilą odbyłem symulowany skok bez spadochronu.

MDywiz wyrzucił niedojedzoną połówkę batonu białkowego do śmieci.

– Kiedyś na twój widok myślałem sobie: „Ten gość jest ustawiony. Ma niczego sobie domek z fajnym ogródkiem, pracuje wyłącznie na własny rachunek. Mógłby wyrzucić zegarek, bo nigdy nic nie musi". Byłeś dla mnie Ameryką, w której chcę żyć. A teraz płaszczysz się przed szefową. Niestety.

– Serio? – powiedziałem. – Niestety?

– Powiedz mu to przysłowie – polecił Steve.

– Kolejna mądrość wiejskiego szamana? – zapytałem.

– Tak naprawdę to wiejskiego nauczyciela angielskiego – odparł MDywiz. – „Żeby okrążyć glob, na statku musi być żagiel, ster, kompas i zegar".

– Mądrość kraju bez dostępu do morza – skomentowałem. MDywiz dorastał w Czarnej Afryce.

– Anna jest kompasem – wyjaśnił MDywiz. – Ty jesteś zegarem, ale odmierzając czas jej miarą, rozregulowałeś się. Twoje wskazówki pokazują właściwą godzinę tylko dwa razy na dobę. Nigdy nie poznamy naszej długości geograficznej.

– Jesteś pewien, że Anna nie jest żaglem? – zapytałem. – Dlaczego ja nie mogę być sterem, a Steve kompasem? Nie rozumiem tej analogii.

– Pozwól, że spróbuję ci to wytłumaczyć – wtrącił Steve. – Jesteśmy jak serial z politycznie poprawną obsadą. Gość z Afryki to on. Azjata to ja. Białawy mieszaniec – ty. Silna kobieta, która wie, czego chce, i nigdy nie dałaby się zdominować mężczyźnie – Anna. Wasze sparowanie się jest jak wątek z jedenastego sezonu, kiedy nadawca stara się utrzymać nas na antenie.

Zerknąłem na MDywiza.

– Chwytasz tę popkulturową metaforę?

– Mniej więcej. Mam kablówkę.

– Nasza czwórka – wyjaśnił Steve – tworzy doskonały kwadrat. Twoja pościelowa gimnastyka z Anną zaburzy nam geometrię.

– Jak?

– To Anna jest siłą sprawczą naszego życia. Popatrz na nas. Jest prawie północ, a my dyndaliśmy, wiosłowaliśmy i skakaliśmy bez spadochronu w centrum handlowym. Mimo że jutro idę do pracy. Ona jest naszym katalizatorem.

– Odwoływaliście się do żaglówek, seriali, geometrii i chemii, żeby wykazać, że nie powinienem spotykać się z Anną. I nadal nie jestem przekonany.

– Widzę płacz – odparł MDywiz. – Twój, Anny, nas wszystkich. Będziemy zalewać się łzami.

– Słuchajcie – zacząłem, odsuwając białkowe brownie, które nawet smakowało jak brownie. – Między mną a moją dziewczyną wydarzy się jedna z następujących rzeczy. Owszem, moją d z i e w c z y n ą. – Zerknąłem ukradkiem na Annę. Stała w oddali i gawędziła z pracownikiem przy ladzie z napisem ZAINWESTUJ W PRZYGODĘ! – Pierwsza możliwość: bierzemy ślub, mamy dzieci, a wy zostajecie ich ojcami chrzestnymi. Druga: zrywamy ze sobą, demonstracyjnie się nawzajem oskarżając i epatując doznaną krzywdą. Będziecie musieli wybrać, po której stronie się opowiadacie: trzymacie ze mną czy łamiecie obowiązujące zasady płci i kumplujecie się z kobietą. Trzecia: Anna poznaje jakiegoś faceta i mnie rzuca. Zamieniam się w melancholijnego nieudacznika i nie ważcie się nawet powiedzieć, że już nim jestem. Czwarta: rozstajemy się, zgodnie postanawiając zostać przyjaciółmi, jak to bywa w telewizji. Pozostają mi wspomnienia tych pseudowspinaczek i całej reszty oraz najlepszego seksu w życiu. Poradzimy sobie z każdą z tych możliwości, bo oboje jesteśmy dorośli. I przyznajcie – gdyby Anna miała na was chrapkę tak jak na mnie, nie zastanawialibyście się nawet przez chwilę.

– A ty byś wróżył łzy – podsumował Steve Wong.

W tym momencie wróciła Anna, z uśmiechem na twarzy wymachując grubą kolorową broszurą na kredowym papierze.

– Ej, chłopaki! – zagaiła. – Jedziemy na Antarktydę!

## DZIEŃ 15

– Będzie nam potrzebny odpowiedni ekwipunek. – Anna maczała świeżą torebkę herbaty Rainbow Tea Company w kubku z wrzątkiem. Była w stroju do biegania, a ja wkładałem adidasy. – Długie kalesony. Parki i dresy ortalionowe. Polarowe pulowery. Wodoodporne buty. Kijki do chodzenia.

– Rękawice – dodałem. – Czapki.

Wyprawa na Antarktydę potrwa trzy miesiące, będzie prowadziła przez wiele stref czasowych i wymagała pokonania tysięcy kilometrów. Anna włączyła już pełny tryb planowania.

– Czy na biegunie południowym nie ma wtedy lata? – zapytałem.

– Nie dotrzemy na biegun. Może do koła podbiegunowego, ale tylko pod warunkiem, że pogoda i morze zechcą nam sprzyjać. I tak będzie mnóstwo lodu i wiatru.

Wyszliśmy przed dom na czterdziestopięciominutową sesję na moim trawniku, a nasze psy z głową w dół i kobry mokły od porannej rosy. *Dzyń*. Na znak timera schyliłem się, usiłując dotknąć czołem kolan. Akurat.

Anna umiała się składać jak stolik do kart.

– Zdajesz sobie sprawę – powiedziała – że astronauci z programu Apollo pojechali na Antarktydę badać wulkany. – Anna wiedziała, jak mnie rajcują wszelkie sprawy kosmiczne. Nie miała za to pojęcia, ile na ten temat wiem.

– Szkolili się na Islandii, młoda damo. Jeżeli któryś z astronautów wybrał się na biegun południowy, to długo po tym, jak zakończył swoją misję zmiany losów ludzkości, wywinąwszy się śmierci w rakietach NASA. – *Dzyń*. Spróbowałem sięgnąć i chwycić się za kostki, od czego moje biedne łydki zapiekły.

– Zobaczymy pingwiny i wieloryby, i stacje badawcze – wymieniała Anna. – I B15-K.

– Co to jest B15-K?

– Góra lodowa wielkości Manhattanu, tak duża, że można ją śledzić przez satelitę. Oderwała się od Lodowca Szelfowego Rossa w dwa tysiące trzecim roku i okrąża Antarktydę w kierunku przeciwnym do ruchu wskazówek zegara. Jeżeli pogoda się utrzyma, możemy wynająć helikopter i na niej wylądować!

*Dzyń*. To było ostatnie ćwiczenie. Puściła się biegiem. Usiłowałem dotrzymać jej tempa, ale byłem bez szans, zwłaszcza gdy nakręciła się opowieściami o B15-K.

Kiedy mijałem truchtem dom pana Moore'a, właśnie wsiadał do samochodu z kubkiem kawy na drogę w dłoni.

– Przed chwilą biegła tędy ta twoja dziewczyna. Nieźle zasuwała.

Po prysznicu i śniadaniu, na które było awokado na chlebie orkiszowym, Anna wzięła sprzedaną przez Steve'a Wonga szlifierkę taśmową i zaczęła polerować mój stolik ogrodowy. Dołączyłem do niej z własnym papierem ściernym.

– Jak przetrzesz do żywego, będziesz go musiał jeszcze raz pomalować. Masz farbę?

Miałem.

– Powinieneś skończyć dziś wieczorem. Potem przyjedź do mnie. Będzie kolacja i seks.

Nie oponowałem.

– Teraz muszę iść do pracy.

Przed wyjściem wskazała mi inne przedmioty z drewna, które wymagały oszlifowania i farby – ławkę, tylne drzwi do kuchni i starą szopę, gdzie trzymam zabawki do trawy i sprzęt sportowy. Resztę dnia spędziłem w obozie pracy.

Kiedy przyszła wiadomość od Anny, byłem spocony, zakurzony i zachlapany farbą.

ProjektAnn(tk)a: *kolacja za kwadrans*

Dotarłem do niej po półgodzinie, ale przed jedzeniem musiałem wziąć prysznic. Jedliśmy w salonie – wielkie misy wietnamskiego pho – oglądając dwa odcinki *Our Frozen Earth* na Blu-ray. Przez ponad trzy godziny dowiedzieliśmy się wszystkiego o pingwinach maskowych i krabojadach foczych, które żyją tylko w jednym regionie naszej planety.

Zasnąłem, nie doczekawszy seksu.

## DZIEŃ 16

Anna umówiła nas bez mojej wiedzy na lekcję nurkowania wczesnym rankiem.

Vin kazał nam włożyć cały osprzęt – butle, pasy balastowe, wszystko – i klęczeć na dnie głębokiego końca basenu. Musieliśmy zdjąć każdą część sprzętu nurka, w tym maski, wstrzymać oddech, a potem wszystko z powrotem włożyć. Po lekcji Vin powiedział, że mam zaległości w teorii i że muszę nadgonić.

– Dlaczego nie przerobiłeś podręcznika? – dociekała Anna.

– Pochłonęła mnie randka ze szlifierką taśmową.

W drodze do domu poczułem w krtani drapanie, jakby coś mnie brało.

– Nie mów, że się przeziębisz – ostrzegła Anna. – Wmawiając sobie, że jesteś chory, pozwalasz sobie na chorobę.

Zadzwonił jej telefon i odebrała połączenie przez zestaw słuchawkowy; to był jeden z jej klientów w Fort Worth. Niejaki Ricardo opowiadał żarty o szablonach kolorów, rozśmieszając parkującą na podjeździe Annę, która została w samochodzie, żeby dokończyć rozmowę. Ja wszedłem do domu.

– Musimy pojechać do Fort Worth – oznajmiła, dotarłszy w końcu do kuchni. Robiłem rosół z kury z torebki.

– Po co? – zapytałem.

– Muszę pomóc Ricardowi przygotować prezentację. A tak w ogóle to nie jest zupa, tylko paczka sodu.

– Pozwalam sobie na chorobę. Zupa mi pomoże.

– To gówno cię wykończy.

– Muszę jechać z tobą do Fort Worth?

– Czemu nie? I tak nie masz nic do roboty. Zostaniemy na noc i pozwiedzamy.

– Fort Worth?

– To będzie przygoda.

– Cieknie mi z nosa i czuję się, jakby w mojej głowie buszował rój pszczół.

– Wszystko przejdzie, jak tylko przestaniesz opowiadać takie rzeczy – skwitowała.

W odpowiedzi kichnąłem, zakaszlałem i wydmuchałem nos w chusteczkę. Anna pokręciła tylko głową.

## DZIEŃ 17

Oto co zwiedziłem w Fort Worth.

Wielkie lotnisko. Tak pełne podróżnych, jakby gospodarka Teksasu się załamała i wszyscy rzucili się do ucieczki.

Halę odbioru bagażu. W trakcie przebudowy, co skutkowało chaosem i groźbą bijatyki. Anna miała trzy walizki, które zjechały na samym końcu.

Autokar. Z namalowanym wielkimi literami napisem PONYCAR PONYCAR PONYCAR. PonyCar był nową konkurencją dla Ubera i wynajętych samochodów. Anna miała kupon na darmowy weekend – nie wiem z jakiej okazji. Autokar zawiózł nas na parking pełen maleńkich samochodów – też z namalowym logo PonyCar. Nie mam pojęcia, gdzie odbywa się produkcja ponycarów, ale są wyraźnie zaprojektowane dla niewielkich ludzi. Nasza dwójka z bagażem musiała się wcisnąć do pojazdu stworzonego z myślą o naszej dwójce z jedną trzecią bagażu.

Hotel DFW Sun Garden. Nie tyle hotel, co konglomerat kawalerek z aneksami kuchennymi i baterią automatów dla podróżujących służbowo, którzy muszą liczyć się z kosztami. Kiedy znaleźliśmy się w naszym pokoiku, położyłem się. Anna przebrała się w eleganckie rzeczy, rozmawiając przez telefon z Ricardem. Pomachała do mnie na pożegnanie i wyszła, ciągnąc za sobą gustowną walizkę na kółkach.

Zamulony chorobą nie mogłem włączyć telewizji. Kablówka miała menu, jakiego nigdy wcześniej nie widziałem. Udało mi się tylko ustawić kanał hotelowy Sun Garden, który sławił chwałę przybytków sieci na świecie. Nowe hotele otwierano wkrótce w Evansville w Indianie, Urbanie w Illinois i Frankfurcie w Niemczech. Systemu telefonicznego też nie udało mi się rozpracować. Bez przerwy łączyłem się z tym samym nagranym menu. Zgłodniałem, więc powlokłem się do holu na zakupy w automatach.

Maszyny umieszczono w oddzielnej salce z małym szwedzkim stołem, na którym stały miski z jabłkami i pojemniki z płatkami śniadaniowymi. Poczęstowałem się jednymi i drugimi. W jednym z automatów można było kupić pizzę na kawałki, w innym przybory toaletowe, w tym kilka leków na przeziębienie. Po czterech próbach przekonania maszyny, żeby przyjęła moją wymiętą dwudziestkę, kupiłem trochę kapsułek, trochę tabletek, kilka opakowań jednorazowych leków w płynie i buteleczkę specyfiku o nazwie Boost-Blaster!, który szczycił się potężną dawką antyutleniaczy, enzymów i wszystkiego, co dobre w botwinie i pewnych rybach.

Po powrocie do pokoju przygotowałem koktajl z dwóch sztuk każdego z nabytków; zdarłem folię ochronną, rozpracowałem nakrętki zabezpieczające i wypiłem boost-blastera! jednym haustem.

## DZIEŃ 18

Po obudzeniu nie miałem pojęcia, gdzie jestem. Słyszałem dźwięk prysznica. Widziałem światło w szczelinie pod drzwiami i stertę podręczników na stoliku. Drzwi do łazienki otworzyły się gwałtownie, uwalniając kłęby podświetlonej pary.

– Żyjesz! – Naga Anna się wycierała. Zdążyła już wrócić z biegania.

– Żyję? – Przeziębienie nie ustąpiło. Ani trochę. Nowością było natomiast zamroczenie.

– Wziąłeś to wszystko? – Wskazała na małe biurko zaśmiecone resztkami po moich próbach leczenia się na własną rękę.

– Dalej chory – broniłem się słabo.

– Mówienie, że jesteś dalej chory, sprawia, że jesteś dalej chory.

– Czuję się tak podle, że twoja logika ma nawet sens.

– Tyle cię ominęło, dziecino. Zeszłej nocy poszliśmy na organiczną kuchnię meksykańską. Ricardo miał urodziny. Była nas mniej więcej czterdziestka plus piniata. Potem poszliśmy na tor i ścigaliśmy się miniaturowymi hot rodami. Dzwoniłam do ciebie, pisałam i nic.

Sięgnąłem po telefon. Między osiemnastą a wpół do drugiej w nocy ProjektAnn(tk)a dzwoniła i pisała do mnie trzydzieści trzy razy.

Anna zaczęła się ubierać.

– Lepiej się spakuj. Musimy się wymeldować, a potem pójść do biura Ricarda na spotkanie. A stamtąd na lotnisko.

Anna skierowała ponycara do dzielnicy przemysłowej gdzieś w Fort Worth. Usiadłem w recepcji, czując się koszmarnie i bez przerwy wydmuchując nos, i usiłowałem skoncentrować się na lekturze na czytniku Kobo książki o astronaucie Walcie Cunninghamie, ale byłem po prostu zbyt zamroczony. Zagrałem na telefonie w grę zatytułowaną *101*, odpowiadając na pytania prawda czy fałsz i robiąc testy wielokrotnego wyboru. Prawda czy fałsz: prezydent Woodrow Wilson używał w Białym Domu maszyny do pisania. Prawda! Upolował hammonda type-o-matic i wstukał na nim przemówienie, licząc na pozyskanie poparcia dla pierwszej wojny światowej.

Po długim siedzeniu potrzebowałem powietrza, więc poszedłem na wolny spacer po strefie przemysłowej. Każdy budynek wyglądał tak samo i się zgubiłem. Znalazłem drogę powrotną, kiedy szczęśliwym trafem zauważyłem zaparkowanego ponycara, który okazał się nasz.

Anna stała tam ze swoimi klientami, nie mogąc się mnie doczekać.

– Gdzieś ty się podziewał?

– Zwiedzałem.

Przedstawiła mnie Ricardowi i trzynastu innym redaktorom prowadzącym podręczników.

Nie uścisnąłem dłoni żadnemu z nich. Byłem przecież przeziębiony.

Zwrot auta w biurze PonyCara był zgodnie z zapowiedzią bezproblemowy, ale autokar, który miał nas zabrać do hali odlotów, mocno się spóźnił. Żeby zdążyć na samolot, musieliśmy z Anną biec przez lotnisko DFW jak dwie postaci z filmu albo o szurniętych kochankach na wakacjach, albo o agentach federalnych usiłujących powstrzymać atak terrorystyczny. Zdążyliśmy, ale nie było już miejsc obok siebie. Anna usiadła z przodu, ja na samym tyle. Zatkane uszy męczyły mnie przy starcie, a kilka godzin później, podczas lądowania, bolały jeszcze bardziej.

Po drodze do mnie Anna zatrzymała się w monopolowym po buteleczkę brandy. Kazała mi wypić dużą porcję alkoholu, potem zapakowała mnie do łóżka, opatuliła i dała mi całusa w czoło.

## DNI 19–20

Byłem najzwyczajniej chory. Jedynym ratunkiem było leżeć w łóżku i dużo pić, jak to jest z przeziębieniami od czasów, kiedy katar rozłożył pierwszego neandertalczyka.

Ale Anna miała na ten temat własne zdanie. Przez dwa dni robiła wszystko, żeby wyleczyć mnie przed czasem. Kazała mi siedzieć nago na krześle ze stopami w miednicy z zimną wodą. Podłączyła moje kończyny do czegoś, co przypominało aparat EKG, kazała mi zdjąć wszystkie metalowe rzeczy (nie miałem na sobie żadnych) i włączyła urządzenie. Nic nie poczułem.

Jednak z czasem woda wokół moich stóp zrobiła się najpierw mętna, potem brązowa, a potem stężała, aż miednica zaczęła przypominać najmniej apetyczną galaretę świata. Paskudztwo było tak gęste, że wyciągając stopy, czułem się, jakbym wypełzał z bagna. A jak to śmierdziało!

– Złe z ciebie schodzi – wyjaśniła Anna, spuszczając brudy w klozecie.

– Z moich stóp?

– Tak. To dowiedzione. Złe jedzenie, trucizny i tłuszcze wychodzą z ciebie przez stopy.

– Mogę teraz wrócić do łóżka?

– Idziesz pod prysznic parowy.

– Nie mam prysznica parowego.

– Już masz.

Anna obwiesiła mój prysznic serią plastikowych zasłon i podkręciła przenośny generator pary. Siedziałem tam na stołku, pocąc się, aż udało mi się wmusić w siebie trzy wielkie butle jakiejś słabej herbaty. To trochę potrwało, bo herbata smakowała jak pomyje i mój pęcherz przeżywał ciężkie chwile.

Przybył rower stacjonarny. Anna kazała mi na nim jeździć co półtorej godziny przez dokładnie dwanaście minut, aż spociwszy się, dowiodłem, że podniosłem temperaturę ciała.

– To żeby wycisnąć z ciebie śluzy i takie tam – wyjaśniła.

Przez trzy posiłki z rzędu karmiła mnie miskami wodnistej zupy z kawałkami buraków i selera. Zmusiła mnie do godzinnych sesji powolnego rozciągania według wskazówek ze swojego iPada, pilnując, żebym idealnie naśladował instruktorkę.

Podłączyła do kontaktu coś à la elektryczna kostka mydła, co bzyczało i wibrowało – urządzenie domowej roboty z napisem cyrylicą na opakowaniu. Kazała mi się położyć nago na podłodze i całego mnie tym dziwactwem rozmasowała z obu stron. Komusze ustrojstwo wydawało różne odgłosy na różnych częściach mojego ciała.

– Zuch dziecina! – ucieszyła się Anna. – Już niedługo!

Nie mówiąc jej o tym, wziąłem kilka nyquilów i przeżułem parę sudafedów, po czym wpełzłem z powrotem do łóżka, żeby rozpłynąć się w krainie kimania.

## DZIEŃ 21

Rano czułem się lepiej. Pościel była tak przesiąknięta moim potem, że dało się ją wyżymać jak irchę.

Na ekspresie znalazłem przyklejoną wiadomość od Anny.

*Kiedy wychodziłam, spałeś jak zabity. Taki mi się podobasz. Nie będziesz chory, jeżeli skończysz zupę z lodówki. Rano wypij ją na zimno, po południu na gorąco. Poćwicz na rowerze dwa razy przed południem i porozciągaj się przez godzinę (wysłałam Ci załącznik mailem). I siedź pod prysznicem* PAROWYM, *aż wypijesz trzy butelki destylowanej wody! Wydalaj z siebie ten sód! A.*

Byłem sam u siebie bez nadzoru, więc natychmiast zignorowałem zalecenia Anny. Wypiłem kawę z gorącym mlekiem. Przeczytałem drukowany egzemplarz „Timesa" – nie wersję internetową, którą Anna wolała, bo papierowe gazety, bez względu na mój recykling, były grzechem wobec planety. Zrobiłem sobie pożywną jajecznicę ze smażonymi plastrami linguisy (portugalskiej kiełbasy), z bananem, truskawkową grzanką Pop-Tart, sokiem z papai z kartonu i dużą miską cocoa puffsów.

Nie jeździłem na rowerze stacjonarnym ani nie siedziałem w prowizorycznej łaźni. Nie otworzyłem załącznika, więc z rozciągania nici. Zamiast tego przez cały ranek robiłem pranie – cztery cykle, w tym pościel. Puszczałem składanki z kompaktów i śpiewałem. Delektowałem się niewykonywaniem żadnego z poleceń Anny. Miałem Najlepsze Życie pod Słońcem.

Co znaczyło, że odpowiedziałem na jej zadane mi przed dwoma tygodniami pytanie: *Nie*. Nie byłem mężczyzną dla niej.

Kiedy zadzwoniła, żeby zapytać, jak się czuję, przyznałem się do zignorowania jej zaleceń. Powiedziałem też, że czuję się zdrowy, wypoczęty, że doszedłem do siebie i choć jest wspaniała, a ja jestem frajerem… i tak dalej, i tak dalej.

Zanim udało mi się sklecić, że z nią zrywam, Anna mnie wyręczyła.

– Dziecino, nie jesteś mężczyzną dla mnie.

W jej głosie nie było nawet krzty urazy, krytyki ani rozczarowania. Powiedziała to zupełnie bez ogródek, na co ja nigdy bym się nie zdobył.

– Wiem to od jakiegoś czasu – przyznała z chichotem Anna. – Nie dawałeś ze mną rady. Na dłuższą metę bym cię wykończyła.

– Kiedy miałaś zamiar mnie uwolnić? – zapytałem.

– Gdybyś się nie wycofał do piątku rano, odbylibyśmy poważną rozmowę.

– Dlaczego w piątek rano?

– Bo w piątek wieczorem wracam do Fort Worth. Ricardo zabiera mnie na lot balonem.

Jakaś część mojej męskiej dumy od razu miała nadzieję, że ten cały Ricardo też nie będzie mężczyzną dla Anny.

---

Nie był. Anna nigdy nie wyjaśniła mi dlaczego.

A egzamin z nurkowania zdałem. Dołączyliśmy z Anną do Vina i tuzina innych nurków z dala od brzegu w skupiskach krasnorostów. Oddychaliśmy pod wodą, przepływając przez coś, co wyglądało jak wysoki las morskich drzew. Mam z Anną wspaniałe zdjęcie, kiedy później na pokładzie stoimy objęci, w kombinezonach i z szerokimi uśmiechami na naszych zmarzniętych, mokrych twarzach.

W przyszłym tygodniu wyruszamy na Antarktydę. Anna zorganizowała wielkie wyjście na zakupy, pilnując, żebyśmy skompletowali niezbędny sprzęt. Szczególnie zatroszczyła się, żeby MDywiz miał wystarczającą liczbę warstw chroniących go przed chłodem. Nigdy nie był w miejscu na tyle zimnym, żeby mogły tam żyć pingwiny maskowe i krabojady focze.

– Koło podbiegunowe, nadciągamy! – zawołałem, pozując w dresie i zielonej parce.

Anna się roześmiała.

Polecimy do Limy w Peru, potem przesiądziemy się na samolot do Punta Arenas w Chile, tam wsiądziemy na łódź, żeby przepłynąć z Ameryki Południowej do starej stacji badawczej w Port Lockroy, gdzie mamy pierwszy postój. Chodzą słuchy, że w Cieśninie Drake'a morze bywa wzburzone. Ale z silnym wiatrem, stabilnym sterem, precyzyjnym kompasem i niezawodnym zegarem nasz statek podąży na południe, ku kołu podbiegunowemu i zatrzęsieniu przygód.

Nie mówiąc o B15-K.

REMINGTON

# Wigilia 1953 roku

Virgil Beuell zamknął sklep dopiero w porze kolacji, kiedy zaczęło lekko śnieżyć. Droga do domu robiła się coraz bardziej śliska, więc jechał powoli, co było bajecznie łatwe w plymoucie z automatyczną skrzynią biegów PowerFlite. Bez sprzęgła, bez przerzucania – cud techniki. Ześlizgnięcie się z oblodzonej drogi i utknięcie w śniegu byłoby dziś katastrofą – w bagażniku plymoutha były wszystkie skarby, które nazajutrz rano miał dostarczyć Święty Mikołaj, skutecznie ukrywane tam, od kiedy dzieci parę tygodni temu przedstawiły swoje życzenia. Prezenty musiały znaleźć się pod choinką za kilka godzin, a przenoszenie ich z bagażnika zakopanego w śniegu auta do szoferki pomocy drogowej zupełnie popsułoby święta.

Podróż do domu trwała dłużej niż zazwyczaj, co nie przeszkadzało Virgilowi. Ale zimna nie znosił. Bez względu na PowerFlite często przeklinał inżynierów Plymoutha, którym nie udało się zaprojektować samochodu z porządnym ogrzewaniem. Kiedy powoli parkował przy domu i żółte plamy świateł pląsały na siatce tylnej werandy, a opony zaszeleściły, zatrzymując się na żwirowym podjeździe, chłód dał mu się nieco we znaki. Virgil musiał szczególnie uważać, żeby nie poślizgnąć się na ścieżce, jak to mu się zbyt często przytrafiało, ale i tak wszedł do domu z pośpiechem człowieka wracającego po dniu pracy.

Kiedy otrzepał kalosze ze śniegu i powiesił swoje warstwy ciepłego ubrania, ciało Virgila rozluźniło się w cieple rozprowadzanym przez ruszty z piwnicy. Po nabyciu domu własnoręcznie zainstalował piec, o wiele za duży jak na skromny budynek. Zamontował też potężny bojler, komercyjny model, w którym nigdy nie brakowało niebiańskiego płynu na kąpiele dla dzieci i długi prysznic dla niego. Taki komfort był wart rachunków za opał, jak również ceny dwóch sągów drewna każdej zimy.

W pokoju dziennym paliło się w kominku. Virgil nauczył Daveya, jak rozpalić ogień, ustawiając polana tak jak klocki Lincoln Logs, niczym kwadratowy dom wokół podpałki, nigdy w piramidę. Mały uważał teraz rozpalanie w kominku za swój święty obowiązek. Po nadejściu pierwszych listopadowych przymrozków dom Beuellów był najcieplejszym miejscem w promieniu wielu kilometrów.

– Tato! – Davey przybiegł z kuchni. – Nasz plan świetnie się sprawdził. Jill dała się nabrać.

– To wspaniałe wieści, olbrzymie – powiedział Virgil, witając się z chłopcem tajnym uściskiem dłoni, znanym tylko ich dwójce.

– Powiedziałem jej, że napiszemy do Mikołaja listy po kolacji, potem rozłożymy parę przysmaków, tak jak robiłeś to ze mną, kiedy byłem mały. – Davey kończył w styczniu jedenaście lat.

Jill nakrywała do stołu w kuchni, a jej specjalnością było poprawianie serwetek i sztućców.

– Tatuś wrócił, hurrra! – zawołała sześciolatka, prostując ostatnie łyżki.

– Tak? – zdziwiła się Delores Gomez Beuell. Stała przy kuchence i gotowała z małą Connie siedzącą okrakiem na jej biodrze.

Virgil dał każdej z kobiet swojego życia po całusie.

– Fakt, wrócił – potwierdziła Del, oddając pocałunek, po czym nałożyła smażone ziemniaki z cebulą na półmisek i zaniosła go na stół.

Davey przyniósł ojcu piwo z nowego potężnego kelvinatora i uroczyście wybił na przeciwległych krańcach wieczka dwa otwory otwieraczem do puszek, co stanowiło jego kolejną świętą powinność.

Kolacja u Beuellów była jak przedstawienie. Davey nie mógł usiedzieć na miejscu – małego zawsze nosiło przy stole. Connie wierciła się na kolanach matki, zajęta gryzieniem łyżki albo tłuczeniem nią w blat. Del kroiła jedzenie dla dzieci, wycierała po nich, wkładała Connie do buzi kawałki rozgniecionego kartofla i co jakiś czas sama brała gryza. Virgil jadł powoli, za każdym razem nakładając coś innego, krążył widelcem po talerzu, delektując się rodzinnym teatrem.

– Mówię wam: Mikołajowi wystarczą tylko trzy ciastka. – Davey na użytek Jill wyjaśniał fakty na temat oczekiwanego wieczorem gościa. – I on zawsze zostawia w szklance trochę mleka. Taki jest zajęty. Prawda, tato?

– Takie chodzą słuchy. – Virgil mrugnął do syna, który chciał to odwzajemnić, ale udało mu się tylko zmarszczyć pół twarzy i zamknąć oko.

– Tak czy inaczej, każdy zostawia mu ten sam przysmak.

– Każdy? – badała Jill.

– Każdy.

– Nie jestem pewna, kiedy on przychodzi. O której się pojawi? – dopytywała się.

– W ogóle nie przyjdzie, jeżeli nie skończysz kolacji. – Del stuknęła w talerz Jill widelcem i oddzieliła ziemniaki od mięsa. – Każdy kęs przyśpiesza nadejście Mikołaja.

– Wtedy, kiedy idziemy do łóżek? – zapytała Jill. – Trzeba zasnąć, prawda?

– Może się zjawić o dowolnej porze od pójścia do łóżka aż do porannej pobudki. – Davey miał odpowiedź na każdą wątpliwość siostry. Od kiedy latem rozpracował Mikołaja, chłopiec bardzo się starał podtrzymywać wiarę Jill.

– To wiele godzin. Jeżeli jego mleko będzie za długo stać, to się zepsuje.

– Mikołaj może je schłodzić dotknięciem! Wystarczy, że włoży palec do szklanki ciepłego mleka, powie „abrakadabra" i już. Mleko zimne.

Jill była tym zafascynowana.

– Musi pić dużo mleka.

Po kolacji Virgil z dziećmi pełnili służbę w kuchni. Jill stała na krześle nad zlewem i wycierała po kolei widelce i łyżki, podczas gdy Del była na piętrze, gdzie usypiała Connie i zażywała krótkiej, bardzo potrzebnej drzemki. Davey otworzył ostatnią tego wieczoru puszkę piwa dla ojca i postawił ją na stoliku z telefonem, tuż obok tak zwanego Fotela Taty przy kominku. Kiedy Virgil siedział i sączył piwo, Davey i Jill położyli się przed gramofonem i słuchali świątecznych płyt. Przy wyłączonym świetle choinka rzucała na ściany feerię kolorów. Jill oparła się o kolana Virgila, podczas gdy jej brat puszczał w kółko piosenkę o Rudolphie, aż nauczyli się całego tekstu i zaczęli go uzupełniać.

*Miał bardzo lśniący nos.*

– Jak żarówka!

*Śmiały się i z niego drwiły.*

– Ej, bałwanku!

Przy kawałku o przejściu do historii zawołali:

– I do arytmetyki!

Roześmiana Del zeszła po schodach.

– Ciekawe, co byście, moje głupolki, zrobili z *Joy to the World*? – Pociągnęła łyk Virgilowego piwa, po czym usiadła w swoim kącie kanapy, wystukała papierosa ze skórzanej papierośnicy na zatrzask i zapaliła go leżącymi przy popielniczce obok telefonu zapałkami.

– Davey, mógłbyś trącić tę kłodę – poprosił Virgil.

Jill się zainteresowała.

– Ja chcę pogrzebać!

– Najpierw ja. I nie martw się, buty Mikołaja są ognioodporne.

– Wiem. Wiem.

Po tym, jak Jill pogrzebała w kominku, Del wysłała dzieci na górę, żeby przebrały się w piżamy.

Virgil skończył piwo, poszedł do przedpokoju i wyciągnął z szafy przenośną maszynę do pisania Remington. Delores kupiła ją dla Virgila zupełnie nową, kiedy był w szpitalu polowym na Long Island w stanie Nowy Jork. Pisał na niej listy do żony swoją sprawną dłonią, aż terapeuci nauczyli go, jak on to nazywał, bezwzrokowej metody pisania pięcioma i połówką palca.

Wyjął maszynę z walizki na niskim stoliku i wkręcił dwie kartki, jedna na drugiej – zawsze dwie, żeby oszczędzać wałek.

– Napiszcie listy do Świętego Mikołaja, Dziadka Mroza czy jak go tam zwą – polecił dzieciom, kiedy wróciły pachnące pastą do zębów i świeżą, czystą flanelą.

Jill pierwsza napisała swój list, wstukując go jednym palcem, litera po literze, klawisz po klawiszu.

kochany mikołaaju dziekuje za to że znów
przychodzisz i dziekuje za rzeczy pielegniarki
i lalkę honey walker mamn adzieje że dostane
obje wesolych swiaat serdcznie pozdraiwma
JILL BEUELL

Davey zażyczył sobie oddzielnej kartki. Wytłumaczył Jill, że inaczej Mikołaj mógłby się pomylić. Wkręcenie do maszyny dwóch wyrównanych kartek trochę mu zajęło.

24.12.1953

Drogi święty Mikołajó. Moja siostra Jill w ciebie
wierzy i ja. Też. ciągle. Wiesz, co chcę pod choinke
i uwierz mi że NIGDY MNIE NIE ZAWIOŁDŁEŚ..!"Tó
jest oczywiście zimne mleko i „babeczki", czyli
poprostu ciastka. Za rok musisz przynieść prezenty
małej Connie boo bedzie już duża Zgoda???? jeżeli
melko jest ciepłe to ochlodz je plalcem.
David Amos Beuell

Davey zostawił swój list w wałku maszyny, którą odwrócił na stoliku w stronę kominka, żeby Święty Mikołaj jej nie przegapił.

– Powinniście ułożyć swoje prezenty na stertach pod choinką, to rano nie będzie zamieszania – poradził Virgil.

Zamówione prezenty Mikołaj zawsze zostawiał przed pierwszym dniem świąt, już rozpakowane, gotowe do zabawy, żeby Virgil i Del mieli czas na poranną kawę. Podarki od rodziny – od wuja Gusa i cioci Ethel, od wuja Andrew i cioci Marie, od Goggy i Popa, od Nany i Leona, z tak odległych zakątków jak Urbana w stanie Illinois i tak pobliskich jak Holt's Bend – pojawiały się pod choinką, zapakowane w kolorowy papier, od wielu dni, a po prawie każdym wyjściu rodziców na wiejską pocztę przybywał kolejny.

Po ułożeniu dwóch stosów prezentów z napisami DAVEY i JILL dzieci schowały płyty do okładek, a potem odstawiły je na półkę. Del poprosiła Jill, żeby dostroiła duże radio w szafce na programy świąteczne, piosenki o czymś innym niż renifer z czerwonym nosem.

Ciastka upiekły się dwudziestego trzeciego grudnia. Jill wyciągnęła je z kelvinatora i ułożyła na tacy, kiedy Davey nalewał mleko do wysokiej szklanki, a potem zanieśli przysmaki na stolik, gdzie trafiły obok remingtona. Potem zostało im już tylko czekać. Davey dołożył kolejne polano do ognia, a Jill wróciła na kolana ojca. W radiu leciały kolędy sławiące mędrców, święte noce i narodziny Jezusa.

Niedługo potem Virgil zaniósł śpiącą córkę do łóżka. Wsunął ją pod kołdrę, podziwiając delikatność zamkniętych oczu dziewczynki i jej ust, odzwierciedlających w miniaturze rysy Del. W salonie Davey siedział na kanapie, przytulony do matki, której palce bawiły się jego włosami.

– We wszystko uwierzyła – przyznał.

– Jesteś dobrym starszym bratem – pochwaliła go Del.

– E tam. Każdy by to zrobił. – Davey patrzył na ogień. – Kiedy Jill pierwszy raz zapytała mnie, czy Święty Mikołaj naprawdę istnieje, jakby bała się iść z tym do was i chciała, żeby to była nasza tajemnica, to nie wiedziałem, co jej powiedzieć.

– I jak sobie poradziłeś, skarbie?

– Wtedy opracowałem plan. Żeby mieć odpowiedź na każde jej pytanie. Jakim cudem udaje mu się objechać wszystkie domy? Jest superszybki, a domów nie ma w sumie aż tak wiele. A co, jeżeli nie ma komina? Może wejść przez kuchenkę albo piec.

– Dotykanie mleka, żeby je schłodzić – wyszeptała do syna Del, odgarnąwszy mu włosy z delikatnego czoła. – Jesteś taki bystry. Taki przebiegły.

– To była łatwizna. Mikołaj to przecież magik.

– Niedługo będziesz musiał to samo wyjaśnić Connie.

– No pewnie. To teraz moje zadanie.

Kiedy Virgil zszedł na dół do Fotela Taty, Bing Crosby nucił kolędę po łacinie.

– Tato, a jak działa radio? – zaciekawił się Davey.

---

Kwadrans po dziesiątej Davey poszedł do łóżka, ogłosiwszy, że to mogła być jego najlepsza Wigilia w życiu.

– Zaparzyć kawę? – zapytała Delores.

– O tak – odparł Virgil, idąc za nią do kuchni, gdzie zatrzymał ją, kiedy sięgała po puszkę kawy, objął i pocałował.

Odwzajemniła pocałunek i oboje poczuli, że taki całus to jeden z powodów, dla których są nadal małżeństwem. Trwał dłużej, niż się spodziewali, i zakończyli go uśmiechem. Del nastawiła kawę, a Virgil stał obok żony przy kuchence.

– Za rok spróbujmy się wybrać na pasterkę – powiedziała Delores. – Wychowujemy bezbożne dzieci.

– Tylko Daveya. – Virgil zachichotał. Davey urodził się siedem miesięcy po ich ślubie.

– Pasterka jest taka piękna.

– Trójka dzieciaków na nogach w noc wigilijną? Wyprawa do kościoła St. Mary's? I jeszcze z tym śniegiem dzisiaj?

– McElheny'owie jakoś sobie radzą.

– Ruth McElheny jest szurnięta jak krzywa miotła. Ed nie ma odwagi się jej postawić.

– Mimo to. Świece. Muzyka. To takie ładne.

Del wiedziała, że w przyszłości wybiorą się na pasterkę. Nie dlatego, że Virgil nie ma odwagi się jej postawić, ale ponieważ uwielbia spełniać jej życzenia. Ale w to Boże Narodzenie zostały jej tylko ich dłonie, jedna na drugiej, w cichej, ciepłej kuchni zaśnieżonego domu, w którym siedzieli przy kawie.

Virgil włożył z powrotem kalosze i gruby płaszcz, po czym uchylił frontowe drzwi na tyle, żeby się wyślizgnąć. Zebrało się prawie dziesięć centymetrów śniegu. Bez czapki poszedł do bagażnika plymoutha po dary Świętego Mikołaja. Nie chcąc ryzykować upadku na zamarzniętej ścieżce, zrobił dwa kursy z mniejszym obciążeniem. Zamykając bagażnik, podumał przez chwilę o kończącej się Wigilii tysiąc dziewięćset pięćdziesiątego trzeciego roku. Noc była chłodna, owszem, ale Virgil przeżył już gorsze mrozy.

Stąpając ostrożnie, poczuł skurcz urojonego bólu w miejscu, gdzie kiedyś miał lewą łydkę. Ostatnie pięć kroków do drzwi frontowych zrobił pojedynczo.

Del rozłożyła zestaw małej pielęgniarki przy stercie skarbów Jill. Honey Walker, chodząca lalka „zupełnie jak żywa", była na baterie. Mikołaj miał baterie. Davey niedługo znajdzie swój kosmodrom z wieżami i żołnierzami, i wyrzutniami na sprężyny, które po złożeniu przez Virgila wszystkich części naprawdę będą ciskać rakiety w próżnię. Connie będzie zachwycona nową matą do zabawy i zestawem klocków prosto z bieguna północnego. Kiedy wszystko było rozłożone, a Honey Walker odbyła próbny spacer, Virgil i Del usiedli przytuleni na kanapie i wrócili do całowania.

Posiedzieli chwilę ze splecionymi rękami w ciszy i bez ruchu. Del popatrzyła na ogień i się podniosła.

– Jestem wykończona – przyznała. – Postaraj się odebrać po pierwszym dzwonku, skarbie. I pozdrów go ode mnie.

– Jasne.

Virgil zerknął na zegarek. Było prawie wpół do dwunastej. Siedem minut przed północą nocną ciszę przeszył przenikliwy terkot. Zgodnie z zaleceniem Virgil podniósł słuchawkę, zanim pierwszy dzwonek ustąpił miejsca drugiemu.

– Wesołych świąt – powiedział.

Na linii była telefonistka.

– Połączenie międzystanowe do Virginii Beuell od Amosa Bolinga.

– Przy telefonie. Dziękuję pani.

Telefonistka jak zwykle przekręciła imię.

– Proszę pana, rozmówca jest na linii – potwierdziła kobieta i się rozłączyła.

– Dzięki, słonko – powiedział dzwoniący. – Wesołych świąt, Prawiczku.

Virgil uśmiechnął się na dźwięk przezwiska. Amos Boling zadbał o to, żeby wszyscy w jednostce nazywali go Prawiczkiem.

– Bud, gdzie ty się, do licha, podziewasz?

– W San Diego. Wczoraj byłem za granicą.

– No przecież.

– Pozwól, że coś ci powiem o Meksyku, Prawiczku. Mnóstwo tam knajp i burdeli. A do tego miło i ciepło. Ile macie śniegu w tym waszym Zaściankowie?

– Bywało gorzej. Ale siedzę przy ciepłym kominku, więc nie narzekam.

– Delores dalej musi się z tobą użerać?

– Masz pozdrowienia.

– Cholerny z ciebie farciarz, a twoja połowica mogła dużo lepiej trafić.

– Wiem, ale ani mru-mru.

Obaj zachichotali. Amos „Bud" Boling zawsze żartował, że kiedy Virgil „Prawiczek" Beuell sprzątnął Delores Gomez z rynku matrymonialnego, nie było sensu się już żenić. Swego czasu, przed ponad trzynastu laty, ktoś inny z jednostki mógł zwędzić Delores. Ernie, Clyde, Bob Clay albo któryś z dwóch Johnnych na pewno posmaliłby do niej cholewki, gdyby Virgil nie poznał jej pierwszy. Na potańcówce w ośrodku Czerwonego Krzyża był taki tłum żołnierzy, marynarzy i lotników, że Virgil musiał się przewietrzyć i oddalić na chwilę od zgiełku. Wyszedł na papierosa i ani się obejrzał, kiedy służył ogniem brązowookiej dziewczynie imieniem Delores Gomez. Do następnego ranka ona i Virgil zdążyli się wytańczyć, wyśmiać, zjeść naleśniki, napić się kawy i pocałować. Dwa życia odmieniły się na zawsze.

---

Minęło wiele lat, a Bud się nie ożenił i Virgil wiedział, że tak już zostanie. Sprzątnięcie mu sprzed nosa Delores nie miało tu nic do rzeczy. Virgil dawno temu zorientował się, że Bud ma już taką naturę, podobnie jak najmłodszy brat jego ojca, wuj Russell. Virgil rzadko widywał się z wujem, ostatni raz spotkali się tego długiego dnia na pogrzebie babki. Wuj Russell przyjechał z Nowego Jorku z przyjacielem, mężczyzną o imieniu Carl, który mówił na Russella „Rusty". Po mszy, pochówku i stypie w domu, która skończyła się kawą i ciastem, Carl i Rusty odjechali w noc, z powrotem do Nowego Jorku, ciągle w garniturach. Virgil przypomniał sobie później rzucone półgębkiem słowa ojca, jakoby „kobiety nie były ani słabością, ani pasją" jego młodszego brata. Bud Boling miał mnóstwo słabości i kilka pasji, ale tak jak w przypadku wuja Russella, żadna z nich nie dotyczyła kobiet.

– To – zaczął Virgil – jak się masz, Bud?

– Wszystko po staremu. Przybyłem tu trzy miesiące temu z mieściny na północy pod Sacramento. Wiesz, to stolica stanu. Kupiłem używanego buicka i nim przyjechałem. Przyjemne miasto. Pełne marynarzy. Nie ma taksówkarza, który by nie był w Pearl Harbor.

– Zdarza ci się pracować?

– Nie daję się zmusić.

– Wiem, że powtarzam to co roku, ale posłuchaj: mam dla ciebie pokój w sklepie. Serio, interes tak się kręci, że mógłbyś mi się przydać.

– Nieźle ci się powodzi, co nie?

– Bud, mam tyle zamówień, że pracuję sześć dni w tygodniu.

– Piekło na ziemi.

– Bud, mówię poważnie. Przyjedź do mnie i będziesz ustawiony na lata.

– Już jestem ustawiony na lata.

– Zapłacę ci więcej, niż jesteś wart.

– Nie jestem wart złamanej pięciocentówki, Prawiczku. Dobrze to wiesz.

Virgil się zaśmiał.

– To przynajmniej nas odwiedź. Latem. Weź tego swojego buicka i pojedziemy na ryby.

– Wy, chłopaki ze wsi, tylko byście łowili.

– Chciałbym się z tobą spotkać, Bud. Del też. Mały Davey byłby zachwycony, gdyby cię poznał.

– Może w przyszłym roku.

– Mówisz tak w każde święta. – Virgil nie ustępował. – Odwiedź nas. Pójdziemy na pasterkę. Pomodlimy się za wszystkich kumpli.

– Wszystkie modlitwy za kumpli mam już odbębnione.

– Daj spokój. W przyszłym roku upłynie dziesięć lat.

– Dziesięć lat? – Bud zamilkł, oddając głos trzaskom na linii międzystanowej. – Dziesięć lat dla kogo? Dziesięć lat od czego?

Virgilowi zrobiło się głupio.

---

Bob Clay poległ w Normandii tego samego dnia co Ernie, który wykrwawił się z rany w prawym udzie. Nikt się nie zorientował, że ma przebitą arterię, bo nie było plamy, krew wsiąkała w wilgotną ziemię. Nikt jej nie zobaczył. Nie było czasu się tym martwić, bo Niemcy usiłowali ich zabić gdzieś z drugiej strony grubego żywopłotu we francuskim *bocage*. Ostrzeliwana pociskami artyleryjskimi jednostka przez prawie godzinę była przygwożdżona ogniem niewidocznego nieprzyjaciela. Bud i Virgil służyli w dwóch oddziałach wysłanych, żeby przedrzeć się przez korzenie i drzewa – co było możliwe tylko przy użyciu granatów. Oskrzydlili pozycję wroga i wszystkich pozabijali, ale nie obyło się bez strat. Dowódcę oddziału Buda, kaprala Emery'ego, niemiecki karabin maszynowy dosłownie przeciął na pół. Virgilowi nie udało się reanimować sierzanta Castle'a, któremu trzy pociski przeszyły pierś i rozerwały kręgosłup. Rana głowy Burke'a była śmiertelna, a niejaki Corcoran stracił rękę, odciętą równo od ramienia, i przewieziono go na posterunek opatrunkowy. Nie wiadomo, czy przeżył.

Tydzień później jeden Johnny zniknął, a drugi się załamał i tak jednego po drugim jednostka traciła żołnierzy, jak to na wojnie. Przez pięćdziesiąt osiem dni, od siódmego czerwca do początku sierpnia, albo walczyli, albo posuwali się w stronę linii frontu. Buda awansowano na kaprala, a Virgilowi zaczęły gnić zęby od jedzenia samych racji żywnościowych typu K.

Pięćdziesiątego dziewiątego dnia jednostka odpoczywała w obozie we Francji – z łóżkami polowymi z kocami i stosunkowo ciepłymi prysznicami, gorącymi posiłkami i taką ilością kawy, jaką amerykański żołnierz mógł strawić. Później wielki namiot służył za kino, gdzie wyświetlano filmy. Clyde'a przeniesiono do wywiadu, bo nieźle mówił po francusku. Każdy samolot na niebie należał albo do RAF-u, albo USAAF-u i krążyły pogłoski, jakoby Niemcy uciekali i że najkrwawsze walki mają już za sobą, i wszyscy wrócą na święta do domu. Z baz uzupełnień przybyli nowi rekruci, których trzeba było wymusztrować i przeszkolić. Bud był dla nich surowy, a Virgilowi nie chciało się uczyć ich imion.

W połowie września jednostka dostała nowe mundury, nową broń, wszystkich załadowano do ciężarówek i wywieziono na ofensywę w Holandii. W nocy zderzyły się cztery samochody. Zginęło pięciu żołnierzy, a rany trzech innych wykluczyły ich z działań wojennych. Ciężarówki naprawiono i następnego dnia znów były w drodze. Trzy dni później tuż przed świtem jednostkę zaskoczył niemiecki atak. Po wysadzeniu stanowiska dowodzenia doszło do bezładnej, chaotycznej bitwy, w której Virgil i Bud walczyli z wrogiem wręcz. Przypadek chciał, że nieopodal były trzy czołgi, brytyjskie cromwelle, które przyjechały z rykiem i odparły niemieckie natarcie. Wielu nowych rekrutów poległo w swojej pierwszej bitwie i stało się wiele rzeczy, które były bezsensowne, kompletnie bezsensowne.

Virgil stracił poczucie czasu, aż znalazł się z powrotem we Francji, gdzie on i Bud spali, spali i spali. Przechadzali się obok olbrzymich starych katedr i grali w piłkę. Gwiazdy kina przyjeżdżały na występy. Niedaleko od baraków mieścił się burdel U Madame Sophii. Kiedy większość oficerów była na trzydniowych przepustkach w Paryżu, Bud, Virgil i inni poborowi musztrowali i szkolili kolejnych rekrutów, nawet na deszczu. Potem przyszedł najchłodniejszy grudzień w dziejach i Niemcy wtargnęli do Belgii. Jednostkę załadowano na ciężarówki, wywieziono na złamanie karku w noc i zostawiono gdzieś na drodze między Paryżem a Berlinem. Virgil docenił gest jednego z kierowców – kolorowego – który dał mu paczkę lucky strike'ów i poprosił Boga, żeby nad nim czuwał.

Jednostka maszerowała po drogach i zamarzniętych na kamień polach, po ścieżkach wydeptanych w śniegu, taszcząc amunicję i zaopatrzenie dla siebie i innych, tych już przed nimi na linii frontu, którą Virgil widział w oddali niczym fajerwerki w Dzień Niepodległości. Walczyli ramię w ramię ze spadochroniarzami, którzy wcześniej ponieśli ciężkie straty, przypuszczając pokazowy atak, by Niemcy uznali, że czeka na nich cała dywizja. Fortel się powiódł. Ale nie obyło się bez ofiar.

Oddział znalazł się pod ostrzałem artylerii w belgijskich lasach i część żołnierzy rozerwało – wyparowali. Potem Virgila i Buda z resztą jednostki wysłano marszem w drugą stronę, przez Bastogne. Minęli równą stertę martwych żołnierzy przy samym kościele, spalone, bezużyteczne czołgi bez gąsienic i kilka krów jedzących zebrane siano. Rolnik i jego krowy nie przejmowali się Niemcami, którzy usiłowali odbić port w Antwerpii, ani powszechnym rejwachem. Wszyscy żołnierze byli przemarznięci do szpiku kości. Przed zimnem nie było ucieczki. Niektórzy z jednostki pozamarzali. Sen był taką rzadkością, że część oszalała i trzeba ich było odesłać do Bastogne, w nadziei że się tam pozbierają i będą mogli wrócić na mróz i do boju.

---

Wartę pełnił nowicjusz – Cośtam Cośtam junior. Virgil siedział w okopie, pod dachem z gałęzi, na igliwiu służącym za podłogę, owinięty wojskowym kocem. O śnie mógł pomarzyć. Miał w paczce resztkę owocowych landrynek Charms, z których dwie włożył sobie do ust. Została jedna, więc podniósł się z zamarzniętej ziemi okopu i wcisnął ostatni kwadratowy cukierek w dłoń nowego.

– Wesołych, kurwa, świąt – wyszeptał Virgil.

– Dziękuję, panie Prawiczek.

– Młody, nazwij mnie jeszcze raz Prawiczkiem, a dostaniesz w zęby.

– To nie jest pana ksywka?

– Nie dla jebanych rekrutów.

Okop leżał po lewej stronie lasu, dwa drzewa od skraju wzniesienia. Za dnia widać było z niego jałowe ziemie jakiegoś belgijskiego rolnika, a za nimi gromadę domów postawionych wzdłuż wąskiej drogi na północny wschód. W nocy ziała tam tylko pustka. Gdzieś w dole mieli czekać niemieccy żołnierze. Reszta jednostki została w okopach i schronach, rozmieszczonych w odstępach na prawo. To była teoretycznie główna linia obrony. W praktyce równie nierealna jak perspektywa ucięcia drzemki. Linia była tak wąska, że przed drzewami nie mieli posterunku nasłuchowego. Na tyłach właściwie nie posiadali ciężkiego uzbrojenia. Zostało niewiele pocisków do dział. Nie było kuchni i co za tym idzie, w promieniu wielu kilometrów można było pomarzyć o ciepłym posiłku.

Od kiedy przemaszerowali przez Bastogne, ta dziura była siódmą, którą Virgil wyskrobał w zamarzniętej ziemi i zakrył konarami. Nie miał ochoty kopać kolejnych. Przejście na nową pozycję oznaczało noszenie broni i sprzętu, taszczenie ich nie wiadomo jak daleko ani jak długo, przygotowywanie kolejnego okopu, budowanie kolejnego schronu, oblewanie się potem, przez który w minusowych temperaturach Virgilowi przymarzał mundur do pleców. Odmrożenia wyeliminowały z walki więcej ludzi niż rany od wrażego ostrzału. Niektórym z zamarzających żołnierzy udało się wydostać, zanim okrążyli ich Niemcy. Ci, którzy nie mieli tyle szczęścia, potracili już palce u rąk i nóg, niektórzy nawet dłonie i stopy.

Virgil nie chciał być jednym z nich. Trzymał dodatkową parę skarpet związaną i owiniętą na karku pod mundurem tak, żeby wisiały mu pod pachami. Temperatura ciała, choć słaba, trochę podsuszy materiał. Liczył na to, że zawsze będzie miał w zapasie półsuche skarpety w celu uniknięcia odmrożeń. Tak jak liczył, że Hitler przespaceruje się po polu, wymachując białą chustką, a starszy szeregowy Virgil Beuell osobiście go pojmie. Zaraz po tym, jak Rita Hayworth zajrzy do niego z propozycją zrobienia mu laski.

– Nie pogardziłbym kawą – wyszeptał junior.

– Wiesz co – odpowiedział cicho Virgil. – Zaraz rozpalę cieplutkie ognisko i zaparzę nam parę dzbanków. Mam też masę na ciasto i upieczemy ciacha dla całego oddziału… i zamknij, kurwa, pysk, ty jebany pojebie

– Butterfly. Butterfly! – Z mroku na lewo od okopu dobiegło szeptem dzisiejsze hasło.

– McQueen! – syknął w odpowiedzi Virgil.

Chwilę potem sierżant Bud Boling wpakował się do schronu, bez broni. W ciągu dnia usiłował spać schowany we własnym okopie. Po zapadnięciu zmroku w ciszy samotnie patrolował front, następnie wracał o świcie, żeby zdać raport na stanowisku dowodzenia, po czym szedł się zaszyć w swojej ciemnej norze.

– Szkopy. Dwudziestu pięciu. A tyś, kurwa, kto? – Bud miał na myśli juniora.

Zanim ten się przedstawił, Bud mruknął „nieważne" i wydał rozkaz:

– Dawaj karabin i zasuwaj na stanowisko dowodzenia powiedzieć, że z lewej nadchodzi zwiad szkopów.

Junior zrobił wielkie oczy. Do tej pory jeszcze nie walczył. Kiedy wdrapał się niezgrabnie na górę i wygramolił z okopu, Bud powtórzył:

– Szkopski zwiad z lewej.

I młody zniknął. Bud przygotował karabin M1, wkładając sobie zapasowe magazynki do kieszeni kurtki.

Virgil podniósł karabin maszynowy razem z nóżkami i wymierzył go na lewo od ich okopu strzeleckiego.

– Byłem tuż przed nimi, Prawiczek.

– Widzieli cię?

– Jebane szkopostrzały nigdy mnie nie widzą. – Mężczyźni szeptali do siebie z zacięciem doświadczonych żołnierzy, którymi byli, nie jak dwudziestodwuletni chłopcy, którymi również byli.

Pod czyimiś butami w mroku trzasnął lód.

– Daj im popalić – syknął Bud.

Starszy szeregowy Virgil Beuell pociągnął za spust karabinu maszynowego, otwierając ogień do kolumny żołnierzy wroga trzy metry przed nim. Sylwetki i pnie migały w blasku jaskrawych błysków u wylotu lufy i czerwonych pocisków smugowych. Reszta amerykańskich chłopaków chwyciła za broń. Las rozświetliła furia strzelaniny, a cienka linia obronna zamieniła się w mur nie do przebycia. W błysku precyzyjnym jak flesz aparatu Speed Graphic na ringu podczas walki bokserów Virgil zobaczył, jak hełm niemieckiego żołnierza wybucha, zostawiając po sobie chmurę drobnej krwistoczerwonej mgiełki i rozmiękłych kawałków głowy mężczyzny. Niemcy szybko się rozpierzchli i sami zaczęli zbierać śmiertelne żniwo. Bud wysunął się na tyle, żeby wymierzyć karabin, i wystrzelał cały magazynek w nacierające siły – osiem łupnięć, jedno po drugim – rozsiewając pociski z geometryczną precyzją, aż szczęknięcie wylatującego z magazynka pustego ładownika oznajmiło, że skończyły mu się naboje. Odruchowo przeładował i znów się wysunął, kiedy jakieś ciało wpadło do schronu przez dach z sosnowych gałęzi.

Niemiec, spadając, strzelał i trafił w lewe kolano Virgila, który niczego nie poczuł. Po kolejnym strzale palce lewej dłoni zapiekły go jak po ukąszeniu szerszenia.

– Pierdol się! – wrzasnął Bud, uderzając kolbą M1 w szczękę Niemca. – Skurwielu! – zawył, jeszcze dwa razy tłukąc w twarz żołnierza.

Ktoś wystrzelił flary spadochronowe, które oświetliły las zimnym blaskiem, i Bud zobaczył, że złamał nos i zmiażdżył szczękę żołnierza, teraz leżącego bez ruchu i ze szklistym wzrokiem. Odwrócił karabinek, wymierzył lufę w środkowy guzik munduru i dobił Niemca dwoma strzałami z bliska.

– Jednego skurwiela mniej – powiedział do zwłok.

Nadciągał mały oddział rezerwowy Amerykanów; zwiad wroga skończył się dla niego tragicznie. Ruszono w pościg za wycofującymi się Niemcami. Virgil wstrzymał ogień i złamał broń, żeby dołączyć do natarcia, kiedy dotarło do niego, że coś jest nie tak. Dłoń mu się lepiła i stracił czucie w nodze.

– Nie czuję nogi! – wrzasnął.

Usiłując wstać, przewrócił się na martwego Niemca bez twarzy. Jeszcze raz spróbował się podnieść, ale lewa noga zgięła mu się w złą stronę w kolanie i Virgil nie rozumiał, co się dzieje.

Na szczęście mógł liczyć na Buda Bolinga, który kucnął, wziął Virgila na plecy i go podniósł.

Tyle Virgil zapamiętał z Wigilii tysiąc dziewięćset czterdziestego czwartego roku. Gdzieś między okopem strzeleckim a punktem pierwszej pomocy na tyłach frontu osunął się w sen nieświadomości.

---

Virgilowi zrobiło się cholernie głupio.

Dziesięć lat będzie jego rocznicą, bo dla starszego szeregowego Beuella wojna skończyła się w Wigilię czterdziestego czwartego. Odzyskał przytomność w punkcie opatrunkowym w Bastogne po przybyciu amerykańskich czołgów i załamaniu niemieckiej ofensywy. Kilka dni potem obudził się znów w szpitalu polowym we Francji. Parę tygodni później był jednym z tysięcy rannych w angielskich szpitalach. Kiedy Niemcy się poddały i wojna w Europie dobiegła końca, Virgil zaczął się uważać za farciarza jakich mało. Stracił lewą nogę, amputowaną nad kolanem, a z trzech palców lewej dłoni zostały kikuty, zabandażowane tak, że przypominały rękawicę bejsbolową z gazy. Ale ciągle miał oba kciuki, jedną zdrową nogę, wzrok i przyrodzenie. W porównaniu z wieloma innymi pacjentami w tych szpitalach i na statku do domu Virgil czuł się jak zwycięzca irlandzkiej loterii z tysiąc dziewięćset czterdziestego piątego roku. Żałował tylko obrączki ślubnej, którą zgubił gdzieś w belgijskich lasach.

Amos „Bud" Boling został w Niemczech do końca zaciągu, czyli jeszcze sześć miesięcy po wojnie. Kiedy Virgil kurował się z ran i powiązanych groźnych zakażeń, Bud szturmował Linię Zygfryda i przebijał się po trupach w głąb Trzeciej Rzeszy.

Przekroczył Ren, później Łabę i wtargnął na południe, do zakątków wrogiego kraju, które przez cztery i pół roku nie zaznały szalejącej wówczas wokół Amosa wojny.

Bud nigdy nie był ranny, ale widział za dużo cierpienia, za dużo śmierci. Sam zabił wielu niemieckich mężczyzn i chłopców. Uśmiercał żołnierzy, którzy chcieli się poddać i przetrwać, ale napotykali bezlitosny wzrok sierżanta Bolinga. Własnoręcznie zastrzelił osiemnastu niemieckich oficerów, pojedynczo albo po dwóch, trzech naraz, nieopodal dróg i pod osłoną drzew, za murami gospodarstw i na polach. Bud wymierzał swoim pistoletem kaliber 45 sprawiedliwość wojenną, której sens pojmował tylko on. Ostatniego Niemca zabił w sierpniu tysiąc dziewięćset czterdziestego piątego roku. Wcześniej doszły go słuchy o miejscowym byłym oficjelu nazistowskim ukrywającym się pod fałszywym nazwiskiem Wolfe. Odnalazł mężczyznę stojącego w rzędzie z uchodźcami, którzy chcieli wrócić do rodzinnych miast w różnych rejonach niegdysiejszej Trzeciej Rzeszy. Kiedy Wolfe pokazał dokumenty, Bud kazał mu wystąpić z szeregu. Za niskim murkiem z cegieł wyciągnął pistolet, przestrzelił Wolfe'owi szyję i przyglądał się beznamiętnie, jak hitlerowiec wije się kilka minut, dokonując żywota. Bud Boling nigdy o tym nie mówił. Nie mówił też o obozach, które zobaczył. Virgil nie znał żadnych szczegółów. Ale miał podejrzenia. Widział pustkę, zmianę w przyjacielu.

---

– Jak długo zamierzasz zatrzymać się w San Diego, Bud?

– Może tydzień, może rok. Może wybiorę się na Nowy Rok do Los Angeles na tę wielką paradę.

– Paradę Róż?

– No. Podobno jest wspaniała. Też zapytałbym cię o plany, ale już wszystko wiem. Sklep sześć dni w tygodniu.

– Bud, ja lubię swoją pracę. Nie wiem, czy umiałbym się włóczyć tak jak ty.

– Prawiczku, wolałbym podbić glinie limo niż kartę w zakładzie.

Obaj się zaśmiali.

– Wesołych świąt. I będziesz zawsze mile widziany, gdyby włóczęga zaprowadziła cię kiedyś w nasze strony.

– Zawsze miło z tobą pogadać, Prawiczku. Cieszę się, że jesteś szczęśliwy. Zasługujesz na takie dary.

– To dzięki tobie, Bud.

– Za chwilę będzie pięćdziesiąty czwarty. Uwierzyłbyś? A ty masz Del i Daveya, i Jill, i... ech... Connie? Nie przekręciłem imienia tego ostatniego?

– Zgadza się, Connie.

– Virgil Prawiczek ma troje dzieci. Pojmuję biologię, ale rzeczywistość to jedna wielka, kurwa, zagadka...

Mężczyźni jeszcze raz złożyli sobie świąteczne życzenia, ponownie się pożegnali i odłożyli słuchawki. Następny raz usłyszą się za rok.

Virgil siedział w ciszy, do pierwszej w nocy wpatrzony w ogień. Potem podniósł się z Fotela Taty i przysypał płomienie węglem, żeby Davey miał żar na uroczyste spalenie w kominku świątecznego polana. Znalazł wtyczkę lampek na choinkę i wyszarpnął ją z kontaktu kciukiem, palcem wskazującym i kikutami palców lewej dłoni. Prawie o tym zapomniawszy, przystanął przed talerzem z ciastkami dla Mikołaja i zjadł trzy. Zawahał się, po czym nadgryzł też czwarte ciastko, odłożył je z powrotem i wypił kilka łyków już ciepłego mleka.

W mroku dotarł do schodów, wspinając się stopień po stopniu, dostawiając lewy but do prawej stopy. Zajrzał do obojga śpiących dzieci i Connie w łóżeczku po stronie matki. Del zawsze wykładała dla niego piżamę, więc po zdjęciu spodni i odpięciu pasków i sprzączek sztucznej nogi położył protezę obok krzesła i przebrał się do snu.

Jeden niepewny skok i znalazł się w łóżku. Jak co noc odszukał wargi Del i delikatnie je pocałował, a ona zamruczała przez sen. Virgil się przykrył – prześcieradłem, dwoma ciężkimi kocami i grubą kołdrą. Po długim dniu położył głowę na poduszce i w końcu zamknął oczy.

Jak prawie każdej nocy Virgil ujrzał w mgnieniu błyskawicy wybuch hełmu żołnierza, po którym została chmura krwawoczerwonej mgły. Zobaczył lepkie resztki głowy mężczyzny. Zmusił się, żeby pomyśleć o czymś innym, czymkolwiek. Poszukiwał jakiegoś obrazu i wybrał wizję młodego, dwudziestodwuletniego Buda Bolinga stojącego w ciepłym blasku ulicy w Kalifornii, otoczonego wielkim tłumem ludzi, wszystkich roześmianych, fetujących paradę platform pokrytych różami.

Ф У И Ш Щ К С Д З Ц
Ь Я А О Ж Г Т Н В М Ч
Ю Й Ъ Э Ы Х П Р Л Б

# Balanga w Mieście Świateł

Filmuj rzeź żądań, pość, gnęb chłystków![*]

Hej, ta maszyna do pisania naprawdę działa!

Co jest, kurde, grane? Kim dziś jestem? Nadal chyba Rorym Thorpe'em, ale kim on jest?

Zeszłego wieczoru – parę godzin temu – byłem gościem w hiciorze, o którym wszędzie było głośno, gościem z efektowną ślicznotką pod rękę, gościem o zgrabnym tyłku. W metropoliach Europy – i Ameryki – osaczonego przez obiektywy aparatów i wykrzykiwane pytania zaganiano mnie jak polityka do samochodów i sal balowych. Machałem do morza ludzi, z których wielu machało do mnie, choć nikt nie wiedział, kim jestem, choć jestem, w rzeczy samej, nikim. Zarazem mam w posiadaniu pewne dokumenty... które zawierają ŚCIŚLE TAJNY KRYPTONIM Willi Sax (to Eleanor Flintstone!).

To był mój drugi dzień zdobywania Paryża, został jeszcze trzeci, kiedy miały być SZTUCZNE OGNIE! Wszystko miałem

[*] Stanisław Barańczak, *Pegaz zdębiał*, Prószyński i S-ka, Warszawa 2008, s. 13–14.

opłacone. Ubranie dostałem za darmo. Mogłem poprosić o kanapkę, kiedy tylko dusza zapragnie, choć byłem tak zajęty, że czasu starczało mi ledwie na kilka gryzów.

Ale tego ranka wszystko to się skończyło. Muszę na czas wymeldować się z pokoju. Szkoda. To przyjemny hotel. Przebywali tu naziści.

Dobra niepisana zasada wojaży po Europie – zatrzymywać się w miejscach o nazistowskiej przeszłości. W tamtym budynku w Rzymie mieściła się podczas wojny kwatera główna Gestapo. Wielkie pokoje. Wysokie sufity. Piękny ogród. Hotel w Berlinie został zrównany z ziemią, kiedy Rosjanie rozgromili ukrywających się w nim hitlerowców. Żeby podkreślić swoje zwycięstwo, czerwoni nigdy go nie odbudowali, tak jak zresztą większości tej części Berlina Wschodniego. Po upadku muru hotel znów wzniesiono, a teraz jest w nim specjalna palarnia cygar. Stary poczciwy hotel w Londynie zbombardowało Luftwaffe gdzieś między faszystowskimi triumfami w Rzymie a łomotem, jaki spuścili im ruscy parę lat później. Od tysiąc dziewięćset siedemdziesiątego trzeciego roku dwa razy zjadła tam kolację królowa.

No a ten paryski hotel był kwaterą główną niemieckiego okupanta. Podobno Hitler wypił filiżankę kawy na jednym z balkonów, zanim pojechał zwiedzać zdobyte Miasto Świateł.

Wszystko to miałem opłacone, podobnie jak hotele w Los Angeles i Chicago, i Nowym Jorku. Wszystko było na koszt wytwórni, bo gram Caleba Jacksona w *Cassandrze Rampart 3: Wizjach i opałach*. (Cassandra Rampart, znana też jako Willa Sax, znana też jako Eleanor Flintstone!).

Trzeciego dnia balangi – przepraszam, tournée promocyjnego – znów bym zdrowo pohulał. A tymczasem muszę się spakować i wymeldować z hotelu przed pierwszą po południu – przepraszam, przed trzynastą.

*Do: Rory Thorpe*
*Dw: Irene Burton i inni*
*Od: Annette Laboud*
*Temat: Rozpiska prasowa na Paryż*

*Witamy w Paryżu!*

*Wiemy, że musi Pan być wykończony, ale chcę podkreślić, jaka to dla nas przyjemność pracować przy francuskiej premierze* CASSANDRY RAMPART 3: WIZJI I OPAŁÓW! *Nasi koledzy z Rzymu, Berlina i Londynu donoszą, że film spotkał się z entuzjastycznym przyjęciem... dzięki Panu! Nasze ankiety po pokazach próbnych są dobre, tylko trzy punkty za* CASSANDRĄ RAMPART 2: AGENTKĄ DO ZMIANY *i zaledwie dziesięć punktów za* CASSANDRĄ RAMPART: POCZĄTKIEM. *Jak na sequel to fantastyczny wynik! Widzowie wyraźnie reagują na napięcie erotyczne między Cassandrą a Calebem.*

*Wszyscy uważamy, że Francja to dobry rynek dla tego filmu, bo uniwersum Cassandry Rampart ma megaoglądalność we wszystkich mediach społecznościowych.*

*Jak być może wspominali już Panu Irene Burton i dział marketingu, we Francji nie wolno reklamować filmu płatnymi spotami w telewizji, dlatego może Pan zauważyć, że podczas naszej współpracy będzie trochę więcej niż zazwyczaj wywiadów telewizyjnych. Są dla francuskiego rynku kluczowe. Doskonale Pan sobie radził podczas trasy w Stanach i w Rzymie/Berlinie/Londynie, jest Pan bez dwóch zdań rozgrzany!*

*Zatem miłej zabawy!*

*Poniżej zamieszczam rozpiskę na najbliższe trzy dni. (Oddzielny rozkład dla Eleanor Flintstone).*

*DZIEŃ 1*

*1:10 (ok.) – Przylot z Londynu na lotnisko Charlesa de Gaulle'a – transport do hotelu.*

*7:10 – Charakteryzacja w pokoju 4114.*

*7:40–8:00 – Występ na żywo w* ¡Nosotros Cacahuates! *To najpopularniejszy program młodzieżowy w Hiszpanii z silną obecnością on-line (4,1 miliona odsłon). Przyjechali do Paryża specjalnie na* CR3:Wio.

*8:05 – Przejście do centrum prasowego na trzecim piętrze.*

*8:15–8:45 – Spotkanie z prasą #1. (Około 16 tytułów. Lista do wglądu).*

*8:50–9:20 – Spotkanie z prasą #2. (Około 16 tytułów. Lista do wglądu).*

*9:25–9:55 – Spotkanie z prasą #3. (Około 16 tytułów. Lista do wglądu).*

*10:00–10:30 – Spotkanie z prasą #4. (Około 16 tytułów. Lista do wglądu).*

*10:35–11:05 – Spotkanie z prasą #5. (Około 16 tytułów. Lista do wglądu).*

*11:10–11:40 – Spotkanie z prasą #6. (Około 16 tytułów. Lista do wglądu).*

*11:45–11:50 – AMA na Reddicie (dla Stanów).*

*PRZERWA*

*12:00–13:00 – Miniwywiady z influencerami (3–5 minut na każdego). Każdy ma co najmniej 1,5 miliona followersów. Każdy będzie miał konkretne pytanie do swojego wpisu. Niektórzy się uwiną; resztę utnie się po pięciu minutach.*

*13:05–14:00 – Sesja zdjęciowa na dachu hotelu. (Uwaga: Eleanor Flintstone dołączy na ostatnie dziesięć minut).*

*14:05–14:45 – Lunch/wywiad z „PARIS MATCH". (Uwaga: w obecności fotografa).*

*14:50–15:00 – Wywiad radiowy z TSR1.*

*15:05–15:15 – Wywiad radiowy z RTF3.*

*15:20–15:30 – Wywiad radiowy z FRT2.*

*15:40–16:00 – Nieformalna kawa z zatwierdzonymi liderami mediów społecznościowych (ok. 20) mającymi minimum 3,5 miliona followersów. (Lista na życzenie).*

*16:05–16:10 – Odświeżenie charakteryzacji.*

*16:15–16:45 – Zdalny wywiad telewizyjny z balkonu dla belgijskiego programu* PO POŁUDNIU DZISIAJ. *(Uwaga: Eleanor Flintstone dołączy o 16:30).*

*17:00 – Przejazd samochodem do Studio du Roi na nagranie spotu promocyjnego dla Air France. Będzie puszczany na wszystkich międzynarodowych lotach Air France w ramach wsparcia premiery* CR3:Wio. *Nagranie potrwa ok. 3 godz.*

*20:00 (ok.) – Przejazd samochodem do restauracji Le Chat. Kolacja organizowana przez UPIC. (Uwaga: w obecności fotografa).*

*Po kolacji może Pan zostać albo wrócić do hotelu.*

Rory Thorpe dziękował swojej szczęśliwej gwieździe za Irene Burton; gwiazda ta przez ostatnie dwa lata szczególnie mu sprzyjała. Zagrał w filmie z samą Willą Sax – Cassandrą Rampart we własnej osobie! Pierwszy raz w życiu miał pieniądze na koncie! I pojechał na darmową wycieczkę po Europie! Musiał tylko dać tam parę wywiadów! Na widok jego entuzjazmu Irene Burton prawie się skichała ze śmiechu (w myślach).

Irene miała sześćdziesiąt sześć lat, w swoim czasie robiła w marketingu każdej z sześciu wielkich wytwórni filmowych, a teraz żyła na częściowej emeryturze w domku nad morzem w Oxnard – na tyle daleko od Hollywood, żeby unikać codziennego stresu pracy w show-biznesie, ale zarazem na tyle blisko, żeby móc podjechać, kiedy trzeba było pozamiatać po zdarzającej się od czasu do czasu PR-owej wtopie. Przed jedenastu laty nadzorowała pewną młodą, zdolną i piękną aktorkę podczas tournée promocyjnego koszmarnego gniota pod tytułem *Demencja 40*, który nie zarobił grosza, ale okrył się legendą jako ekranowy debiut młodej, zdolnej i pięknej Willi Sax. Prasa przez parę lat nazywała ją – niebezpodstawnie – Willą Sex, ale teraz Willa była Cassandrą Rampart, kobietą instytucją, która miała własną markę ubrań sportowych, schronisko dla osieroconych zwierząt domowych i fundację do walki z analfabetyzmem w krajach rozwijających się. Pierwsze dwa filmy z Cassandrą Rampart zarobiły na świecie miliard siedemset pięćdziesiąt milionów dolarów. Willa Sax budziła nie tylko lęk księgowości swoją gażą w wysokości dwudziestu jeden milionów za film plus udział w zyskach, ale też powszechny szacunek.

– Irene – zagaiła Willa przez telefon. – Musisz mi pomóc.

– Co jest, smarku? – Irene nazywała wszystkich swoich młodych podopiecznych smarkami.

– Rory Thorpe jest tępy jak skalpel z włosia.

– Kto to jest Rory Thorpe?

– Typ w moim najnowszym filmie. Właśnie oglądałam jego EPK-ę. – Materiały prasowe w wersji elektronicznej (EPK) to przygotowany przez studio wywiad wysyłany do mediów w celach promocyjnych. – Większość jego odpowiedzi zaczyna się od „Tak że...", „Yyy...", „No wiesz...". Za chwilę ruszamy w trasę, a ja nie mogę wojażować z Jełopem von Pustogłowiem u boku. Trzeba mu wyłożyć, czego ma, do kurwy nędzy, unikać.

– Się zrobi.

I się zrobiło. Irene zabrała Rory'ego na zakupy do Freda Segala i Toma Forda po ubrania, które mu będą potrzebne – styl swobodny staranny na wywiady i smokingi na premiery. Za darmo. Zabrała go do T. Anthony'ego po bagaż, kufry i walizki – ze znaczącą zniżką pokrywaną przez wytwórnię – żeby w te wszystkie ubrania mógł się błyskawicznie przebierać. Będzie na podwójnych ujęciach z jedną z najpiękniejszych kobiet świata i musi wyglądać, jakby zasługiwał na swoje otoczenie. Będzie odpowiadał tysiąc razy na te same pytania, więc wbiła mu do głowy dostarczone przez wytwórnię uwagi: CR3:Wio *wzbogaca uniwersum C. Rampart o najbardziej wyrafinowany i frapujący film cyklu, gdyż nie jest ona wyłącznie bohaterką naszych czasów, ale* ***kobietą ponadczasową****. Do opisywania Cassandry proszę każdorazowo używać sformułowania* ***„kobieta ponadczasowa”****.*

Irene doprowadziła do perfekcji umiejętność tłumienia śmiechu, kiedy któryś z jej klientów palnął coś szczególnie głupiego albo naiwnego – jak Rory przeświadczony, że jego pierwsza podróż do Europy nie będzie go nic kosztować.

– Och, smarku – powiedziała. – Odpracujesz to wszystko, że ci nosem wyjdzie.

Trasa rozpoczęła się w Los Angeles: trzy dni pełne wywiadów, zdjęć, wideokonferencji, sesji pytań i odpowiedzi, spotkań z fanami i tylu występów w talk-show, ile dało się wcisnąć, a przed każdym godzina przygotowań z producentami danego programu. Irene dopilnowała, żeby Rory był doskonale ubrany, doskonale przypudrowany i doskonale przeszkolony w materii tego, czego ma, do kurwy nędzy, unikać. Potem wybrali się na zjazd Comic-Con w San Diego. Willa Sax potrzebowała ekipy ochroniarzy, żeby trzymać fanów na dystans; wiele fanek było przebranych za Cassandrę, byłą agentkę tajnych służb z wszczepionym do mózgu procesorem, sztucznie zmodyfikowaną, z nadludzko silnymi ścięgnami, zdolną porozumiewać się podświadomie z Siedmioma – żyjącymi wśród nas istotami pozaziemskimi, obcymi, którzy mogą mieć dobre zamiary, mogą mieć złe zamiary, którzy... itede, itepe, i chwytacie, o co biega. Wielu zjazdowiczów przebrało się za Siedmiu. Nikt nie przebrał się za Caleba Jacksona, zawodowego surfera łamane przez hakera, bo nikt jeszcze nie widział filmu. Fani zdawali się podekscytowani perspektywą pokazu dwudziestominutowego teasera, który przez większość dnia trendował i na Twitterze, i na Poppicie!

Dwa dni później w Chicago teaser wyświetlono w kampusie Uniwersytetu Northwestern, macierzystej uczelni samej Willi Sax. Niegdysiejszy akademik aktorki został przemianowany na jej cześć. Irene nadzorowała Rory'ego podczas dwóch dni, kiedy udzielał wywiadów, chodził w paradzie, grał w piłkę ręczną na cele charytatywne, puścił krążek w meczu hokejowym Blackhawks i uczestniczył w pokazie filmu na rzecz walki z analfabetyzmem w Afryce zorganizowanym w tym samym kinie, w którym zastrzelono gangstera Johna Dillingera.

Cztery dni trasy spędzili w Nowym Jorku, zaczynając od konferencji prasowej w sali balowej Waldorf Astorii, na którą przybyło stu pięćdziesięciu dwóch przedstawicieli mediów płci obojga. Pierwsze pytanie zadano Rory'emu dopiero po tym, jak Willa nawijała przez pół godziny, głównie o wyzwaniach kręcenia nową cyfrową kamerą FLIT-cam i za pomocą nowego systemu SPFX o nazwie DIGI-MAX. Była, bądź co bądź, współproducentką filmu, zakupiwszy prawa do powieści graficznej o Cassandrze Rampart w dwa tysiące siódmym roku za zaledwie dziesięć tysięcy dolarów.

Zabiła śmiechem pytania o geniusz inwestycyjny swojego męża i jego rzekomą sprawność w alkowie.

– Ludzie! – zaprotestowała Willa. – Bobby to bankier!

Bobby był jej mężem i właścicielem majątku o wartości miliarda dwustu milionów dolarów. Willa wyznała prasie, że Bobby jest w istocie szarakiem, którego trzeba czasem pogonić, żeby wyrzucił śmieci.

Po czym zapytano Rory'ego:

– Jakie to uczucie dla osoby pańskiego pokroju całować najpiękniejszą kobietę świata?

– To pocałunek ponadczasowy – oznajmił, a Irene uśmiechnęła się w poczuciu dobrze spełnionego obowiązku.

W zatłoczonej sali zapadła cisza, przerywana jedynie trzaskaniem migawek. Kiedy konferencja dobiegła końca, osaczoną kolejnymi pytaniami Willę szybko wyprowadzono. Irene odeskortowała Rory'ego do mniejszej sali balowej zastawionej wieloma okrągłymi stołami, przy których tłoczyli się dziennikarze z mikrofonami. Poświęcając dwadzieścia minut na stół, Rory zaliczył je wszystkie po kolei, bez przerwy odpowiadając na różne wersje tych samych trzech pytań.

Jak się panu pracowało z Willą Sax?
Jak się panu całowało z Willą Sax?
Czy w scenie huraganu to naprawdę pański tyłek?

Irene zabrała go do centrum prasowego na siódmym piętrze, gdzie musiał przesiedzieć łącznie pięćdziesiąt siedem maksymalnie sześciominutowych wywiadów telewizyjnych, wszystkich przeprowadzanych w tym samym pokoju, z Rorym posadzonym na tym samym fotelu na tle plakatu ich filmu. Poster prezentował zapatrzoną w dal Willę z zaciekłym skupieniem na pięknej twarzy, z torsem w obcisłym swetrze, którego rozdarcie odsłaniało ramię i górną krągłość jej lewej piersi. Za nią była mozaika ujęć z filmu: wybuch, jakieś ciemne postaci biegnące w tunelu, potężna grzywiasta fala i Rory w słuchawkach z mikrofonem, wpatrzony z piekielnie poważną miną w ekran komputera. Wielkie litery głosiły: WILLA SAX WRACA JAKO CASSANDRA RAMPART. Nazwisko Rory'ego było w zatłoczonej stopce na dole plakatu, złożone czcionką tego samego rozmiaru co nazwisko montażysty. Irene pacyfikowała go zieloną herbatą, batonikami białkowymi i miseczkami czarnych borówek.

Film promowano przez cały tydzień w *CBS This Morning*. Każdego ranka o 7:40 i 8:10 Rory zapowiadał pogodę przed wirtualną mapą. Willa Sax gościnnie współprowadziła z Kelly Ripą *Live with Kelly*. Kobiety ćwiczyły razem na żywo pilates.

Premierę filmu zorganizowano na jednej z przystani na rzece Hudson – zbudowano specjalne trybuny dla pięciu tysięcy widzów, ale zapowiadana burza pokrzyżowała szyki. Wobec tego zarezerwowano kina w całym mieście, gdzie miały się jednocześnie odbyć cyfrowe projekcje filmu. Rory'ego i Irene dowożono na każdą z nich SUV-em – łącznie dwadzieścia dziewięć występów. Willa Sax wzięła udział tylko w specjalnym pokazie w Muzeum Historii Naturalnej, gdzie prowadzono zbiórkę na Program dla Młodych Naukowców.

Pod koniec dziewiątego dnia krajowego tournée Rory był półżywy, wypalony, skołowany; widywał tylko auta i pokoje, i kamery. Co gorsza, pytania w ponad czterystu wywiadach były zawsze te same.

Jak się panu pracowało z Willą Sax?

Jak się panu całowało z Willą Sax?

Czy w scenie huraganu to naprawdę pański tyłek?

Rory był obecnie zdania, że praca z Willą Sax jest jak jedzenie kanapki z masłem orzechowym podczas jazdy na motocyklu, całowanie Willi Sax jest jak Boże Narodzenie w lipcu, a tyłek w huraganie należy do gadającego konia o imieniu Gacie.

– Witamy w pierwszej lidze, smarku – podsumowała Irene. – Jutro Rzym.

Willa Sax poleciała do Włoch czarterem, ze swoją ekipą, kliką i asystentami. Samolot wytwórni zabrał pozostałą piątkę producentów, wszystkich tuzów i szefów marketingu. Ponieważ dla Rory'ego i Irene zabrakło miejsc, polecieli pierwszą klasą Trax Jet Airways z przesiadką we Frankfurcie.

W Rzymie na promocję przeznaczono trzy dni, każdy tak wypełniony jak w Stanach. Ostaniego wieczoru pokazano teaser w Circo Massimo – gdzie w starożytności odbywały się wyścigi rydwanów. Zdaniem Rory'ego było to po prostu duże pole. Sceny z filmu wyświetlono na olbrzymim prowizorycznym ekranie, ale dopiero po wręczeniu miejscowej drużynie piłkarskiej trofeum zdobytego w jakichś mistrzostwach. Widzów miało być dwadzieścia jeden tysięcy. Kiedy Rory wyszedł na scenę, żeby pomachać do rzymian, nic się nie stało. Kiedy w tym samym celu pojawiła się Willa, fala kibiców w koszulkach piłkarskich naparła na barierki, żeby zbliżyć się do gwiazdy, i rozpętała się bijatyka. Włoscy karabinierzy wdali się w bójkę z kibolami, a Willę szybko wsadzono do pancernego auta i odwieziono na lotnisko. Następnego ranka Rory i Irene polecieli zwykłym lotem – Air Flugplatz – do Berlina, gdzie zaplanowano kolejne trzy dni dla mediów.

W Berlinie zegar biologiczny Rory'ego był już tak rozregulowany, że o trzeciej w nocy rozpierała go energia, więc poszedł pobiegać. Przed hotelem został zignorowany przez dziesiątki zagorzałych niemieckich fanów Cassandry Rampart, którzy czuwali całą noc i mieli dalej czuwać cały ranek w nadziei na wypatrzenie gwiazdy. Pobiegał mrocznymi ścieżkami Tiergarten, przystając, żeby zrobić pompki na stopniach pomnika Armii Czerwonej, w komplecie z czołgami, która w czterdziestym piątym zrównała Berlin z ziemią. W południe następnego dnia był tak zmęczony, że czuł się jak lunatyk. Mówił też jak lunatyk i poinformował całą redakcję „Bilda", ogólnokrajowego tabloidu, że jako wielbiciel serii i najnowszy partner Willi Sex (naprawdę powiedział „Sex" zamiast „Sax") odniósł wrażenie, jakoby „Sandra Caspart był najbardziej zakompleksowanym i wyrafinionym z wszech filmów, gdyż Willa Sex jest harcerką naszych czasów i kobietą czasowo po nadczynności". Potem przyszła kolej na pytania.

Jak się panu pracowało z Willą Sax?
Jak się panu całowało z Willą Sax?
Czy w scenie huraganu to naprawdę pański tyłek?

– Postaraj się nie nazywać jej Willą Sex – poleciła mu Irene w drodze do hotelu.

– Kiedy tak powiedziałem?

– Przed chwilą. W największym niemieckim dzienniku.

– Przepraszam – przyznał. – Nie jestem już pewien, co mówię.

Niemiecki pokaz teasera odbył się później tego wieczoru, a film wyświetlono sześciu tysiącom fanów na Bramie Brandenburskiej. Kiedy Willa Sax pojawiła się na balkonie hotelu, żeby do nich pomachać, była rozczarowana, że nikt się nie pobił.

– Dziś chyba już nie jestem Willą Sex – poskarżyła się potem na uroczystej kolacji, zorganizowanej w muzeum, gdzie jest wystawione popiersie Nefertiti.

W drodze z Irene do Londynu (Compu-Airem na Gatwick) Rory czuł, że międzynarodowa trasa medialna robi mu papkę z mózgu.

DZIEŃ 2

*7:30 – Charakteryzacja w pokoju.*

*8:00 – Transport samochodem na Gare de l'Est.*

*8:10–9:00 – Wywiady na czerwonym dywanie przed wejściem na pokład* EKSPRESU CASSANDRA.

*9:05–13:00 – Podróż pociągiem do Aix-en-Provence. W drodze piętnastominutowe wywiady w specjalnym wagonie prasowym. (Lista tytułów na życzenie).*

*13:00–14:00 – Wywiady na czerwonym dywanie po przybyciu do amfiteatru.*

*14:30–16:00 – Amfiteatr. Odtworzenie dla prasy sceny huraganu. (Uwaga: transmisja na żywo na kanale RAI Due).*

*16:30 – Powrót na pokład* EKSPRESU CASSANDRA. *Występ na żywo w programie* Midi & Madi *nadawany z wagonu panoramicznego.*

*17:15–21:45 – Powrót do Paryża* EKSPRESEM CASSANDRA. *Po drodze piętnastominutowe wywiady dla mediów niefrancuskojęzycznych w specjalnym wagonie prasowym. (Lista tytułów na życzenie).*

*22:00 – Transport samochodem na przyjęcie/kolację w hotelu Meurice pod patronatem francuskiego oddziału Facebooka.*

*Po kolacji może Pan zostać albo wrócić do hotelu.*

*WSTĘPNĄ ROZPISKĘ NA AZJĘ Irene otrzyma przed przybyciem do Singapuru/Tokio.*

Robotę dostał przypadkiem, niby szczęśliwy traf na loterii. Rory postawił krzyżyk na Los Angeles po pół roku modelingu/ /grywania/kelnerowania, po którym na jego karcie związkowej SAG-AFTRA przybyły zaledwie dwa tytuły. Dostał rólkę w reklamie jogurtu, gdzie miał grać na plaży w futbol dotykowy. Przez trzy pochmurne dni w San Diego biegał bez koszulki – bez której doskonale się prezentował – ze zróżnicowaną rasowo grupką „kumpli", po czym wszyscy zajadali się jogurtem. Dawano im lekcje, jak zanurzać łyżeczkę w pojemnikach i wkładać jogurt do ust. To była wyższa szkoła jazdy.

Dziewięć tygodni później dostał rolę w odcinku remake'u *Kojaka* na CBS. Rory grał ogolonego na łyso i wytatuowanego dilera metamfetaminy, który udawał weterana wojny w Zatoce Perskiej, więc nie było mowy, żeby przeżył. Dokonał żywota z klasą – z nagim torsem (jakżeby inaczej), porwany i zrzucony z dachu biurowca przez swój nieuczciwie zdobyty elektryczny wózek inwalidzki, podczas gdy nowy Kojak w ostatniej chwili uskoczył.

Ponieważ oprócz spłaty rat za samochód i wizyt na siłowni nie działo się nic ciekawego, Rory znudził się południową Kalifornią i za pieniądze zarobione na jogurcie/*Kojaku* wybrał się do Utah na sezon narciarski. Kiedy nowy *Kojak* w końcu wszedł na antenę, jeden z wielu współproducentów Cassandry akurat go oglądał i wysłał do Willi Sax wiadomość: „Chyba właśnie widziałem następnego czarusia CR". Parę dni później Rory odebrał telefon z agencji, żeby wracał do miasta, bo szykuje się, kroi się, dzieje się coś mega.

Rory pierwszy raz spotkał się z Willą Sax – nieziemsko piękną, tak piękną, że aż nieprawdziwą – przy zielonej herbacie w jej biurze w budynku Capitol Records na Vine Street w Hollywood. Posiadłość, w której mieszkała ze swoim mężem inwestorem, leżała gdzieś na pobliskich wzgórzach. Gwiazda okazała się przemiła, pogawędziła z Rorym o sztuce i hodowli koni. Rory nie znał się ani na jednym, ani na drugim. Willa zmieniła temat na Fidżi. Była na wyspach, zbierając materiały do filmu. Opowiedziała Rory'emu o pięknie nocnego nieba i przejrzystości wody, i radosnych minach mieszkańców, zwłaszcza podczas tradycyjnego powitania gości kavą. Nauczyła się tam surfować. Będą kręcić na Fidżi przynajmniej dwa tygodnie.

Spotkanie trwało trochę ponad godzinę, ale zanim Rory zdążył wrócić do auta i utknąć w popołudniowym hollywoodzkim korku, na jego telefonie zagotowało się od wiadomości: *WSaX Zachwycona!$$$$*. Dwa tygodnie później został oficjalnie obsadzony w roli Caleba, z niewiarygodną gażą prawie pół miliona dolarów rozłożoną na trzy filmy, które mogą, choć nie muszą, należeć do uniwersum Cassandry Rampart. Następnym razem zobaczył się z Willą w studiu na zdjęciach próbnych. Asystent kierownika produkcji zabrał Rory'ego do jej przyczepy. Kiedy Rory, w obcisłej piance do surfingu Caleba Jacksona, wszedł po schodkach, Willa zmierzyła wzrokiem swojego nieznanego, acz zabójczo przystojnego partnera, mówiąc:

– No, no, ale z ciebie ciacho!

Początek zdjęć opóźniono o kilka miesięcy przez prace scenariuszowe, potem przesunięto na po Nowym Roku, żeby Willa mogła spędzić święta z mężem w szkockim zamku. Pierwszy raz Rory wcielił się w Caleba Jacksona pod koniec marca w hali zdjęciowej w Budapeszcie. Willa kręciła już wtedy od trzech tygodni i miała swoją własną przyczepę do charakteryzacji, więc ich dwójka spotkała się dopiero na planie. W scenie mieli baraszkować pod prysznicem, ale woda nie była wystarczająco gorąca, żeby zamienić się w parę, więc węgierska ekipa od praktycznych efektów specjalnych zamontowała w kabinie wytwornicę dymu. Kiedy Willa przyszła na plan w szlafroku, jej krzesełko otoczyło trzech ochroniarzy. Zapytała Rory'ego, czy w hotelu dobrze mu się mieszka, a potem poinformowała, że od kiedy wyszła za mąż, nigdy nie całuje się na planie z języczkiem.

Przez siedem miesięcy Rory miał tylko parę dni zdjęciowych w tygodniu – w Budapeszcie, na Majorce, z powrotem w Budapeszcie, na marokańskiej pustyni, potem w Rio de Janeiro w scenie, w której Willa i Rory biegną przez zatłoczone ulice podczas karnawału, scenie, którą przygotowywano cztery dni i nakręcono w szesnaście minut. Rory kręcił sam przez tydzień w Shreveport w Luizjanie, podczas gdy Willa odpoczywała z mężem na Seszelach. Spotkali się ponownie na dzień dodatkowych zdjęć karnawałowego biegu, tym razem w Nowym Orleanie. Ponieważ część budżetu pochodziła z Niemiec, żeby spełnić wymogi prawa podatkowego, musieli nakręcić jedną scenę w Düsseldorfie. Wybiegli z budynku i wskoczyli do taksówki – na tym düsseldorfski epizod się zakończył. Po dziesięciu dniach dodatkowych zdjęć w Budapeszcie zostały im już tylko sceny surfowania. W końcu nie pojechali na Fidżi. Zamiast tego Rory i Willa udawali, że surfują na zielonym tle w zewnętrznym zbiorniku na Malcie, podczas gdy techniczni polewali ich bardzo zimną wodą z basenu.

DZIEŃ 3

*7:30 – Charakteryzacja w pokoju.*

*8:00–9:00 – Hotelowa restauracja. Śniadanie ze zwycięzcami konkursu. (Uwaga: Eleanor Flintstone dołączy na kawę o 8:50).*

*9:05–12:55 – Główne wywiady dla telewizji (12-minutowe).*

*13:00–13:20 – Lunch w pokoju. Menu do wglądu.*

*13:20 – Poprawki charakteryzacji.*

*13:25–16:25 – Wywiad telewizyjny w* Le Showcase *(z René Ladoux, francuską ikoną krytyki filmowej).*

*17:00–17:30 – Wywiad telewizyjny z Petit Shoopi (Petit Shoopi to pacynka, która poprosi Pana o śpiew w duecie. Piosenka do ustalenia).*

*17:35–18:25 – Dołączy pan do Eleanor Flintstone w sali balowej na wywiad telewizyjny z Claire Brule dla FTV1 (najpopularniejszego we Francji programu dla kobiet).*

*18:30–19:00 – Sesja zdjęciowa z Eleanor Flintstone dla „Le Figaro".*

*19:05–19:55 – Sesja zdjęciowa dla Organizacji Zwierząt Osieroconych. (Uwaga: będą koty, psy, ptaki i gady).*

*20:00 – Przejazd w kolumnie samochodów.*

*20:30 – Przyjazd do Tuileries.*

*20:30–21:00 – Obsługa prasy na czerwonym dywanie, wywiady, zdjęcia.*

*21:05–22:00 – Koncert znanego francuskiego piosenkarza (do ustalenia).*

*22:05–22:30 – Parę słów na żywo do publiczności. (Uwaga: przedstawi Pan Eleanor Flintstone. Irene dostarczy propozycję tekstu).*

*22:35–22:45 – Sztuczne ognie.*

*22:50–23:00 – Francuscy spadochroniarze odtworzą skok Cassandry i Caleba do kaldery wulkanu.*

*23:05 – Przelot odrzutowców.*

*23:10–23:30 – Odsłonięcie holograficznego billboardu* CR3:Wio. *(Uwaga: publiczność po przybyciu otrzyma okulary 3D).*

*23:35–00:15 – Występ znanej francuskiej gwiazdy pop (do ustalenia). Eleanor Flintstone jedzie na lotnisko. Demontaż sceny.*

*00:20 (ok.) – Początek pokazu.*
*Może Pan zostać na pokaz albo wrócić do hotelu.*

*UWAGA: JUTRO PODRÓŻ DO SINGAPURU.*

Francuskie telefony nie dzwonią. Robią *meee-meee, meee--meee, meee-meee*. O 6:22 rano przypomina to odgłos zwierzęcia gospodarskiego w pokoju hotelowym. Rory musiał wyciszyć ten dźwięk.

– Tak? – Słuchawka przy uchu przypominała mu zabawkę.

– Zmiana planów, smarku. – To Irene. – Będziesz mógł się dzisiaj powylegiwać.

– Słucham? – Rory ciągle był trochę zamroczony, skończywszy zaledwie cztery godziny temu delektować się ofertą baru w hotelu Meurice.

– Dzisiejsza rozpiska jest nieaktualna – powiedziała Irene. – Idź spać.

– Nie ma sprawy. – Rory odłożył słuchawkę, odwrócił się i padł na łóżko jak cienki bokser po nokaucie.

Obudził się trzy godziny później i poczłapał do salonu apartamentu – swego czasu dobrze się tu urzędowało nazistowskim oficerom, a obecnie jedynak pani Thorpe też nie mógł narzekać. Rozpiska na trzeci dzień w Paryżu leżała na biurku obok hotelowego menu i zestawu dla mediów na temat CASSANDRY RAMPART 3: WIZJI I OPAŁÓW. Od 9:46 Rory miał udzielać dwunastominutowych wywiadów telewizyjnych, ale nikt po niego nie przyszedł, Irene też się nie zjawiła. Jutro miał lecieć pierwszą klasą IndoAirWays do Singapuru, więc zamówił do pokoju kilka café au lait i koszyk z pieczywem.

Do tej pory spędzał w hotelowych pokojach niewiele czasu, padał w nich tylko jak zabity i oddawał się w ręce zawsze dwóch charakteryzatorek: jednej od makijażu i jednej od włosów, obu zaganianych do pokoju przez Irene, kiedy Rory brał prysznic. Teraz sam, w bieliźnie i popijając kawę z gorącym mlekiem, rozejrzał się po apartamencie.

Przy okazji niedawnego remontu w hotelu odświeżono wystrój na modłę hipstersko-milenialną, co z pewnością dobiłoby niegdysiejszych nazistów. Telewizor tworzył czarną ścianę. Pilot – długi, cienki, ciężki – był chińszczyzną dla Amerykanina. Wszystkie światła sterowało się dotykiem, jeżeli wiedziało się, gdzie dotknąć. Na niskim kwadratowym stoliku czekały cztery butelki napoju pomarańczowego orangina, wystawione ironicznie obok czterech porcelanowych pomarańczy. Wieża składała się ze staroświeckiego gramofonu z kolekcją winyli francuskiego Elvisa, Johnny'ego Hallydaya, jedna z płyt pochodziła nawet z lat pięćdziesiątych. Na półkach nie było książek, stały tam za to trzy stare maszyny do pisania – jedna klawiatura była rosyjska, jedna francuska, a jedna angielska.

*Meee-meee. Meee-meee. Meee-meee.*

– Nie śpię!

– Siedzisz, smarku?

– Chwila. – Rory nalał sobie resztkę ciepłego mleka do ostatniej kawy, po czym, balansując z filiżanką na talerzyku, rozparł się w rozkładanym skórzanym fotelu. – W tej chwili nawet się rozsiadam.

– Reszta promocji odwołana.

Irene była staroświecka. „Tournée medialne" było korporacyjną nowomową na sprzedaż produktu. Gwiazdy zajmowały się wyłącznie promocją swoich filmów.

Rory opluł skórzany fotel i swoje nogi kawą z mlekiem.

– Że co? Jak to?

– Zajrzyj do internetu, to się dowiesz.

– Nie dostałem hasła do wi-fi.

– Willa rozwodzi się ze swoim giełdowym wygą.

– Dlaczego?

– Bo ten szykuje się za kratki.

– Za bardzo chachmęcił i federalni się wkurzyli?

– Nie federalni. Dziwki. W jego aucie na Santa Monica Boulevard. Oprócz tego był w posiadaniu czegoś ciut mocniejszego od medycznej marihuany.

– Wow. Biedna Willa.

– O Willę się nie martw. Martw się o wytwórnię. *Cassandra Rampart 3: Obciąganie pały* odstawi piękną klapę.

– Powinienem zadzwonić do Willi i wyrazić współczucie?

– Możesz spróbować, ale ona i jej ekipa są teraz gdzieś nad Grenlandią. Na kilka tygodni zaszyje się na swoim ranczu w Kansas.

– Ma ranczo w Kansas?

– Dorastała w Salinie.

– A co z zaplanowaną na dziś fetą? Sztucznymi ogniami i odrzutowcami, i osieroconymi zwierzakami?

– Odwołane.

– Kiedy lecimy do Singapuru i Seulu, i Tokio, i Pekinu?

– Nigdy – ucięła Irene bez cienia żalu w głosie. – Mediom zależy tylko na jednym: na Willi Sax. Bez urazy, ale jesteś jedynie gościem w jej filmie. Pan R. Niktowicz. Pamiętasz ten plakat w moim gabinecie z hasłem: „A co, jeżeli na zwołaną konferencję prasową nikt nie przyjdzie?". Chwileczkę. Nigdy nie byłeś u mnie w gabinecie.

– I co teraz?

– Za godzinę wylatuję samolotem wytwórni. Mam średnią ochotę na dwunastogodzinny szambobój. Film wchodzi na ekrany w Stanach za cztery dni, a każda recenzja już w pierwszym akapicie napomknie o prostytutkach, oksykodonie i facecie, który płacił za seks, mając za żonę Willę Sax. Chyba mamy zarys fabuły *Cassandry Rampart 4: Grzesznych i wściekłych*.

– Jak wrócę do domu?

– Zajmie się tym Annette z miejscowego oddziału.

– Kim jest Annette? – Rory podczas trasy poznał tylu ludzi, że imiona i twarze mogły równie dobrze należeć do Marsjan.

Irene nazwała go jeszcze parę razy smarkiem, powiedziała mu, że tak w ogóle jest z niego równy gość, prawdziwy men, i że jej zdaniem ma przed sobą fantastyczną karierę, pod warunkiem że *CR3:Wio* się zwróci. Zresztą film się jej nawet podobał. Był całkiem milutki.

Nie mówię po rosyjsku. Francuski ma za dużo liter i ptaszków, żebym się w tym rozeznał. Dobrze, że ta trzecia maszyna ma angielskie klawisze.

Moim zdaniem Willa Sax – znana też jako Eleanor Flintstone – to równa babka, która na to wszystko nie zasługuje. Zasługuje za to na faceta, który nie ugania się za dziwkami i nie szprycuje heroiną dla ubogich. (Takiego jak ja! Ani razu w żadnym z tysiąca wywiadów nie przyznałem się do głębokiej i nieustającej miłości do tej damy. Irene kazała mi uważać na szczerość w mediach. „Mów nie więcej prawdy, niż trzeba, ale nigdy nie kłam").

Mam kieszenie wypchane forsą. Diety. W każdym mieście Irene wręczała mi kopertę z gotówką! Nie żebym wcześniej miał okazję coś z tego wydać. Nie w Rzymie. Ani w Berlinie. W Londynie nie miałem czasu. Może powinienem zobaczyć, jakie przyjemności będę mógł nabyć za parę euro w Paryżu...

NA RAZIE!

Wyszedłem sam z hotelu pierwszy raz od Berlina.

Hej, Paryż jest niczego sobie! Spodziewałem się jak zwykle hord przed hotelem, fanów marzących, żeby przyuważyć Willę. Setki zazwyczaj facetów (no chyba), fotografów, łowców autografów i tak dalej. Nazywała ich swoimi pudlami. Teraz zniknęli, prawdopodobnie dowiedziawszy się, że Willa Sax opuściła Miasto Świateł.

Zdaniem Annette LeBoogieDoogie fakt odwołania reszty promobalangi wcale nie znaczy, że muszę natychmiast lecieć do domu. Mogę pokręcić się po Paryżu, po całej Europie, jeżeli będę miał ochotę, tylko już na własny rachunek.

Faktycznie trochę się poprzechadzałem. Przeszedłem sławnym mostem na drugą stronę rzeki, potem pospacerowałem obok Notre Dame. Wystrzegałem się skuterów i rowerów oraz turystów. Zobaczyłem szklaną piramidę pod Luwrem, ale nie wszedłem do muzeum. Nikt mnie nie rozpoznał. Nie żeby mieli. Nie żeby powinni. Dzień jak co dzień. Oto ja, pan R. Niktowicz.

Wszedłem do ogrodów, gdzie miał się odbyć nasz wielki event z kapelami rockowymi, przelotem odrzutowców, ze sztucznymi ogniami i z tysiącami gapiów w okularach 3D. Tymczasem techniczni demontowali scenę i ekran. Barierki ciągle stały, ale niepotrzebnie. Nie było kogo zatrzymywać.

Za ogrodami było wielkie rondo, Place de la Concorde – miliony aut i vesp objeżdżały na wielu pasach w obie strony pomnik szpikulca na środku. Od tysiąc dziewięćset dziewięćdziesiątego dziewiątego roku stoi tam olbrzymi diabelski młyn. Większy niż w Budapeszcie – kiedy to było? Kiedy kręciłem tam film? W gimnazjum? Ten paryski nie może się równać wielkością z tym w Londynie, obracającym się tylko raz, bardzo powoli. Kiedy odbyła się przed nim ta wielka konferencja prasowa, przed którą śpiewał dziecięcy chór i paradowała szkocka lekka kawaleria, i pojawił się któryś z mniej ważnych członków rodziny królewskiej? Kiedy to było? A, no przecież. W zeszły wtorek.

Kupiłem bilet, ale nie musiałem długo czekać na wejście na diabelski młyn. Prawie nie było kolejki, więc miałem cały wagonik dla siebie.

Zrobiłem kilka okrążeń. Z samej góry zobaczyłem ciągnące się po horyzont miasto, rzekę wijącą się na północ i południe z wieloma długimi eleganckimi łodziami sunącymi pod tymi wszystkimi słynnymi mostami. Zobaczyłem tak zwany Lewy Brzeg. I wieżę Eiffla. I kościoły na wzgórzach. I wszystkie muzea wzdłuż szerokich alej. I całą resztę Paryża.

Miałem przed sobą całe Miasto Świateł i zobaczyłem je za friko.

# Miejskie sprawy. Felieton Hanka Fiseta

## SZPALTOGEDON

W redakcji aż huczy od plotek! Tajemnicą poliszynela jest, że drukowana wersja naszego w trójnasób metropolitalnego „Trójmiejskiego Dziennika/ /Heralda" ma wyzionąć ekonomicznego ducha. Jeżeli/kiedy ta decyzja zapadnie, będziecie mogli czytać moją rubrykę i całą resztę, którą teraz macie w ręku, wyłącznie na jednym z waszych wielu elektronicznych gadżetów – być może telefonie albo zegarku, który trzeba codziennie ładować.

***

Taka jest kolej rzeczy, co przywodzi mi na myśl Ala Simmondsa, redaktora w dawnej Associated Press. Moja kariera w AP trwała prawie cztery lata, ale szybko bym stamtąd wyleciał, gdyby nie Al Simmonds, który pochylił się nad koślawą prozą i gimnazjalną składnią w moim notatniku i zrobił z tych zapisków całkiem znośne dziennikarstwo. Ala od dawna nie ma już między nami, niech mu ziemia lekką będzie, więc nie doczekał lektury gazet na laptopie albo tablecie. Pożegnał się z tym światem w czasach, kiedy ów pomysł był tak realny jak statek kosmiczny Enterprise. Nie jestem pewien, czy miał choćby telewizor, bo narzekał, że radio zeszło na psy, od kiedy Fred Allen zniknął z anteny (ta anegdota zdradza mój wiek z precyzją metody węglowej!).

***

Al pisał na continentalu – bestii prawie tak wielkiej jak fotel – przyśrubowanym na zawiasach do biurka, ale nie dlatego, że ktoś mógłby go ukraść. Sama próba podniesienia maszyny byłaby nierozważna. Biurko Ala było małym, wąskim ołtarzem redakcji. Wstukiwał swoją wersję mojego tekstu – bardziej rzeczową, zwięźlejszą, a niech to: lepszą – potem przewracał maszynę na zawiasach i na zwolnionym miejscu jeszcze raz redagował poprawioną wersję niebieską kredką. Ależ on hałasował, wykonując swoją pracę kilkaset razy na każdej zmianie – *paf-paf* pisaniny, *dzyń-dzyń* dzwonka, *gżżżżżyk* powrotnika, *szrrryp* kartki z maszyny, potem *łłup* przewracanego kolosa, żeby pogryzmolić jeszcze prymitywniejszą metodą. Al nie mógł żyć bez tej maszyny i nigdy nie oddalał się na więcej niż metr od niej i swojego biurka. Wiele razy wysyłał mnie po kawę i jedzenie, a kiedy wracałem, poprawiał jakiś artykuł i musiałem kłaść posiłek na pobliskim stołku, aż przewrócił continentala i zrobił miejsce na lunch. Jeżeli Al Simmonds trąci kliszą, jednowymiarową wersją speca z newsroomu, to był nią pod każdym względem oprócz jednego: nie palił i nie znosił bandy kopciuchów z AP.

***

Cisza! Dziennikarze pracują – taka tabliczka byłaby teraz w „Dzienniku/Heraldzie" zbędna. Od lat osiemdziesiątych pracujemy na komputerach, choć na początku nazywano je procesorami tekstu – myśmy nazywali tak siebie. Zmierzam do tego, że Al Simmonds nie pojąłby, w jaki sposób coraz częściej przez ostatnie pięć lat czytamy prasę – pochyleni nad naszymi poręcznymi maszynkami do cudów. Poza tym nie mógłby uwierzyć, jak od trzydziestu lat wydajemy nasz tytuł. „Gdzie ryk i furia gazety idącej do druku?" – wrzasnąłby. Na mnie.

***

Oto eksperyment na cześć Ala: jeżeli czytacie to na telefonie, to ja napiszę tekst też na telefonie. Oto mój strumień świadomości, zredagowany i po korekcie.

***

„Będzie mi brakowało namacalnej, drukowanej gazety, dostarczanej mi na trawnik przed domem siedem dni w tygodniu przez chłopaka o imieniu Brad, który, zasuwając samochodem, wyrzuca mój egzemplarz przez okno po nieznacznym wyhamowaniu, albo gazety czytanej w Pearl Avenue Café (na Pearl Avenue) kilka razy w tygodniu. Będzie mi brakowało tego uczucia, kiedy mój tekst trafia na jedynkę nad foldem, i wstydu po degradacji na stronę B6. Przyznaję, że kręci mnie widok własnej twarzy i własnego nazwiska – swojej rubryki – na drugiej stronie – tak łatwo ją znaleźć, a wiedzieliście, że jej lektura idealnie nadaje się do odmierzenia, jak długo gotuje się jajko na miękko? Jeżeli/ /kiedy „Dziennik/Herald Trójmiejski" przejdzie na wydanie cyfrowe/bez druku, niniejszy reporter ze smutkiem/rezygnacją przyjmie nadejście tego czegoś, co zwiemy Rzeczywistością.

A Al Simmonds w redakcyjnym raju podrapie się po głowie skołowany, ze swoją maszyną przewróconą już na zawsze". A teraz wersja wklikana na telefonie po autokorekcie.

***

*Będzie mi brakowało namacalnej, drukowanej gazety, dostarczanej mi na trawnik przed domem siedem dni w tygodniu przez chłopaka o imieniu brak, który, zasypiając samochdoqym, wrzuca mój egzotyprzez okno po nieznacznm wyzwanie, albo egzemplarza czytanego w PRL Avenue Cafe (na PRL Avenue) kilka razy w tygodniu. Będzie mi brakowało tego uchdzga, kiedy mój pech chciał na patrzy stronę na FOREX i wstydu po gradacja na h6. Przyznaję, że kreci mi widok własnej darzy imię i nazwisko – swoje wymówki – na 2 str. – tak łatwo znaleźć, a wiedzieliście, że jej lektura idealnie nadaje się zważą się o zmiękło na jajkach? Jeżeli/kiedy Dziennik/Herman na Wiejskiej przejdzie na wydanie cyfra/bez mózgu, nińszy router ze smutkiem/rezygnacją przyjmie nadejście tego czegoś, co zwiemy Rzeczpospolitą. A Ala Szymon, w derekcyjnm gaju, podrapie się mowie koło wanny, z Masza niewiną wywróconą na zawsze.*

***

Teraz muszę pędzić, zanieść artykuł do redakcji...

# Witaj na Marsie

Kirk Ullen jeszcze spał, w łóżku, pod narzutą i starym wojskowym kocem. Od dwa tysiące trzeciego roku, kiedy skończył pięć lat, za sypialnię w ich rodzinnym domu służył mu pokój na zapleczu, który chłopak dzielił z pralkosuszarką Maytag, starym, poobłupywanym, rozstrojonym szpinetem, nieużywaną przez jego matkę od drugiej kadencji Busha maszyną do szycia i elektryczną maszyną do pisania Olivetti-Underwood, która przestała działać po tym, jak Kirk wylał na nią piwo korzenne z lodami. W nieogrzewanym pomieszczeniu zawsze było chłodno, nawet dziś, wczesnym rankiem pod koniec czerwca. Z wywróconymi oczami śnił, że jest ciągle w liceum i nie umie wprowadzić właściwej kombinacji do zamka szafki w szatni. Podejmował właśnie siódmą próbę, obracał pokrętło w prawo, potem dwa razy do końca w lewo, potem z powrotem w prawo, kiedy oślepiający błysk pioruna rozświetlił szatnię bielą. I równie gwałtownie zapadł mrok, w którym pogrążył się cały świat chłopaka.

Błysnęło jeszcze kilka razy, jakby piorun rozjaśnił całe niebo, po czym znów nastała ciemność – jeszcze raz biel, potem nieprzenikniona czerń i tak w kółko. Ale nie było dudnienia grzmotu, klaskania Thora, które rozchodziłoby się echem po odległych kanionach.

– Kirk? Kirkwood? – Głos jego ojca. Frank Ullen włączał i wyłączał światło na suficie; to była jego zdaniem zabawna pobudka. – Mówiłeś serio wczoraj wieczorem, mały? – Zaczął śpiewać: – Kirkwood, Kirkwood. Odpowiedz, proszę.

– Co? – wychrypiał Kirk.

– O wypadzie na Marsa? Powiesz „nie" i znikam. Powiesz „tak" – i rozpoczniemy twoje urodziny jak prawdziwi Ullenowie, odważni i wolni.

Mars? Mózg Kirka obudził się, a chłopak, odzyskawszy przytomność, teraz sobie przypomniał. Dziś miał dziewiętnaste urodziny. Ostatniego wieczoru po kolacji zapytał ojca, czy mogliby posurfować rano jak tego dnia, kiedy skończył dziesięć lat, i tak samo, jak kiedy stuknęło mu trzynaście. „Jasne!" – odparł ojciec. Warunki na plaży Mars będą dobre. Z południowego zachodu szła martwa fala.

Prośba zdziwiła Franka Ullena. Jego syn od jakiegoś czasu nie dołączał do niego na wodzie. Student Kirk nie chodził na żywioł tak chętnie jak w liceum. Frank usiłował sobie przypomnieć, kiedy ostatni raz surfował z synem. Dwa lata temu? Trzy?

Kirk musiał przemyśleć swoje plany na kolejny dzień, co nie było łatwe w oparach sennej mgły. Urodziny czy nie, musiał pojawić się w swojej wakacyjnej pracy – nadzorował pole golfowe Magic-Putt PeeWee – o dziesiątej rano. Która była teraz? Kwadrans po szóstej? Dobra, to powinno się udać. Wiedział, że jego tata ma w tej chwili tylko jedną budowę – nowy minipasaż handlowy na Bluff Boulevard. Tak, chyba się uda. Mogliby się razem porzucać na fale przez dobre dwie godziny. Albo aż wywichnie im ramiona.

Miło będzie wspólnie wrócić na wodę, jeszcze raz odstawić Niezatapialnych Ullenów, Władców Oceanu. Tata Kirka rankiem na swojej desce do pływania zapominał o troskach. Kłopoty w pracy i domowe scysje zostawały na brzegu – wszystkie te złożone sytuacje rodzinne, które pojawiały się i znikały, nieprzewidywalne jak pożary krzaków. Kirk kochał mamę i siostry nad życie, ale już dawno, dawno temu pogodził się z faktem, że były skrzypiącymi kółkami na wyboistych drogach egzystencji. Jego tata, głowa stada, musiał pracować na dwóch etatach – przynosić pieniądze i łagodzić napięcia – bez dnia wolnego. Nic dziwnego, że zaczął stosować surfing jako tonik do ciała i astralną terapię duszy. Dla Kirka wyjście z ojcem będzie orzeźwiającym wotum zaufania, męską naradą, urodzinowym uściskiem, deklaracją: „Cokolwiek się stanie, jestem z tobą". Nie ma ojca i syna, którzy by tego nie potrzebowali.

– Dobra – powiedział Kirk, przeciągając się z ziewnięciem. – Idę.

– Leniuchowanie nie jest przestępstwem.

– Chodźmy.

– Na pewno?

– Szukasz pretekstu, żeby się nie zmoczyć?

– Akurat, knypku.

– Ja się na to piszę.

– Świetnie. Śniadanie jak dla kierowcy tira. Za dwanaście minut. – Frank zniknął, zostawiając włączone światło, a Kirk musiał zmrużyć oczy.

Śniadanie osiągnęło wyżyny smaku, jak zawsze. Frank opanował do mistrzostwa przygotowywanie porannego posiłku, a jego mocną stroną było wyczucie czasu. Kiełbasa trafiała na stół gorąca prosto z kuchenki, miękkie racuchy aż się prosiły o masło, w ekspresie (starym Mr. Coffee) mieściło się osiem filiżanek kawy, a jajka nigdy nie były suche, więc żółtka mieniły się jak płynne złoto. Gotowanie obiadu przerastało jego możliwości, co miało się niby wiązać z czekaniem, aż pręga wołowa się upiecze, a ziemniaki ugotują. Nie ma mowy. Frank Ullen wolał namacalną doraźność śniadania – gotujesz, podajesz, jesz – i starał się ubarwiać poranne posiłki zaganianej rodziny, kiedy dzieci były małe, a debaty przy śniadaniu tak gorące (niekiedy aż za bardzo) i nieprzeniknione jak podrasowane kawą kakao, które Frank zaczął im podawać od trzeciej klasy. Ale teraz mama spała tak długo, że nigdy nie przychodziła na śniadania, Kris uciekła do San Diego, gdzie mieszkała ze swoim chłopakiem, a Dora dawno temu oznajmiła, że będzie wpadać wedle swojego widzimisię, kiedy będzie jej pasować. I tak śniadanie jedli sami mężczyźni, ubrani w luźne dresy, nieumyci, bo jaki sens ma prysznic, jeżeli zaraz będą w wodzie?

– Koło wpół do dziewiątej będę musiał zadzwonić w parę miejsc. Cholerna robota – wyjaśnił Frank, kładąc racuchy na talerzu. – To nie potrwa długo. Na jakąś godzinę będziesz miał fale dla siebie.

– Jak mus, to mus – powiedział Kirk.

Jak zwykle przyniósł do stołu książkę i był już nią pochłonięty. Ojciec sięgnął ręką i odchylił okładkę.

– Architektura w latach dwudziestych? Po co to czytasz? – zapytał.

– Dla momentów – wyjaśnił Kirk, zbierając racuchem żółtka i tłuszcz z polskiej kiełbasy. – W epoce jazzu aż do Wielkiego Kryzysu panował boom budowlany. Powojenne technologie i materiały zmieniły wszystkie miasta świata. To fascynujące.

– Konstrukcje wsporcze do elewacji zwężających się budynków. Im wyżej idziesz, tym wszystko jest mniejsze. Byłeś kiedyś na górnych piętrach budynku Chryslera?

– W Nowym Jorku?

– Nie, w Zapadłej Dziurze w Teksasie.

– Tato, wychowywałeś mnie, pamiętasz? Czy zabrałeś mnie kiedyś do Nowego Jorku, żeby mi pokazać górę budynku Chryslera?

Frank wziął z półki dwa kubki podróżne.

– Sam szczyt budynku Chryslera to jest dopiero, kurde, labirynt.

Resztka kawy trafiła do kubków, które Frank oparł o przednią szybę auta, kiedy Kirk wyciągał swoją deskę – całe dwa metry – z szopy. Wrzucił ją do jego kampera, zajętego w dużej mierze przez trzyipółmetrowe cacko do pływania Franka – jego „buicka".

Sześć lat wcześniej kamper był nowy, kupiony na niecodzienne wakacje – trzytysiącedwustukilometrowe kółko wzdłuż wybrzeża do Kanady, dwupasmówkami przez Kolumbię Brytyjską, Albertę i Saskatchewan aż do Reginy. Ullenowie od dawna planowali ten wyjazd jako wyprawę rodzinną i rzeczywiście taki był... w każdym razie przez pierwsze kilkaset kilometrów. Potem mama zaczęła wyrażać opinie i korygować zachowania. Chciała narzucić swoje zasady życia w podróży i wydawać rozkazy. Co było jak dzwonek rozpoczynający starcie na ringu, pierwszą z, jak się okazało, wielu wycieńczających rund. Słowne utarczki przerodziły się w poważne sprzeczki, a te w rozbuchane i złośliwe pyskówki, które musiała wygrać szyja rodziny. Kris, jak to Kris, jeszcze podkręciła swoją buntowniczość. Święta Dora schroniła się w lodowej otchłani milczenia, przerywanego wybuchami tak gwałtownymi, głośnymi i ciętymi, że niemal szekspirowskimi. Frank za kierownicą popijał zimną kawę albo letnią colę i robił za sędziego, psychoanalityka, eksperta i gliniarza, w zależności od przedstawionej tezy czy ciśniętej obelgi. Kirk, w geście obronnym, wyciągał książkę za książką, czytając z zapałem nałogowego palacza z kartonem mentoli. Psychodrama stopiła mu się z szumem opon kampera na tysiącach kilometrów asfaltu.

Kłócili się przez całą Kanadę, nie przestali w drodze na południe przez gigantyczną amerykańską prerię, przestrzeń tak otwartą, tak bezkresną, że podobno doprowadziła pierwszych osadników do szaleństwa. Ullenowie osiągnęli szczyt absurdu w Nebrasce, kiedy Kris nabyła trawę od jakiegoś typka mieszkającego w aucie na kempingu KOA. Mama chciała dzwonić na policję, żeby zadenuncjować i dilera, i własną córkę. Tata jej to uniemożliwił, pakując kampera i po prostu uciekając z miejsca zdarzenia – wtedy mama poszła na wojnę totalną. W aucie powiało chłodem, jak na lipcowej Wigilii skłóconej rodziny; nikt z nikim nie rozmawiał, a Kirk dokończył wszystkie książki Williama Manchestera o Winstonie Churchillu. Kiedy skręcili prosto na zachód w Tucumcari w Nowym Meksyku, wszyscy mieli szczerze dość wycieczki, kampera i siebie nawzajem. Kris zagroziła, że resztę drogi do domu pokona greyhoundem. Ale tata nalegał, żeby zatrzymali się na pustyni, na co niechętnie przystali. Kris upaliła się pod gwiazdami, Dora wybierała się na samotne wędrówki, z których wracała po zmroku, a tata nocował w namiocie. Mama spała w kamperze, zamknięta od środka, gdzie nareszcie miała święty spokój. I zrobiło się nieciekawie, bo odcięła tym samym dostęp do toalety. Taki był finał ostatnich rodzinnych wakacji Ullenów. Ostatniego rodzinnego czegokolwiek Ullenów. Kamper stał teraz przyczepiony do pikapa King Cab i służył Frankowi za biuro na kółkach, względnie furgonetkę do surfingu, nieczyszczony ani nieodkurzany od trzydziestu czterech tysięcy kilometrów.

W młodości Frank Ullen był kudłatym lumpensurferem jak się patrzy. Potem dorósł, ożenił się, miał dzieci i założył firmę elektryczną, która mu się rozkręciła. Dopiero w zeszłym roku znów zaczął wychodzić z domu, kiedy wszyscy jeszcze spali, żeby łapać łamiące się grzbiety fal na plaży Mars, która była nie do pobicia, jeśli chodzi o ciasne praworęczne fale przy mniej więcej metrowym przypływie. Kiedy Kirk był mały i prawie mieszkał na plaży, ojciec i syn parkowali na poboczu autostrady i znosili swoje deski dobrze wydeptaną ścieżką na Marsa. Młodemu Kirkowi, taszczącemu swoją pierwszą piankową deskę, plaża wydawała się tak skalista i odległa jak Valles Marineris na Czerwonej Planecie. Lata ekonomicznego boomu drastycznie zmieniły okolicę – na niegdysiejszych bagnach wzniesiono luksusowe apartamentowce, a pięć lat temu zabetonowano zachwaszczony kwadratowy pustostan i postawiono najprawdziwszy parking z opłatą trzech dolarów za auto. Mars nie był już darmowy, ale poprawiła się wygoda dojazdu – surferzy skręcali na piasku w lewo, zwykli plażowicze w prawo, a miejscowi ratownicy pilnowali tego podziału.

– Tego nie widziałeś. – Frank wyjeżdżał z autostrady przy stanowym obszarze rekreacyjnym Deukmejian.

Kirk zerknął znad książki. Dawne pole było teraz spłaszczone i wymierzone, wbito już paliki z chorągiewkami i tablicę zapowiadającą budowę Big-Box Martu.

– Pamiętasz, jak kiedyś w okolicy nie było nic oprócz budki z taco przy Canyon Avenue? Teraz to resturacja, Chisholm Steakhouse.

– Pamiętam, jak srałem w krzakach – powiedział Kirk.

– Bez wulgaryzmów przy swoim staruszku.

Frank wjechał na parking i zatrzymał się na wolnym miejscu rząd od wejścia na ścieżkę.

– No i tak – skomentował jak zawsze. – Witaj na Marsie!

Po drugiej stronie autostrady pojawiło się teraz skupisko sklepów z niskimi dachami stylizowanymi na meksykańskie domki z suszonej cegły. Był tam sklep ze sprzętem do surfowania, nowy i wszechobecny Starbucks, bar z kanapkami Subway, spożywczak Circle W i biuro jednego jedynego agenta ubezpieczeniowego, niejakiego Saltonstalla, który zainstalował się tu, żeby móc surfować, kiedy nikt nie dzwonił. Na południowym skraju pasażu handlowego stawiano warsztat franczyzy AutoShoppe/FastLube & Tire.

– Ty surfujesz, my smarujemy ci auto – zauważył Kirk. – To się nazywa ekologiczna integracja konsumenta.

– Gdyby przyszłość wiedziała, co ją czeka... – skwitował Frank.

Na parkingu stała kolekcja wiekowych i solidnych samochodów – fordów ranchero i kombi obładowanych narzędziami. Auta budowlańców, którzy chcieli złapać falę przed robotą. Były tam stare furgonetki i własnoręcznie pomalowane volkswageny busy surferów, którzy w nich spali pomimo rozwieszonych plakatów zakazujących nocowania. Kiedy szeryfowie urządzali co jakiś czas czystkę lumpensurferów, zawsze toczyły się semantyczne debaty o różnicy między „nocowaniem" a „oczekiwaniem na świt". Prawnicy też surfowali na Marsie, jak również ortodonci i piloci, którzy przyjeżdżali audi i beemkami z deskami na bagażnikach dachowych. W wodzie można się było natknąć na mamy i żony, świetnych surferów i życzliwych ludzi. Swego czasu zdarzały się często bójki, kiedy wysoki przybój ściągał zewsząd żółtodziobów, ale był środek tygodnia i nie dla wszystkich skończyła się szkoła, więc Kirk wiedział, że plażowicze będą wyluzowani i bezkonfliktowi. A Marsjanie, jak się nazywali, byli starsi i łagodniejsi. Oprócz kilku wrednych prawników.

– Pięknie się nam dziś łamią, Kirkoludzie – powiedział Frank, przyglądając się morzu z parkingu.

Naliczył w wodzie ponad tuzin surferów, kiedy duże martwe fale formowały się w regularnych odstępach poza line-upem.

Otworzył drzwi kampera. Wyciągnęli obie deski i wiosło Franka, oparli wszystko o auto i wcisnęli się w letnie pianki z krótkimi nogawkami i wszytą bielizną chroniącą przed otarciami.

– Masz wosk? – zapytał Kirk.

– W tamtej szufladzie – wskazał Frank.

Jego deska do pływania miała matę, więc nie potrzebował już wosku, ale trzymał go dla innych – źdźiebko parafiny dla limuzyny. Kirk znalazł krążek w szufladzie pełnej rupieci, gdzie oprócz tego walały się rolki taśmy izolacyjnej z krótkim początkiem, stare pułapki na myszy, pistolet do kleju bez wkładów, pudełka zszywaczy i zestaw kluczy żabek, który zardzewieje na słonym powietrzu.

– Ej – zagaił ojciec – schowasz mi telefon do lodówki? – Podał komórkę.

– Po co ci ta lodówka? – zapytał Kirk.

Nie działała od lat.

– Gdybyś się włamał do kampera i szukał czegoś wartościowego, zajrzałbyś do popsutej zamrażarki?

– Genialne, tato.

Po otwarciu drzwiczek Kirk poczuł zatęchły zapach pustej od wielu lat przestrzeni i zobaczył małe zapakowane na prezent pudełko.

– Wszystkiego najlepszego, synu – powiedział Frank. – Ile ty masz w końcu lat?

– Dziewiętnaście, ale dzięki tobie czuję się jak trzydziestolatek.

Dostał w prezencie wodoodporny zegarek sportowy, nowszy model od Frankowego, cały czarny i metalowy, solidny wojskowy chronometr z już ustawioną godziną. Zakładając go sobie na nadgarstek, Kirk poczuł się, jakby miał zaraz wsiąść do wojskowego helikoptera, żeby zabić Ibn Ladina.

– Dzięki, tato. Z tym zegarkiem wymiatam. Nie wiedziałem, że to takie proste.

– Gra gitara, młody.

Kiedy szli ścieżką z deskami na plażę, Frank powtórzył:

– Tak jak ci mówiłem, koło wpół do dziewiątej będę musiał zadzwonić w parę miejsc. Zawołam do ciebie, jak wyjdę z wody.

– A ja zasalutuję w odpowiedzi.

Stali na piasku Marsa i obserwowali sunące fale, przyczepiając deski linkami do opasek na rzep wokół kostki. Zanim przybój zelżał, pojawił się jakiś tuzin dużych, ładnie zakręconych grzywaczy, więc Kirk wbiegł do wody, wskoczył na deskę i powiosłował rękami, biorąc na dziób co mniejsze fale. Będzie się ustawiał tuż za linią załamania z młodszymi surferami, którzy rzucali się na każdą falę, którą zesłał im Posejdon.

Frank na paddleboardzie wyszukiwał grubsze kąski nieopodal Marsa, mocno z boku, za line-upem, gdzie wraz z innymi stojącymi surferami wyczekiwał większych serii ciężkiej wody, pozostałości po sztormach południowego Pacyfiku, fal, które potężniały z przebytą odległością. Za chwilę bez trudu wślizgnął się na grzbiet jednej z nich, wznosząc się na jakieś dwa metry, i surfował z gracją, miękko zakręcając. Jako surfer najbliżej zawijającej się fali miał do niej wyłączne prawo, a pozostali Marsjanie odsunęli się, żeby mu nie przeszkadzać. Po zamknięciu się fali zeskoczył z deski i utrzymał pozycję na płyciźnie do zakończenia serii. Potem wskoczył znów ze stopami na szerokość ramion, wbił wiosło w ocean i odpłynął z powrotem na bok, przebijając się przez nadciągające grzbiety.

Powietrze i woda były zimne, ale Kirk cieszył się, że wstał z łóżka. Rozpoznał starych Marsjan: Berta Starszego, Manny'ego Pecka, Schultziego i kobietę, którą nazywał panią Potts – weteranów z longboardami. Kręciły się też dzieciaki w jego wieku, wśród nich kumple, z którymi się wychowywał i którzy podobnie jak on studiowali albo mieli pracę. Hal Stein zrobił magisterkę na Uniwersytecie Kalifornijskim, Benjamin Wu był asystentem miejskiego radnego, „Kalkulator" Magee kończył kurs biegłego rewidenta, a Buckwheat Bob Robertson był, tak jak Kirk, na studiach i mieszkał jeszcze z rodzicami.

– Ej! Spock! – zawołał Hal Stein. – Myślałem, żeś kipnął!

Cała piątka czekała na fale w kręgu, wymieniając się gromadzonym od dzieciństwa doświadczeniem. Kirk przypomniał sobie, jak Mars mu kiedyś służył. Miał do niego rzut beretem i stworzył tam swój własny świat. To na Marsie oswoił się z potężnymi falami. Tam Kirk próbował się i przezwyciężał słabości. Na lądzie był błędem statystycznym, punktem na samym środku krzywej dzwonowej, nie był ani ciemniakiem, ani geniuszem, ani asem, ani dwójką. Oprócz paru nauczycieli angielskiego, szkolnej bibliotekarki pani Takimashi i szalonej, przepięknej, miodowowłosej Aurory Burke (zanim jej nowy ojczym wywiózł ją do nowej rodziny w Kansas City) nikt nigdy nie uznał Kirka Ullena za niezwykłego. Ale na wodach Marsa chłopak był panem na włościach. Cieszył się, że przychodzi tu od lat i że może tu spędzić dziewiętnaste urodziny.

Po niezliczonych złapanych falach Kirk był wykończony, więc odpoczywał na line-upie. W blasku porannego słońca widział dachy furgonetek i kampera ojca na parkingu, dachówki sklepów wzdłuż drogi, a dalej skaliste wzgórza z karłowatymi krzakami. W lśniącym od nieba błękicie wody Mars wyglądał jak zdjęcie w barwach sepii jakiegoś legendarnego zakątka surferów na Hawajach albo Fidżi – wyblakły, kiedyś kolorowy obraz, z którego teraz został tylko bursztynowy odcień, a zielone góry zamieniły się w żółte i brązowe wzgórza. Wystarczyło, żeby Kirk zmrużył oczy, a meksykańskie sklepy wyglądały jak chaty *bure* na jakimś atolu na środku Pacyfiku. Mars znów był innym światem, a Kirk – jego władcą.

Jakiś czas potem usłyszał wołanie ojca z plaży. Frank położył deskę na piasku, wbił wiosło w plażę jak flagę i powszechnie znanym gestem sygnalizował, że musi zadzwonić.

Kirk zasalutował do ojca w chwili, kiedy pani Potts wrzasnęła: „Z boku!". Faktycznie, z dala od brzegu formowała się seria, fale były wyraźne jak fałdy na tarze, łamały się przynajmniej pięćdziesiąt metrów za wcześnie, zapowiadając wiele długich, ostrych ślizgów. Wszyscy zawzięcie wiosłowali rękami. Choć był zmęczony, Kirk nie zamierzał przepuścić fenomenalnej serii. Płynął szybko i miarowo, aż doświadczenie podpowiedziało mu, żeby się odwrócić i powiosłować do plaży. Złapał trzecią ze zmierzających ku niemu fal.

Kiedy wznosił się na szczyt, instynktownie wymierzył moment podskoku na nogi przed upadkiem w dolinę. Fala była cudowna, gładka i kształtna. I potężna. Bestia. Kirk wymanewrował z doliny i wspinał się po ścianie, tuż przed zawijającą się spienioną grzywą, popychany w plecy sprężonym szeptem wiatru. Szarpnął w lewo i wystrzelił w dół prostopadle do łuku, pociągnął w prawo na dole i znów wślizgnął się na ścianę. Dosiadł samego grzbietu, pokiwał się na krawędzi, po czym zsunął się z powrotem do tunelu, zwalniając, żeby łamiąca się fala mogła go dogonić. Przykląkł na desce, na ile pozwalała mu na to anatomia, aż grzywa zawinęła mu się nad głową i zajął mały zielony zakątek tunelu. Po lewej stronie miał ryczącą pianę, po prawej gładką jak szkło taflę. Przeciął palcami wolnej dłoni ścianę zieleni jak płetwa delfina, jak nóż w wodzie.

Jak zawsze fala się nad nim zamknęła, dostał wodą po głowie i się wyłożył – nic takiego. Tak jak nauczył się dawno temu, odprężył się w skotłowanej wodzie, pozwalając fali się nad nim przetoczyć, żeby mieć czas na znalezienie powierzchni i napełnienie płuc. Ale woda to surowa pani, a Mars za nic ma ludzkie wysiłki. Kirk poczuł, jak napięta linka ciągnie go za opaskę na kostce. W spienionym chaosie szarpnięta deska wróciła, przygważdżając mu mocno łydkę. Tępe uderzenie miało siłę ciosu młotkiem do krokieta, którym kiedyś potraktowała go Kris w ogródku; skończył wtedy u lekarza, a ona w swoim pokoju. Kirk wiedział, że dziś już nie posurfuje.

Poszukał piaszczystego dna, wiedząc, że następna bestia go znokautuje. Wystawił głowę, żeby zaczerpnąć powietrza, mając przed sobą nacierającą z rykiem ponaddwumetrową białą ścianę. Dał nura pod falę, szukając po omacku rzepu z linką, i zerwał go sobie z kostki, żeby deska już go nie obijała i popłynęła do brzegu.

Unosił się pod wodą, bez paniki pomimo bólu w kończynie. Kiedy znów poczuł piasek pod stopami, był bliżej plaży i mógł podskoczyć na jednej nodze, żeby wystawić głowę. Następna fala jeszcze mocniej popchnęła go do brzegu, kolejna tak samo, potem jeszcze parę. Wyczłapał z wody na plażę.

– Kurwa mać – mruknął.

Usiadł na piasku. Z głębokiej rany wyzierała biała tkanka, przecięta skóra i tętniąca krew. Czekały go szwy, bez dwóch zdań. Kirk przypomniał sobie, jak pewnego dnia, kiedy miał trzynaście lat, jeden z dzieciaków, Blake, dostał własną deską i wyciągali go nieprzytomnego z wody. Blake oberwał w szczękę i przez wiele miesięcy nie wychodził od dentysty. Ta rana nie była aż tak poważna, a Kirk zaliczył już w życiu parę guzów, ale taka dziura w nodze zasługiwała na Purpurowe Serce.

– Żyjesz? – Ben Wu wyszedł z wody, odzyskawszy odciętą deskę Kirka. – Jezu! – Przestraszył się na widok rany. – Podrzucić cię do szpitala?

– Nie. Jestem z tatą. On mnie zawiezie.

– Na pewno?

Kirk się podniósł.

– Tak.

Bolało, a łydka krwawiła, zraszając piaski Marsa kroplami szkarłatu, ale Kirk zbył Bena machnięciem i dodał:

– Dam radę. Dzięki.

Wziął deskę i pokuśtykał po ścieżce w stronę parkingu.

– Będą ci musieli założyć jakieś czterdzieści szwów – zawołał Ben, po czym wskoczył na deskę i wrócił do surfowania.

Łydka Kirka pulsowała w rytm jego serca. Linka wlokła się za deską po piaszczystej ścieżce. Przyjechali kolejni plażowicze, więc parking był w dwóch trzecich zapełniony, ale Frank zaparkował niedaleko. Kirk spodziewał się zastać tatę w kamperze przy stoliku omawiającego interesy przez telefon z rozłożonymi przed sobą papierami. Ale kiedy skręcił za furgonetkę, zastał drzwi zamknięte na klucz i ani śladu ojca.

Kirk oparł deskę o drzwi. Usiadł na zderzaku, żeby obejrzeć nogę, która teraz wyglądała jak kiełbasa po wybuchu. Gdyby dostał odrobinę wyżej, mógłby mieć zmiażdżone kolano. Poszczęściło mu się, ale im szybciej dotrze na pogotowie, tym lepiej.

Tata był pewnie po drugiej stronie drogi, kupował w sklepie coś do picia albo baton białkowy, z kluczem do kampera w zapiętej na suwak kieszeni pianki. Kirk nie chciał kuśtykać przez jezdnię z deską, nie chciał jej też zostawiać na parkingu potencjalnemu złodziejowi. Rozejrzał się, żeby się upewnić, że nikt go nie widzi, potem stanął na zderzaku niekrwawiącą nogą i wepchnął deskę na dach auta, gdzie będzie poza zasięgiem wzroku. Linka zwisała, więc Kirk zwinął ją w prowizoryczny kłębek i też wrzucił na górę. Tyle w kwestii zabezpieczenia, pomyślał i skierował się ku drodze.

W cieniu przerośniętego krzaka czekał, aż poranny ruch zelżeje. Kiedy zobaczył okazję, ruszył, skocznie kuśtykając przez cztery pasy. Sprawdził Subwaya i Circle W, zajrzał przez okna, ale nie zobaczył taty. Pewnie będzie w sklepie surfingowym. Może kupował krem z filtrem. Ze środka ryczał heavy metal, ale nikogo tam nie było.

Ostatnim i najbardziej prawdopodobnym miejscem pobytu ojca był Starbucks na północnym skraju pasażu. Kawosze czytali gazety i pracowali na laptopach przy ustawionych na zewnątrz stolikach i ławach. Nie było wśród nich Franka, a jeżeli nawet ktoś podniósł wzrok i zwrócił uwagę na otwartą ranę Kirka, to nic nie powiedział. Chłopak wszedł, spodziewając się znaleźć tatę, odciągnąć go od telefonu i pojechać z nim do szpitala. Ale w Starbucksie go nie było.

– A niech to! – Baristka zobaczyła krwawiącego Kirka. – Nic ci nie jest?

– Da się przeżyć – powiedział chłopak.

Paru klientów spojrzało znad kubków i laptopów bez słowa.

– Zadzwonić na pogotowie? – zapytała kobieta.

– Tata zawiezie mnie do szpitala – wyjaśnił Kirk. – Był tu może Frank i zamówił dużą mokkę?

– Frank? – Baristka zastanowiła się przez chwilę. – Jakaś kobieta zamówiła niedawno dużą mokkę i bezkofeinową sojową latte. Ale Franka nie było.

Kirk ruszył do wyjścia.

– Mamy apteczkę.

Rozejrzał się jeszcze raz po parkingu i pasażu, ale ojca nie zobaczył. Na wypadek gdyby po drugiej stronie Starbucksa też były stoliki, zajrzał za róg, ale nie zastał tam ani ogródka, ani Franka, tylko miejsca parkingowe pod eukaliptusami.

Za jednym z grubych pni stał zaparkowany mercedes. Kirk widział tylko sam przód i kawałek szyby. Na desce rozdzielczej stały dwa kubki ze Starbucksa. Z siedzenia pasażera dłoń mężczyzny sięgnęła po kawę, na pewno dużą mokkę, bo rozpoznał czarny pasek wojskowego zegarka ojca, takiego samego jak ten, który Kirk miał teraz na nadgarstku. Szyby mercedesa były opuszczone, dzięki czemu chłopak słyszał śpiewny kobiecy śmiech i rozbawiony chichot ojca.

Nie czuł już nogi, zupełnie zapomniał o bólu, przysunął się do drzewa. Zobaczył teraz więcej auta, jak również twarz kobiety z długimi czarnymi włosami i uśmiechem przeznaczonym dla ojca. Frank był odwrócony do towarzyszki, więc Kirk widział tylko tył jego głowy. Choć ojciec powiedział: „Muszę wracać", nie poruszył się. Z jego odprężonego, cichego tonu można było wywnioskować, że nigdzie się nie wybiera.

Chłopak powoli wycofał się zza drzewa za róg, po czym wrócił do drzwi Starbucksa. Wszedł do lokalu.

Na ścianie naprzeciwko wejścia stały trzy stoliki przy oknach wychodzących na prawie pusty parking w cieniu eukaliptusów.

Kirk podszedł do okien i wyciągnął szyję. Zobaczył kobietę z długimi czarnymi włosami, której ręka spoczywała na ramieniu Franka, a palce bawiły się jego słonymi od morza włosami. Ojciec mieszał mokkę w kubku. Siedział na rozłożonym na siedzeniu pasażera ręczniku, jakby jego pianka jeszcze nie wyschła. Kobieta z długimi czarnymi włosami coś powiedziała i znów się zaśmiała. Ojciec też się zaśmiał, inaczej niż do Kirka, pokazując zęby, z odchyloną głową, zmrużonymi oczami, grając w wyciszonym przez okno kawiarni niemym filmie. Kirk słyszał tylko palce stukające w klawisze laptopów i rozlewaną do kubków drogą kawę.

– Może usiądziesz? – To znów była baristka, według plakietki niejaka Celia. Trzymała metalową apteczkę. – Mogę to przynajmniej zabandażować.

Usiadł. Celia owinęła mu nogę gazą, która od razu nasiąkła czerwienią. Kiedy zerknął na auto pod eukaliptusem, kobieta z długimi czarnymi włosami siedziała z rozchylonymi wargami i przechyloną głową, w pozie powszechnie uznawanej za zaproszenie do pocałunku. Ojciec się do niej zbliżył.

Przez autostradę Kirk przechodził jak w transie, ale pamiętał, żeby zdjąć deskę z dachu kampera. Wrócił ścieżką na Marsa. Na linii załamania fal ciągle tłoczyli się surferzy, morze miało za chwilę zacząć ustępować, żeby po wielu godzinach dotrzeć do granicy odpływu. Obok deski ojca i wbitego wiosła Kirk usiadł na piasku, z suchymi ustami, mętnym wzrokiem, głuchy na ryk i szum fal. Popatrzył na zakrwawiony bandaż na łydce, przypomniał sobie, że przecięła go własna deska, ale to się stało… kiedy? Dawno temu.

Powoli zerwał taśmę z nogi, potem odwinął szkarłatną gazę i ubił w dłoni lepką kulkę. Wykopał w piasku głęboki dołek, położył plątaninę na dnie i zasypał. Rana od razu zaczęła krwawić, ale Kirk to zignorował, tak samo jak opuchliznę i ból. Siedział skołowany. Nagle zrobiło mu się słabo, poczuł wzbierające łzy. Ale się nie rozpłakał. Kiedy jego ojciec wróci, zastanie syna po wypadku surfingowym, czekającego, aż Frank dokończy swoje służbowe rozmowy, żeby mogli pojechać na założenie jakichś czterdziestu szwów.

Nikt do niego nie podszedł ani z wody, ani ze ścieżki z parkingu. Kirk siedział sam, nie wiadomo jak długo, sunąc palcami po piasku jak grabkami. Żałował, że nie ma czegoś do czytania.

– Co jest, kurwa? – Na widok syna z głęboką raną Frank zrobił wielkie oczy i puścił się susami przez plażę. – Co ci się stało w nogę?

– Dostałem własną deską – wyjaśnił Kirk.

– Jezu! – Frank przykląkł na piasku, oglądając ranę. – Musiałeś nieźle zawyć.

– Zawyłem.

– Ranny na polu walki – podsumował Frank.

– Niczego sobie prezent na urodziny – dodał Kirk.

Frank się zaśmiał, jak każdy ojciec, kiedy jego jedyny syn, pokiereszowany, okazuje siłę spokoju okraszoną czarnym humorem.

– Zawieziemy cię na ostry dyżur, oczyszczą ci to i zaszyją. – Frank wziął deskę i wiosło. – Będziesz miał seksowną bliznę.

– Seksowną jak cholera – odparł Kirk.

Poszedł za ojcem po ścieżce, zostawiając w tyle linię fal, oddalając się od Marsa po raz ostatni i na zawsze.

MANUFACTURED BY
The Oliver Typewriter Co.
No.
9

# Miesiąc na ulicy Greene

Pierwszy sierpnia to zazwyczaj nic szczególnego – początek ósmego miesiąca w środku lata i być może, choć niekoniecznie, najgorętszy dzień w dziejach. Ale tego roku, niech to dunder świśnie, działo się akurat co niemiara.

Małej Sharri Monk miał właśnie wypaść kolejny ząb, kwadrans po dziewiątej wieczorem szykowało się częściowe zaćmienie Księżyca, a Bette Monk (matka Sharri, jej starszej siostry Dale i jej młodszego brata Eddiego) przeprowadzała ich wszystkich do czteropokojowego domu przy ulicy Greene. Domu tak malowniczego, że do podjęcia decyzji o zakupie wystarczył rzut oka na anons w agencji. Bette miała wizję – *błysk* – siebie i dzieci w kuchni zaganianych przy śniadaniu. Gotowała na płycie kuchennej, przewracała naleśniki, dzieci w mundurkach kończyły pracę domową i sprzeczały się o resztkę soku pomarańczowego. Jej wizja była tak klarowna, tak precyzyjna, że dom przy ulicy Greene – och, ten potężny platan z przodu – musiał być jej. Ich.

Bette miała wizje – czy można by to ująć inaczej? Nie codziennie i bez krzty mistycyzmu, ale wyczuwała nadchodzące objawienie, widziała błysk, jakby zdjęcie z wakacji zrobione dawno temu, zawierające komplet wspomnień o wszystkim, co działo się przedtem i co nadeszło potem. Kiedy jej mąż, Bob Monk, wrócił pewnego dnia z pracy – *błysk* – Bette zobaczyła barwny obraz, na którym mężczyzna trzyma się za ręce z Lorraine Conner-Smythe w restauracji przy Marriotcie w Mission Bell. Lorraine świadczyła dla firmy Boba usługi konsultingowe, więc oboje mieli sporo okazji, żeby się nawzajem obwąchać. W tej chwili Bette wiedziała, że status jej małżeństwa z Bobem zmienił się z „ujdzie" na „po wszystkim". *Błysk*.

Gdyby Bette miała zliczyć wszystkie razy, kiedy nachodziły ją takie wizje – odkąd była mała – i kiedy się sprawdziły, mogłaby przez cały wieczór zabawiać gości na przyjęciu przykładami: stypendium zdobyte cztery lata po tym, jak się o tym dowiedziała, pokój w akademiku w Iowa City, mężczyzna, z którym straciła dziewictwo (nie Bob Monk), suknia ślubna, w której stała przed ołtarzem (z Bobem Monkiem), widok rzeki Chicago, którym mogła się cieszyć, kiedy rozmowa o pracę w „Sun-Timesie" poszła po jej myśli, spodziewany telefon tego wieczoru, kiedy jej rodziców przejechał pijany kierowca. Znała płeć swoich dzieci w chwili, kiedy zobaczyła wyniki testu nad umywalką w łazience. Lista nie miała końca. Nie żeby robiła ze swoich wizji wielkie halo, nie uważała się za wróżbitkę ani wszechwiedzącą mentalistkę. Zdaniem Bette większość ludzi miewała takie przeczucia, tylko nie zdawała sobie z tego sprawy. I nie wszystkie się u niej sprawdziły. Kiedyś zobaczyła się jako uczestniczkę teleturnieju *Va banque*, ale nigdy tam nie wystąpiła. Mimo to jej trafność była imponująca.

Zaraz po tym, jak romans się wydał, Bob chciał się ożenić z Lorraine, więc zapłacił za ten przywilej, zapewniając Bette bezpieczeństwo finansowe, aż dzieci pójdą na studia i skończą się alimenty. Żeby nabyć dom przy ulicy Greene, musiała się nagimnastykować, uporać z bankiem, przejść koncertowo inspekcje i uiścić opłaty za sześć miesięcy z góry, ale w końcu umowa została podpisana. Trawnik, platan, weranda przed domem, tyle pokojów i minibiuro przy garażu były jak ziemia obiecana, zwłaszcza po ciasnym mieszkaniu z antresolą, w które włożyła swoje pierwsze oszczędności i gdzie ich czwórka mieszkała jak kocięta w pudełku, jedno na drugim. Teraz mieli ogródek za domem, taki długi i szeroki! Z granatowcem! Dzieci w zaplamionych różowymi strużkami soku T-shirtach – *błysk* – Bette zobaczyła w okolicach października.

Ulica Greene znajdowała się na uboczu i oprócz mieszkańców prawie nikt tu nie jeździł, dzięki czemu można się było na niej bezpiecznie bawić. Pierwszego sierpnia dzieci uprosiły pracowników firmy przewozowej, żeby zaczęli rozładunek od ich rowerów i trójkołowca Eddiego, po czym wyruszyły na patrol nowego rewiru. Przeprowadzką zajmowała się grupka młodych Meksykanów, którzy sami mieli potomstwo, więc chętnie się zgodzili i podczas rozładunku całego dobytku Bette przyglądali się zabawie beztroskich maluchów.

Bette spędziła ranek, testując swój hiszpański z liceum, kierując pudła do właściwych pokojów i zlecając ustawianie mebli zgodnie ze swoją intuicją – kanapę naprzeciwko okna, regały na książki po obu stronach kominka. Koło jedenastej rano przybiegła Dale z parą pyzatych chłopców, może dziesięcioletnich, prawdopodobnie bliźniaków, z identycznymi nieśmiałymi minami i dołeczkami.

– Mamo! To są Keyshawn i Trennelle. Mieszkają dwa domy dalej.

– Keyshawn. Trennelle – powtórzyła Bette. – Jak się macie?

– Zaprosili mnie na lunch.

Bette zmierzyła chłopców wzrokiem.

– To prawda?

– Tak, psze pani – powiedział albo Keyshawn, albo Trennelle.

– Czy nazwałeś mnie właśnie panią?

– Tak, psze pani.

– Jesteś dobrze wychowanym chłopcem, Keyshawn. Czy może Trennelle?

Chłopcy wskazali się i przedstawili. Ponieważ ubierali się inaczej, nie jak bliźniacy z jakiegoś filmu, Bette zawsze będzie wiedziała, który jest który. Poza tym Keyshawn miał na głowie cienkie, idealnie zaplecione, zaczesane do tyłu warkoczyki, a Trennelle był ogolony prawie na zero.

– Co będzie na lunch? – zapytała Bette.

– Fasolka z kiełbaską, psze pani.

– A kto to przygotuje?

– Nasza babcia Alice – wyjaśnił Trennelle. – Nasza mama pracuje w banku AmCoFederal. Nasz tata pracuje w Coca-Coli, ale nie wolno nam pić coca-coli. Chyba że w niedzielę. Nasza babcia Diane mieszka w Memphis. Nie mamy żadnego dziadka. Nasza mama przyjdzie do pani po powrocie do domu i przyniesie kwiaty z naszego ogródka, i przywita „nowych sąsiadów". Nasz tata też przyjdzie, z coca-colą, jeżeli nie jest zabroniona, albo z fantą, jeżeli pani woli. Nie zapytaliśmy babci Alice, czy wystarczy jedzenia dla Eddiego i Sharri, więc nie mogą przyjść.

– Mamo! Tak? Nie? – niecierpliwiła się Dale.

– Chyba tak, tylko zjedz do fasolki z kiełbaską coś zielonego.

– Czy mogą być jabłka, psze pani? To coś zielonego? Mamy zielone jabłka.

– Jabłka będą w sam raz, Trennelle.

Trójka dzieci wybiegła z domu przez werandę po schodkach i pod wiszącymi nisko gałęziami platana na trawnik. Bette poszła za nimi, żeby się przyjrzeć, jak wbiegają przez drzwi frontowe cztery domy dalej. Potem zawołała do Eddiego i Sharri, żeby zostawili rowery przed domem i przyszli na kanapki, które zrobi, jak tylko znajdzie przybranie.

---

Firma przeprowadzkowa zwinęła się przed trzecią, zostawiając Bette przyjemność wypakowania rzeczy kuchennych bezpośrednio z pudła do szuflady albo szafki. Nie miała już żadnego z gadżetów Boba, wynalazków jednorazowego użytku, które zbierał do swojego tak zwanego hobby kulinarnego. Bette nigdy nie przepadała za gotowaniem, ale od rozstania w jej dotychczas rozsądnych daniach pojawiły się frymuśne dodatki. Po szpinaku ze śmietaną dzieci zaczęły się go nawet dopominać. Jej burrita z mielonym indykiem były nadziewane fasolą i serem, ale nigdy nie rozsypywały się w dłoni. Dzieci świętowały, kiedy Bette oficjalnie ogłosiła wtorek dniem „burrindyków", i nie mogły się go doczekać.

Gdy pudła były puste, a na półkach zapanował jako taki ład, Bette uruchomiła jedyne urządzenie, które naprawdę ceniła, ekspres do kawy. Ten kolos niemieckiej produkcji ze stali nierdzewnej kosztował tysiąc przedrozwodowych dolarów, zajmował prawie metr kwadratowy blatu i miał tyle wskaźników i zaworów co łódź podwodna z *Okrętu*. Tak go uwielbiała, że często witała go rano słowami: „Cześć, olbrzymie".

Usiadła w końcu na kanapie w salonie, z potężnym kubkiem kawy ze spienionym dwuprocentowym mlekiem. Duże okno wyglądało jak ekran, na którym wyświetlano film pod tytułem

*Teraz tu mieszkam.* W kadrze pojawiała się i znikała defilada dzieci, grupa, która albo mieszkała przy ulicy Greene, albo urządziła tu sobie Kwaterę Uliczników. Jakaś dziewczynka o bardzo jasnych włosach zaglądała do buzi Sharri, niczym przedstawicielka Wróżki Zębuszki podczas wstępnej inspekcji. Grupa chłopców ustawiła zestaw do małego bejsbola, każdy uderzał plastikowym kijem, a reszta łapała piłki. Dale z jakąś koleżanką zwisały z niskich gałęzi platana. Keyshawn i Trennelle musieli mieć siostrzyczkę, dziewczynkę z warkoczami i dołeczkami, która biegnąc obok Eda, pomagała mu jeździć na swoim różowym dwukołowym rowerze, bo z rozpędu wpakował się na trawnik przed domem naprzeciwko.

Trawnik należał do rodziny Patelów – czy właśnie to mówił agent? Patelowie? Bez wątpienia indyjskie nazwisko. Rodzina Patelów musiała się powiększać co jedenaście miesięcy, sądząc po czarnych włosach i śniadej cerze pięciorga dzieci, z których każde było doskonałą kopią brata albo siostry, tylko o głowę niższą. Starsze Patelówny miały iPhone'y albo samsungi, które sprawdzały co czterdzieści pięć sekund. Robiły mnóstwo zdjęć Eddiemu na różowym rowerze.

Bette próbowała zliczyć wszystkie dzieci, ale – zupełnie jak w przypadku ławicy ryb w olbrzymim akwarium – ich ciągłe kotłowanie to uniemożliwiało. Niech będzie, że jest ich tam tuzin, kłębiących się, śmiejących, śmigających wte i wewte, z różnymi odcieniami skóry.

– Przeprowadziłam się do ONZ-etu – powiedziała do siebie.

Sentencją mogłaby się podzielić z Maggie, swoją najstarszą przyjaciółką i kobietą, która wspierała ją na każdym etapie kryzysu jej małżeństwa – od tamtego pierwszego błysku aż do realiów jej rozpaczliwego braku szczęścia, nieodwracalnej separacji, poszukiwań prawnika, trzech lat z hakiem mętnych rozważań o rozkładzie pożycia małżeńskiego i wielu nocy bardzo czerwonego wina. Telefon miała w torebce, która leżała na środku salonu. Sięgała po aparat, kiedy zobaczyła idącego po jej podjeździe Paula Legarisa.

Był starszym mężczyzną w luźnych szortach bojówkach i wyblakłym czerwonym T-shircie z pomarszczonym logo Detroit Red Wings. Nosił okulary nieco zbyt kanciaste i modne jak na mężczyznę w jego wieku; Bette oszacowała, że musi być jakieś osiem lat starszy od niej. Przyszedł w klapkach. Owszem, mieli lato, ale ponieważ dzień był powszedni, Bette wywnioskowała z obuwia, że jest w trakcie starania się o pracę. Choć może pracował nocami. Może wygrał na loterii. Kto wie?

Paul miał w torbie szynkę HoneyBaked – to nie był jeden z błysków Bette, marka widniała na torbie. Mimo że drzwi frontowe były otwarte na oścież – przez cały dzień pracownicy firmy przewozowej i dzieciaki krążyli tam i z powrotem jak pasażerowie metra – nacisnął dzwonek, choć potem nie zapytał, czy ktoś jest w domu.

– Dzień dobry – zagaiła Bette, podchodząc do progu.

– Paul Legaris. Sąsiad – przedstawił się.

– Bette Monk.

– Trudno to nazwać oficjalną wizytą... – powiedział, wskazując na torbę z szynką. – Ale witam.

Bette przyjrzała się HoneyBaked.

– Wiesz, z moim nazwiskiem*... – Urwała.

Paul wydawał się zaskoczony, jak aktor, który przegapił swoją kwestię.

– ...mogłabym być żydówką – pociągnęła Bette. – Torba wieprzowiny byłaby...

* Monk – (z ang.) mnich, zakonnik (przyp. tłum.).

– *Tref.* – Jednak pamiętał swoje kwestie. – Nieczysta.

– Ale nie jestem.

– To dobrze. – Paul wręczył jej torbę, a Bette ją przyjęła. – Kiedy ja się wprowadziłem, ktoś z sąsiadów zostawił mi szynkę na wycieraczce i żywiłem się nią tygodniami.

– Dziękuję. Mogę się zrewanżować kawą?

Bette nie miała tak naprawdę ochoty spędzać więcej czasu z sąsiadem, nieżonatym (zwróciła uwagę na brak obrączki), który mieszkając tuż obok, był jedynym nieoczekiwanym i niepożądanym faktem jej nowego życia przy ulicy Greene. Mimo to musiała być kulturalna.

– To miło z twojej strony – powiedział, nie ruszając się z wycieraczki po drugiej stronie granicy otwartych drzwi. – Ale w dniu przeprowadzki musisz mieć milion spraw na głowie.

Bette doceniła odmowę. Faktycznie miała milion spraw na głowie. Wskazała na grupkę dzieci na ulicy.

– Któreś z nich jest twoje?

– Moje mieszkają z matką. Może zobaczysz je w któryś weekend.

– Jasne. A za to dziękuję. – Pokazała na szynkę w trzymanej torbie. – Może zrobię w piątek zupę na kości.

– Smacznego – powiedział Paul, szykując się do zejścia z werandy. – Ulica Greene będzie ci służyć. Ja w każdym razie nie narzekam. A... – odwrócił się, stając raz jeszcze w drzwiach – ...porabiasz coś dziś wieczorem?

„Porabiasz coś dziś wieczorem?"

Bette słyszała te słowa zbyt wiele razy przez ostatnie kilka lat. „Porabiasz coś dziś wieczorem?" – pytali mężczyźni rozwiedzeni, nieżonaci, niezwiązani i samotni – faceci z dziećmi u byłych żon, przeglądający w swoich mieszkaniach strony randkowe w poszukiwaniu związku o charakterze intelektualnym, romantycznym bądź erotycznym. Faceci, którym wystarczył rzut oka, żeby zapytać, czy porabia coś dziś wieczorem.

*Błysk*!

Wizja: Paul wygląda przez okno, czekając, aż Bette Monk, rozwiedziona, (nadal) atrakcyjna, zaparkuje na podjeździe naprzeciwko. Potem przychodzi nieśpiesznie pod jakimś pretekstem, żeby pozawracać jej głowę – przynieść list, który zapodział się w jego skrzynce, opowiedzieć o zgubionym psie sąsiadów, zatroszczyć się o skręconą kostkę Eddiego. Zostaje za długo, rozmowa się przeciąga, z jego twarzy bije desperacja.

Bette przemyślała wizję, pierwszą skazę w materii jej nowego życia przy ulicy Greene – sąsiad, który się przystawia.

– Mam sporo roboty w domu – przyznała. – Naprawdę sporo. – Upiła trochę kawy.

– Mniej więcej o dziewiątej będę ustawiał teleskop – napomknął Paul. – Dziś wieczorem jest częściowe zaćmienie Księżyca, kwadrans po ma być faza szczytowa. Ładny czerwony cień Ziemi zasłoni mniej więcej pół Srebrnego Globu. To nie potrwa długo, ale mogłabyś zerknąć.

– Aha – powiedziała Bette, nie ciągnąc tematu.

Paul zszedł, klapiąc, po schodach z werandy i ruszył przez trawnik w tej samej chwili, kiedy Sharri przybiegła z jakimś drobiazgiem w dłoni – kamyczkiem czystej bieli.

– Mamo! Spójrz! – pisnęła.

Na palcach dziewczynki była krew.

– Mój ząb!

---

W gasnącym blasku tamtego pierwszego popołudnia ulica się wyciszyła, kiedy wszyscy poszli do domów na kolację. Bette nakarmiła dzieci plastrami szynki i sałatką z sałaty i pomidorów, które przetrwały przeprowadzkę z mieszkania. Wcześniej Darlene Pitts, matka Keyshawna i Trennelle'a, przyniosła jej koszyk kwiatów ze swojego ogródka i kartkę z napisem: „Czy zostaniesz moją sąsiadką?". Kiedy gawędziły na werandzie, jej mąż, Harlan, pojawił się z dwiema butlami sprite'a: zwykłego i dietetycznego. Wspólnymi siłami nakreślili dla Bette portrety sąsiadów.

– Patelowie mają takie imiona, że język się może zaplątać – zażartował Harlan. – Ja mówię na nich pan i pani Patel.

– Irrfan i Priyanka.

Darlene skarciła męża wzrokiem.

– I mógłbyś łaskawie nauczyć się imion ich dzieci.

– Nie mogę, bo gdybym mógł, tobym się nauczył.

Bette od razu ich polubiła.

Darlene wyrecytowała po kolei:

– Ananya, Pranav, Prisha, Anushka, a najmłodszy chłopiec to Om.

– Oma zapamiętałem – przyznał Harlan.

Smithowie – tam – rozdawali na prawo i lewo morele ze swojego drzewa. Ornonowie – tam – mieli motorówkę, która nigdy nie opuszczała podjazdu. W dużym biało-niebieskim domu Bakowie urządzali w każdą grecką Wielkanoc wystawne przyjęcia, a jeżeli się nie pojawiliście, to rodzina do końca roku wypominała wam nieobecność. Vincent Cromwell bez przerwy siedział przy krótkofalówce. Dom z potężną anteną na dachu był jego.

– A Paul Legaris wykłada nauki przyrodnicze w Burham. W college'u. Ma dwójkę starszych dzieci – relacjonował Harlan. – Słyszałem, że jego syn chce się zaciągnąć do marynarki.

– Nauczyciel – zauważyła Bette. – Stąd klapki.

– Słucham? – zdziwiła się Darlene.

– Przyniósł nam szynkę w klapkach. On był w klapkach, nie szynka. Myślałam, że mężczyzna w klapkach w środku tygodnia jest, wiecie…

– Wyluzowany? – podpowiedział Harlan.

– Bezrobotny.

– W sierpniu nie ma zajęć – westchnął Harlan. – W taki dzień jak dziś tylko pozazdrościć klapków.

*Błysk*! Bette zobaczyła Paula na kampusie, siedzącego na ławce na czworokątnym dziedzińcu, otoczonego studentkami, atrakcyjnymi dziewczynami, które chodziły do Legarisa na Wstęp do biologii, a on nigdy nie skąpił im czasu. Którejś ze studentek na pewno podobali się starsi mężczyźni w pozycji władzy, w każdym razie na to liczył Paul.

Ciepły letni wieczór wyciągnął dzieci z powrotem na ulicę Greene, a Bette umyła naczynia, potem poszła na górę, wyjąć pościel i posłać łóżka. Z okna pokoju dzielonego przez Dale i Sharri zobaczyła, jak Paul z pomocą dzieciaków wyprowadza z garażu dużą tubę – wspomniany teleskop – na wózku ręcznej roboty. Kiedy zrobiło się zupełnie ciemno, miała już podłączony i sparowany z telefonem głośnik Bluetooth, żeby przyprawić szczyptą melancholii niewdzięczny obowiązek wykładania półek w szafie i rozplątywania wieszaków. Bette rozpracowywała szuflady w komodzie, kiedy usłyszała trzaśnięcie drzwi frontowych i tupot wbiegającego po schodach dziecka.

– Mamo? – wrzasnął Eddie, wchodząc do teraz już swojego pokoju. – Mogę zrobić sobie teleskop?

– Ambicja godna podziwu.

– Profesor Legaris zrobił sobie teleskop i superowo przez niego widać.

– Profesor Legaris, aha.

– No. Ten pan, który mieszka zaraz obok. Jego garaż jest pełen superowych rzeczy. Trzyma kable i narzędzia w takim dużym drewnianym czymś, co się nazywa szyfocośtam. Ma trzy stare telewizory z pokrętłami po bokach i maszynę do szycia, taką z pedałami. – Eddie wskoczył na łóżko. – Pozwolił mi popatrzeć przez teleskop na taki jeden kosmos. Zobaczyłem Księżyc i taki jakby cień Słońca, który zasłaniał kawałek Księżyca.

– Nie jestem profesorem, ale to chyba cień Ziemi.

– To było zabawne. Jak patrzyłem normalnie, to Księżyc wyglądał, jakby ktoś wycinał go z nieba, ale przez teleskop widać było tę wyciętą część, tylko że była czerwona. Kratery i w ogóle. Sam zrobił sobie teleskop, własnoręcznie.

– Jak się robi teleskop?

– Bierze się okrągły kawałek szkła i długo poleruje, aż do połysku, a potem zakłada po jednej stronie tuby, takiej jak do dywanu. Potem trzeba kupić takie coś na oko.

– Soczewki?

– On chyba mówił na nie opticony. I prowadzi zajęcia z robienia teleskopów. Mogę?

– Jak znajdziesz tubę, taką jak do dywanu.

Tej pierwszej nocy przy ulicy Greene dzieciaki poszły do łóżek późno, ale tak się wcześniej wyszalały, że wszystkie momentalnie uderzyły w kimono. Żeby nie zapomnieć, Bette od razu włożyła pod poduszkę Sharri trzy dolary za ząb – wróżka była raczej forsiasta.

Dzień dobiegł końca, więc Bette otworzyła butelkę bardzo czerwonego wina i zadzwoniła do Maggie, opowiedziała jej o miejscowej dzieciarni, Pittsach i coli, i, owszem, o swojej wizji z Paulem Legarisem.

– Skąd ten twój pech do facetów? – zapytała Maggie.

– To nie jest kwestia pecha – przyznała Bette. – To mężczyźni. Wszyscy są beznadziejni. Tacy przewidywalni. Tak rozpaczliwie chcą się przejrzeć w lustrze kobiety.

– Rozpaczliwie to oni chcą cię przelecieć – skwitowała Maggie. – A ty jesteś akurat po sąsiedzku. A jak przyjdzie jeszcze raz wypsikany jakąś zabójczą wodą kolońską? Zarygluj drzwi. Przyuważył cię sobie.

– Mam nadzieję, że ugania się za studentkami. Doktorantkami. Węszy po bractwach.

– Za to można wylecieć. A seksowna rozwódka tuż po przeprowadzce jest legalna. Może właśnie w tej chwili ma lornetkę wymierzoną w twoje okna.

– To zobaczy zasłony z *Gwiezdnych wojen* u Eddiego. Mój pokój jest po drugiej stronie domu.

---

Sierpień wkroczył, szeroko ziewając, w kanikułę, a Bette unikała kontaktów z sąsiadem, nie chcąc już więcej usłyszeć pytania, czy porabia coś dziś wieczorem. Wracając samochodem do domu, rozglądała się po ulicy Greene, wypatrując Paula Legarisa. Kiedyś był na trawniku, pomachał, gdy skręciła na podjazd, i zawołał:

– Jak leci?

– Świetnie, dzięki! – odparła.

Weszła szybko do domu, jakby była czymś niezmiernie zajęta, kiedy tak naprawdę miała wolne. Innym razem przyglądał się dzieciom sąsiadów kopiącym piłkę w grze o nazwie Prosiak Lata, więc złapała swój niemy telefon i wchodząc do domu, udawała, że rozmawia. Paul do niej pomachał, a ona tylko skinęła w odpowiedzi. Wieczorami bała się usłyszeć dzwonek i zastać na progu Paula, wykąpanego i wypachnionego Old Spice'em, z pytaniem, czy porabia coś dziś wieczorem i czy miałaby ochotę na kolację w Old Spaghetti Factory. Kiedyś skorzystała z identycznej propozycji swojego dentysty. Okazał się tak zakochanym w sobie nudziarzem, że zmieniła klinikę stomatologiczną. Mniej więcej po tym ogłosiła rozejm, koniec podchodów damsko-męskich, a teraz miała zamiar się postarać, żeby jej nowe życie przy ulicy Greene było wolne od zobowiązań i, co za tym idzie, katastrof.

Jak się okazało, dzieciaki widywały Paula Legarisa częściej niż ona. Pewnego piątkowego wieczoru mył samochód (kto myje samochód w piątek wieczorem?), a Bob akurat przyjechał zabrać je na weekend z ojcem. Kiedy dzieci się pakowały, Bette oprowadziła byłego męża po parterze nowego domu; potem patrzyła, jak wszyscy wsiadają do auta Boba. Paul podszedł, bo Eddie chciał przedstawić tacie pana, który wykładał w college'u kosmos. Mężczyźni ucięli sobie pogawędkę, zdaniem Bette nieco przydługą. Bob i dzieci odjechali, Paul wrócił do mycia samochodu. Choć tego spotkania nie zobaczyła w wizji, zastanawiała się, czy tematem rozmowy nie była, cóż, ona.

Następnego ranka Bette wylegiwała się długo w łóżku, korzystając z sobotniego ranka bez dzieci. Ubrana w spodnie do jogi, cienką bawełnianą bluzę z kapturem i z iPadem w dłoni zeszła boso po schodach cichego domu.

– Cześć, olbrzymie.

Na bosaka zaparzyła poranny eliksir, po czym poszła z nim posiedzieć w ogródku, zanim słońce wyjdzie zza dachu i upał będzie nie do wytrzymania. iPada zabrała ze sobą; miała wrażenie, że od lat używała go tylko w łóżku. Usiadła pod drzewem na plastikowym krześle ogrodowym i poprzeglądała stare wydania niedzielnego dodatku do „Chicago Sun-Times", potem zasiedziała się na stronie „Daily Mail", gdy nagle usłyszała: *klok klok klok klok klok*.

Jakiś dzięcioł gdzieś sobie dzięciolił.

*Klok klok klok klok klok*.

Przyjrzała się gałęziom drzewa, wypatrując ptactwa, ale nic nie znalazła. *Klok klok klok klok klok*.

– Uporczywe piątki – powiedziała Bette, zliczywszy kloknięcia.

Spojrzała na fasadę domu, szczęśliwa, że ptak nie kanceruje jej sidingu w poszukiwaniu owadów, po czym znów rozległo się *klok klok klok klok klok*.

Odgłos dobiegał zza płotu, z ogródka Paula Legarisa. Wysokie ogrodzenie – które nawet na ulicy Greene poprawiało relacje z sąsiadami – zasłaniało wszystko oprócz najwyższych gałęzi. Nie było na nich śladu pana Dzięciolińskiego, ale *klok klok klok klok klok*-i nie ustawały, aż zaintrygowało to Bette. Chciała zobaczyć, jak wielki jest ten drewnolub, więc przysunęła krzesło do płotu i się wspięła, licząc, że przyłapie ptaszysko w akcji.

*Klok klok klok klok klok*.

Ogródek Paula Legarisa był zadbany i porządny, z grządką warzywną, nawadnianiem kroplowym i tyczkami. Stary pług, zardzewiały i stęskniony za koniem, tkwił na środku połaci trawy, obok leżących tam od czapy baterii słonecznych. Na tyłach ogródka, z dala od tarasu, był potężny grill z cegieł i jeden z tych wolnostojących hamaków zamawianych z katalogu.

*Klok klok klok klok klok*.

Sam Paul siedział przy stoliku piknikowym na podeście z sekwoi pod pochyłym baldachimem, ubrany w obowiązkowe luźne szorty, koszulkę polo i te swoje klapki. Zbyt modne okulary miał na czubku głowy i pochylał się w skupieniu nad kawałem maszynerii, na pierwszy rzut oka dziewiętnastowiecznej.

*Klok klok klok klok klok*.

To była maszyna do pisania, choć Bette w życiu nie widziała czegoś podobnego. Mechanizm był prastary, jakby z epoki wiktoriańskiej, z młoteczkami uderzającymi po łuku we wkręcony na wałek papier. Paul uderzył pięć razy w klawisz – *klok klok klok klok klok* – dodał odrobinę oleju do wnętrza maszyny i powtórzył proces.

*Klok klok klok klok klok.*

Oto jak Paul Legaris mógł zrujnować spokojny ranek ulicy Greene, konserwując tandetne pisadło rodem z Verne'a.

*Klok klok klok klok klok.*

– Niech to dunder świśnie – wymamrotała Bette.

Wróciła do domu po kolejną działkę kofeiny i tam już została, czytając z iPada w znośnej ciszy przy stole w kuchni, nadal słysząc stłumione klokanie pancernego procesora tekstu sąsiada.

Po południu, kiedy słońce postanowiło upiec dwie pieczenie przy jednej ulicy, Bette rozmawiała przez telefon z Maggie.

– Czyli po domu walają mu się teleskopy i maszyny do pisania. Ciekawe, co jeszcze – zastanawiała się Maggie.

– Stare tostery. Telefony z tarczą. Balie z wyżymaczkami. Kto wie?

– Sprawdziłam kilka stron randkowych. Nie znalazłam go.

– OblesnySasiad.com? OfermaNaWylacznosc?

Bette wyglądała przez frontowe okno, kiedy naprzeciwko zaparkował nieznany samochód – produkcji koreańskiej i czerwony jak lakier do paznokci. Młody mężczyzna, kierowca, wysiadł z parę lat młodszą dziewczyną, bez wątpienia siostrą. Kiedy szli przez ulicę w stronę drzwi domu Paula Legarisa, Bette rozpoznała u chłopaka charakterystyczny chód sąsiada.

– Uwaga, potomstwo – poinformowała przyjaciółkę. – Zgadnij, kto się właśnie pojawił.

– Kto? – zapytała Maggie.

– Prawie na sto procent latorośle Profesora Samotne Serce. Syn i córka.

– Mają tatuaże albo chodaki?

– Nie. – Bette zmierzyła dzieci wzrokiem, poszukując oznak młodzieńczego buntu albo odchyłu. – Wszystko w normie.

– W normie to jest cukier przed zawałem.

Dziewczyna zapiszczała i podbiegła do drzwi domu. Paul Legaris szedł w jej stronę, spotkali się na trawniku. Ścisnęła mu głowę pod pachą i ze śmiechem powaliła go na ziemię. Syn przyłączył się do igraszek i oboje kotłowali się z wyraźnie dawno niewidzianym ojcem.

– Być może zaraz będę dzwonić na pogotowie. Chyba szykuje się urwana ręka – relacjonowała Bette.

Tej nocy Bette, Maggie i siostry Ordinand spotkały się na kolacji w meksykańskiej kawiarni zrobionej z pustaków i z papierowymi abażurami, która była tak autentyczna, że bały się pić tam wodę, ale nie margaritę. Wieczór skrzył się od śmiechu i opowieści o mężach przed rozwodem, niedorobionych byłych i facetach, którym brakowało zdrowego rozsądku i piątej klepki. Rozmowy były zabawne i pikantne, a wiele opowieści, mało pochlebnych, dotyczyło Paula Legarisa.

Kiedy kierowca z Lyfta wysadził ją na ulicy Greene, niebo było ciemne już od dwóch godzin, a przed domem Paula znów stał teleskop. Na podjeździe nie było auta, na niebiańskie wojaże skusiły się dziś dzieci. Bette ruszyła prosto do siebie, kiedy dobiegł ją głos młodego Legarisa.

– Dobry wieczór – powiedział po prostu.

Bette skinęła i mruknęła „brwieczyr", ale nie zwolniła.

– Chce pani zobaczyć księżyce Jowisza? – Pytanie było od dziewczyny. – Jak w pysk strzelił na niebie i nieziemsko wyczesane?

– Nie, dziękuję – odparła Bette.

– Omija panią fenomenalne widowisko! – Dziewczyna miała głos podobny do Dale, przyjazny i zachęcający, szukający pretekstu do entuzjazmu.

– Nie ma dziś zaćmienia? – Bette wyciągała z torebki klucze do drzwi frontowych.

– Zaćmienia są rzadkie. A Jowisza widać przez całe lato – wyjaśniła dziewczyna. – Jestem Nora Legaris.

– Miło mi. Bette Monk.

– Matka Dale, Sharri i Eddiego? Tata powiedział, że ma pani świetne dzieci. – Dziewczyna ruszyła do Bette i weszła na podjazd. – Kupiła pani dom Schneiderów. Przeprowadzili się do Austin, farciarze. To mój brat. – Nora wskazała teleskop. – Przedstaw się pani Monk!

– Lawrence Altwell-Chance Delagordo Legaris Siódmy – powiedział. – Proszę na mnie mówić Chick.

Bette wyglądała na skołowaną, jakby miała w sobie trzy margarity, co zresztą było prawdą.

– Chick?

– Albo Larry. To długa historia. Chce pani zobaczyć, co ujrzał wieki temu Galileusz? To zmieniło bieg historii.

Zbyć takie zaproszenie i zaszyć się w domu byłoby niegrzecznie, zupełnie nie w stylu ulicy Greene. Nora i Chick to urocze dzieciaki. Bette powiedziała zatem:

– Chyba nie mam wyjścia.

Przekroczyła granicę między domami i pierwszy raz znalazła się na terytorium Legarisów. Chick odsunął się od teleskopu, dopuszczając Bette.

– Oto i Jowisz w całej swojej krasie – oznajmił.

Bette przyłożyła oko do soczewki przy otwartym końcu tuby do dywanu.

– Proszę uważać, żeby nie potrącić teleskopu. Musi być właściwie ustawiony.

Bette zamrugała. Szkło soczewki musnęło jej rzęsy. Nie miała pojęcia, na co patrzy.

– Nic nie widzę.

– Chick – westchnęła Nora. – Nie może być tak, że mówisz: „Oto i Jowisz w całej swojej krasie", a potem z krasy nici.

– Przepraszam, pani Monk. Niech no zerknę. – Chick spojrzał przez dużo mniejszy teleskop zamontowany na olbrzymiej tubie do dywanu i skorygował pozycję w górę, dół, prawo i lewo. – Teraz tłuścioch mieni się jak najęty!

– Oby krasa Jowisza wróciła – dodała Nora.

Z okiem tak blisko soczewki, że mogła ją zabrudzić tuszem do rzęs, Bette z początku nie zobaczyła nic, a potem ujrzała lśniące nakłucie światła. Jowisz. Nie tylko Jowisz, ale cztery jego księżyce w prostej linii, jeden na lewo i trzy na prawo, wyraźne jak się patrzy.

– Niech to dunder świśnie! – zawołała Bette. – Wyraźne jak się patrzy. To Jowisz?

– Król planet i swoich księżyców – oznajmił Chick. – Ile ich pani widzi?

– Cztery.

– Tak jak Galileusz – wyjaśniła Nora. – Włożył dwa kawałki szkła do mosiężnej rury, wymierzył ją w najjaśniejszy obiekt na włoskim niebie i zobaczył to samo co pani. Rozprawił się raz na zawsze z ptolemejskim modelem wszechświata. Potem się przez to nieźle napocił.

Bette nie mogła oderwać wzroku. Nigdy nie spoglądała tak daleko w kosmos i nie widziała na własne oczy innej planety. Jowisz był wspaniały.

– To pestka w porównaniu z Saturnem – zauważył Chick. – Pierścienie, księżyce i cały ten kram.

– Pokażcie mi! – Bette nagle nie mogła się nacieszyć gwiezdnymi widokami.

– Nie da rady – wyjaśnił Chick. – Saturn wschodzi dopiero wczesnym rankiem. Jeżeli chce pani ustawić budzik na za kwadrans piątą, to możemy się tu umówić, wszystko pani naszykuję.

– Czwarta czterdzieści pięć w nocy? Nie ma mowy. – Bette odsunęła się od teleskopu i księżyców Jowisza. – A teraz wyjaśnijcie mi „Chicka".

Nora się zaśmiała.

– Abbott i Costello. Ten chudy w jednym z filmów grał pewnego Chicka. Oglądaliśmy go z tysiąc razy i zaczęłam tak nazywać brata. I Chick się przyjął.

– Lepsze to niż La-La-La-Larry Le-Le-Legaris.

– Rozumiem – przyznała Bette. – Ja byłam Elizabeth, tak samo jak siedem innych dziewczyn w czwartej klasie.

Jeszcze raz popatrzyła na Jowisza przez teleskop i znów nie mogła się nadziwić.

– A oto i staruszek. – Nora zobaczyła światła jadącego po ulicy Greene samochodu ojca. Bette miała ochotę uciec do siebie, ale to byłoby nieuprzejme, więc opanowała odruch.

– Co to za łobuzeria na moim trawniku? – zapytał Paul, wychodząc z auta; inny chłopak, niewiele starszy od Chicka, wysiadł od strony pasażera. – Nie ty, Bette, te dwa niedorozwoje.

Nora zwróciła się do Bette:

– Tata ciągle używa takich słów jak „niedorozwój". Muszę za niego przeprosić.

– To jest Daniel – powiedział Paul, wskazując na rudego chłopaka, który, jak zauważyła od razu Bette, był bardzo, bardzo szczupły, prawdopodobnie niedożywiony, i nosił zupełnie nowe ubranie, którego wyraźnie sam nie wybierał i w którym nie czuł się swobodnie.

Dzieci się przywitały, a Bette powiedziała: „Dobry wieczór".

– Macie na oku wielkoluda? – Paul popatrzył na gazowego olbrzyma na niebie. – Daniel, widziałeś kiedyś Jowisza?

– Nie. – Chłopak bez słowa podszedł do wielkiej tuby i spojrzał w okular. – Fajny – skomentował beznamiętnie.

– Bette? Rzuciłaś okiem? – zapytał Paul.

– Tak. Aż mi się wymsknęło „niech to dunder świśnie". – Bette spojrzała na Norę. – Przepraszam, że musieliście słuchać, jak mówię „niech to dunder świśnie".

– „Niech to dunder świśnie" jest spoko – powiedziała Nora. – Konkretne i pasuje do wszystkiego. Jak „grubo" albo „zajefajnie".

– Jak „lajtowo" – wtrącił Chick.

– Albo „hardkorowo" – dodał Paul.

– Albo „kurwastycznie" – powiedział Daniel. Znów bez cienia emocji.

Rozmowa przestała się kleić.

---

Daniel spędził u Legarisów parę dni. Bette słyszała, jak o poranku obaj mężczyźni rozmawiają, ich odległe głosy dochodziły znad płotu w ogrodzie. Widziała, jak wychodzą razem wieczorami koło dziewiętnastej, a potem pewnego wieczoru rudy chudzielec zniknął. Ulica Greene znów zamieniła się w królestwo rowerów, piłek i dzieci, których zabawy w perspektywie nadciągającej szkoły nabrały szczególnej ekscytacji. W powietrzu czuć było koniec lata.

Ostatniego wieczoru sierpnia Bette zabrała dzieci na pizzę do restauracji z całą ścianą automatów do gier. Kiedy wrócili do domu, na ulicy panowała rajska cisza, zwłaszcza w porównaniu z niedawnym hałasem. Maluchy Patelów bawiły się na swoim trawniku wężem ogrodowym, więc Eddie i Sharri do nich dołączyli. Dale weszła do domu. Bette stała przed drzwiami na chłodnym, przyjemnym wiaterku, który poruszał liśćmi jej platana. Resztki pizzy dotarły do domu w pudełku na wynos, a teraz miała je w dłoni i podjadała oparta o jedną z niższych gałęzi.

Nie było śladu Paula Legarisa. Jego auto nie stało na podjeździe, więc czuła się odprężona w spokoju ulicy Greene, a zarazem winna po czwartym kawałku pepperoni z oliwkami i cebulą. Wyrzucając cienki brzeg niezjedzonej pizzy na trawę – jakiś ptak zaraz go znajdzie – odniosła wrażenie, że widzi bardzo dużego owada pełzającego po podjeździe Paula Legarisa.

Prawie jęknęła z przerażenia – to mógł być olbrzymi pająk – kiedy uświadomiła sobie, że to tylko klucze leżące na ziemi w miejscu, gdzie normalnie stoi zaparkowany samochód Paula.

Bette poczuła dylemat – co ma zrobić jako sąsiadka? Powinna podnieść klucze, przypilnować ich, aż Paul wróci do domu, potem zapukać i je zwrócić. Jeżeli klucze faktycznie należały do niego, co było wysoce prawdopodobne, zaoszczędzi mu niepokoju bezowocnych poszukiwań. Każdy by tak postąpił, ale – *błysk* – Paul będzie tak uradowany z odzyskania kluczy, że zechce się odwdzięczyć Bette własnoręcznie przyrządzoną kolacją. Słuchaj! A gdybym upiekł na grillu żeberka z sosem własnej produkcji?

Bette nie chciała się w to pakować. Najprostszym rozwiązaniem byłoby wysłać Eddiego, żeby oddał klucze. Kiedy Paul wróci do domu, jej syn potruchta, spełni dobry uczynek, a Bette będzie u siebie, i tak to się skończy.

Schyliła się i podniosła klucze. Był tam breloczek z godłem Burham Community College, kilka kluczy do domu i dwa służbowe z wybitymi numerami seryjnymi, klucz do zamka na rower i największy przemiot w zestawie: plastikowy żeton do pokera z przewierconym przez brzeg otworem.

Żeton był zużyty, a jego chropowate krawędzie wygładzone. Kiedyś zapewne był czerwony, ale teraz zostały na nim tylko wyblakłe plamy koloru. Na środku ciągle widniała duża dwudziestka – Paul musiał wygrać dwadzieścia dolców w jednym z lewych kasyn na rzece przy granicy stanu. A może żeton był pamiątką po przegranych dwóch tysiącach. Odwróciła go i na rewersie zobaczyła „AN". Egzotyczne i stylizowane niczym tatuaż litery umieszczono w kwadracie postawionym na wierzchołku jak boisko do bejsbola. W blasku zapadającego zmroku dojrzała jakieś napisy w pustych miejscach żetonu, ale one też były zatarte i nieczytelne, jeżeli nie liczyć paru liter – tu „b", tam „po" i coś, co wyglądało jak „użba", ale mogło być „izbą" albo „uzdą", albo dowolnym innym czteroliterowym wyrazem.

Po drugiej stronie ulicy dzieci odbijały piłkę bejsbolową o drzwi garażu Patelów. Bette wzięła klucze do domu, żeby się nimi zaopiekować, aż Eddie zostanie wysłany i je zwróci.

Dale siedziała w salonie z laptopem i oglądała na YouTubie filmy ze skokami koni przez przeszkody.

– Jesteś zajęta? – zapytała ją Bette.

Dale nie odpowiedziała.

– Hej, latorośli! – przypomniała się Bette, pstrykając palcami.

– Czego? – Dale nie oderwała wzroku od komputera.

– Możesz coś dla mnie wygooglować?

– Co?

– Ten żeton do pokera. – Bette uniosła łańcuszek na klucze.

– Chcesz, żebym wygooglowała „żeton do pokera"?

– Ten żeton do pokera.

– Nie potrzebuję do tego Google'a. To żeton do pokera.

– Skąd?

– Z fabryki żetonów do pokera.

– Jak mi go nie wygooglujesz, zaraz dostaniesz nim po głowie.

Dale westchnęła, popatrzyła na matkę, łańcuszek na klucze, żeton do pokera i przewróciła oczami.

– Już dobrze! Mogę tylko najpierw to dokończyć?

Bette pokazała Dale szczegóły żetonu – wyblakłą czerwień, dwudziestkę, AN na rewersie z zatartymi literami – i zostawiła łańcuszek, żeby umyć ręce z okruszków pizzy. Właśnie ładowała zmywarkę, kiedy Dale zawołała coś z salonu.

– Co? – krzyknęła Bette.

Dale weszła do kuchni z laptopem.

– Coś z narkotykami.

– O czym ty mówisz? – Bette wkładała sztućce na górną półkę zmywarki.

– Żeton do pokera – wyjaśniła Dale, pokazując matce zdjęcia na komputerze. – AN to skrót od Anonimowych Narkomanów. Tak jak AA, tylko z narkotykami. Wpisałam żetony do pokera i AN i wyskoczyła mi ta strona. Potem poszukałam grafiki i proszę bardzo.

Bette miała przed oczami wzór z łańcuszka do kluczy. AN w przechylonym kwadracie, a w pustych miejscach wyrazy: Ja, Bóg, Społeczeństwo, Służba.

– Rozdają je, żeby uczcić „trzeźwość" – wyjaśniła Dale. – Czyli jak ktoś nie bierze narkotyków. Przez przynajmniej trzydzieści dni.

– Ale tu jest dwudziestka. – Co Paul Legaris robił z żetonem Anonimowych Narkomanów?

– To chyba znaczy dwadzieścia lat – powiedziała Dale. – Skąd masz te klucze?

Bette się zawahała. Jeżeli Paul Legaris miał coś wspólnego z narkotykami albo Anonimowymi Narkomanami, nie chciała, żeby Dale się o tym dowiedziała, zanim sama nie wyjaśni sprawy.

– Znalazłam.

– Mam ci coś jeszcze wygooglować? Żetony telefoniczne albo zasady pokera?

– Nie.

Bette wróciła do ładowania zmywarki. Kiedy skończyła, zadzwoniła do Maggie.

– No przecież, Anonimowi Narkomani – podsumowała Maggie. – AA dla pijaków. AK dla kokainistów. Wszystko ma swoich Anonimowych.

– AN jest dla narkomanów?

– Przecież nie narkoleptyków. Jesteś pewna, że to jego klucze? – zaciekawiła się Maggie.

– Nie. Ale były na jego podjeździe, więc załóżmy... ryzykując, że robimy z siebie właśnie idiotki do kwadratu...

– Faceci w programach dwunastu kroków zawsze śpią z kimś innym z dwunastu kroków. Sarah Jallis miała siostrzenicę, która wyszła za mąż za gościa z jej grupy AA, ale potem się chyba rozwiedli.

– Jeżeli Paul Legaris jest w AN, to jest w AN od dwudziestu lat, ciekawe z jakiego powodu.

– Cóż. – Maggie na chwilę zamilkła. – Być może z powodu narkotyków.

Eddie i Sharri wrócili godzinę później, zmoczeni wodą z węża ogrodowego Patelów. Godzinę potem cała trójka dzieci była wykąpana i siedziała przed playstation, oglądając film w HD. Bette została w kuchni z iPadem, oglądając przeróżne strony o Anonimowych Narkomanach. Nie usłyszała pukania do drzwi.

– Przyszedł profesor Legaris. – Do kuchni wszedł Eddie.

Bette spojrzała na syna beznamiętnie.

– Stoi przed drzwiami.

I faktycznie stał tam, na progu, ubrany w dżinsy, białą koszulę i skórzane mokasyny. Bette przymknęła za sobą drzwi, żeby wytłumić dźwięki filmu.

– Dobry wieczór – powiedziała.

– Przepraszam za najście. Mógłbym skorzystać z twojego ogródka, żeby dostać się do siebie?

– Dlaczego?

– Bo ze mnie bęcwał. Zatrzasnąłem klucz w domu. Moje przesuwane drzwi powinny być otwarte. Mógłbym przejść przez swój płot, ale wtedy wylądowałbym w śmietniku.

Bette spojrzała na Paula, na tę samą twarz, której właściciel przyniósł jej przed miesiącem szynkę HoneyBaked, tego samego faceta, który mył samochód w piątek i uznał jej dzieci za świetne, sąsiada, który składał własne teleskopy i naprawiał stare maszyny do pisania. *Błysk*! Paul Legaris siedzi w kręgu mężczyzn i kobiet, wszyscy na składanych krzesełkach. Słucha Daniela, rudego chudzielca, który relacjonuje swoje perypetie z heroiną. Paul przytakuje, rozpoznając własne zmagania sprzed dwudziestu lat.

– Zaczekaj tu – poprosiła Bette.

Wróciła za chwilę z łańcuszkiem na klucze w dłoni.

– Moje klucze – wymamrotał Paul. – Zwinęłaś mi klucze? Ale numer.

– Były na twoim podjeździe. Myślałam, że to wielki robal, ale nie.

– Musiały mi się odczepić od pilota do auta, czego też nie raczyłem zauważyć. Nie miałem pojęcia, gdzie mi wyleciały, więc dzięki.

– Podziękuj ulicy Greene i jej polityce usłużnych sąsiadów – powiedziała Bette.

Teraz byłaby właściwa chwila, żeby trzaśnięciem drzwi definitywnie zakończyć wszelkie kontakty z sąsiadem, który chodził w klapkach i którego unikała od dnia przeprowadzki. Zamiast tego, o dziwo, zapytała:

– Co się stało z Danielem? Tym elokwentnym rudzielcem?

Paul właśnie się zbierał, kiedy przystanął i spojrzał na Bette w drzwiach.

– A, Danny. – Zawahał się. – Jest w Kentucky.

– Kentucky? To jego strony?

Bette opierała się teraz wygodnie o ramę, zrelaksowana. Stwierdziła, że dobrze się czuje z Paulem na progu, czego nie zaznała nigdy wcześniej, od czasu tego pierwszego pytania, czy porabia coś dziś wieczorem.

– Jest z Detroit. Pojawiło się miejsce na odwyku w Kentucky, więc pojechał tam na trzy miesiące, jeżeli wszystko dobrze pójdzie. Mam nadzieję, że jego pobyt u mnie nie stanowił problemu.

– Nie. Miałam tylko ochotę zrobić mu kanapkę, żeby go trochę podtuczyć.

– Tak. Danny musi się lepiej odżywiać. – Paul znów chciał wracać.

– Wiesz – zaczęła Bette – w dawnych czasach uważano, że rudzi to demony. Przez włosy diabelskiego koloru.

Paul się zaśmiał.

– Fakt, przeszedł piekło. Ale kto z nas nie jest po przejściach.

Bette popatrzyła na klucze w dłoni Paula, na żeton do pokera, którym uczcił dwadzieścia lat życia w trzeźwości, dwie dekady bez narkotyków. Policzyła to sobie w myślach. Chick Legaris miał przynajmniej dwadzieścia jeden lat, co znaczyło, że był maleńki, kiedy jego ojciec stoczył się na samo dno. Kiedy Paul rozpoczął swoją podróż stamtąd do tej sierpniowej nocy.

W mgnieniu oka nabrała jeszcze większego przekonania, że ulica Greene to miejsce dla niej i jej dzieci.

– Dzięki za zaoszczędzenie mi tony kłopotów – powiedział Paul, wymachując kluczami.

– *De nada* – odparła Bette, przyglądając się, jak wraca do domu obok.

Właśnie też się zbierała, kiedy – *błysk* – zobaczyła się w kuchni, wczesnym rankiem, parę godzin przed świtem. Dzieci są w łóżkach, pogrążone we śnie.

– Cześć, olbrzymie – wita się ze swoim ekspresem, parzy poranną latte i w drugim kubku podwójne cappuccino z cienką warstwą piany.

Potem wynosi oba dopalacze przez drzwi, schodzi z werandy i idzie przez trawnik pod nisko wiszącymi gałęziami platana.

Paul Legaris ma teleskop ustawiony na podjeździe. Przyrząd jest wymierzony w głęboki granat wschodniego nieba nad ulicą Greene.

Właśnie wschodzi Saturn. Bette patrzy przez okular, a majestatyczny, nieziemsko wyczesany tłuścioch z pierścieniami mieni się jak najęty.

TAB CLEAR
ROYAL
TAB SET

# Alan Bean i czwórka

Podróż na Księżyc była teraz dużo mniej skomplikowana niż w tysiąc dziewięćset sześćdziesiątym dziewiątym, czego dowiodła nasza czwórka, nie żeby kogoś to ruszyło. Popijaliśmy sobie zimne piwko u mnie w ogródku, a półksiężyc unosił się nisko na zachodzie niby paznokieć delikatnej księżniczki, kiedy powiedziałem Steve'owi Wongowi, że gdyby z odpowiednią siłą rzucił, dajmy na to, młotek, to rzeczone narzędzie wykonałoby ósemkę o długości ośmiuset tysięcy kilometrów, poszybowało wokół tego właśnie Księżyca i wróciło na Ziemię jak bumerang – i czy to nie fascynujące?

Steve Wong pracuje w Home Depot, więc ma pod ręką masę młotków. Zaproponował, że może porzucać. Jego kolega z pracy, MDywiz, który skrócił sobie imię niczym rasowy raper, zastanawiał się, jak złapać rozgrzany do czerwoności młotek spadający z prędkością tysiąca sześciuset kilometrów na godzinę. Anna, która ma studio graficzne, stwierdziła, że nie byłoby czego łapać, bo młotek spłonąłby jak meteor, i miała rację. Co więcej, nie przemawiała do niej prostota mojej księżycowej sekwencji rzutu, odczekania i powrotu. Zawsze kwestionuje rzetelność mojej wiedzy o podboju kosmosu. Twierdzi, że na wszystko odpowiadam „program Apollo to" albo „wyprawa łunochoda na Księżyc tamto" i że zacząłem zmyślać szczegóły, żeby robić za eksperta – tu zresztą też miała rację.

Całą literaturę faktu trzymam na kieszonkowym czytniku Kobo, więc odszukałem odpowiedni rozdział w *Żebyś się nie skichał, Iwan. Dlaczego ZSRR przegrał wyścig na Księżyc* autorstwa pewnego emerytowanego profesora ze słabo skrywaną urazą. Jego zdaniem w połowie lat sześćdziesiątych Sowieci mieli nadzieję przebić program Apollo właśnie taką misją o ósemkowej trajektorii: bez orbitowania, bez lądowania, tylko zdjęcia i triumf medialny. Ruscy wysłali bezzałogowego Sojuza, rzekomo z manekinem w skafandrze, ale tyle spraw się posypało, że nie odważyli się na ponowną próbę, nawet z psem. *Kaputnik*.

Anna jest szczupła jak osa, tak samo cięta i ma więcej determinacji niż którakolwiek z reszty moich flam (wytrzymałem z nią trzy tygodnie). Wyczuła wyzwanie. Chciała odnieść sukces tam, gdzie polegli Sowieci. Zapowiadała się niezła jazda. Anna oznajmiła, że wybieramy się wszyscy i kropka, ale kiedy? Zaproponowałem odpalenie w rocznicę startu Apolla 11, najsłynniejszego lotu kosmicznego w dziejach, co nie wchodziło w grę, bo Steve Wong był na trzeci tydzień lipca umówiony do dentysty. Może w takim razie listopad, kiedy Apollo 12 wylądował na Oceanie Burz, o czym do dziś zdążyło zapomnieć 99,999 procent ludzkości? Anna miała być druhną na ślubie siostry w tygodniu po Halloween, więc najlepszy termin na naszą misję wypadał w ostatnią sobotę września.

W epoce Apolla astronauci spędzili tysiące godzin, pilotując odrzutowce i studiując inżynierię. Musieli ćwiczyć uciekanie z katastrof na płycie wyrzutni, ześlizgując się po długich kablach do schronów o wzmocnionych ścianach. Musieli umieć posługiwać się suwakiem logarytmicznym. Nas to wszystko ominęło, choć w Dzień Niepodległości przetestowaliśmy naszą rakietę nośną, odpalając ją z olbrzymiego podjazdu Steve'a Wonga w Oxnard, w nadziei że fajerwerki na nocnym niebie zamaskują nasz bezzałogowy pierwszy etap. Zadanie wykonane. Rakieta minęła Półwysep Kalifornijski, w tej właśnie chwili śmiga wokół Ziemi co dziewięćdziesiąt minut i – teraz doprecyzuję, żeby żadna z licznych agencji rządowych nie miała w tej kwestii wątpliwości – prawdopodobnie spłonie w atmosferze podczas powrotu za jakieś dwanaście do czternastu miesięcy, nie wyrządzając żadnych szkód.

MDywiz, urodzony w wiosce w Czarnej Afryce, to niezły mózgowiec. Jako uczeń przeniesiony do liceum St. Anthony Country Day, władając minimum angielszczyzny, zdobył nagrodę honorową w szkolnym konkursie za eksperyment z materiałami palnymi, które mu się zapaliły ku uciesze wszystkich zgromadzonych. Jako że sformułowanie „bezpieczny powrót na Ziemię" wiąże się z instalacją sprawnej osłony termicznej, przydzieliliśmy to zadanie wraz z resztą pirotechniki, w tym ładunkami do oddzielenia stopni, właśnie MDywizowi. Anna zajęła się matematyką, obliczyła stosunki ciągu do masy, mechanikę orbitalną, mieszankę paliwa i wzory – zagadnienia, o których markuję wiedzę, ale faktycznie nie mam bladego pojęcia.

Moim wkładem był moduł dowodzenia – ciasna elipsoida w kształcie przedniego światła, którą sklecił bardzo bogaty magnat od materiałów do czyszczenia basenów, za wszelką cenę chcąc się wkręcić do prywatnej branży aeronautycznej, żeby doić NASA na całego. Umarł we śnie tuż przed dziewięćdziesiątymi czwartymi urodzinami, a jego (czwarta) żono-wdowa zgodziła się sprzedać mi kapsułę za sto dolców, choć byłem gotów zapłacić dwa razy tyle. Uparła się, żeby wystawić mi rachunek na jednej ze starych maszyn do pisania małżonka, zielonym royal desktopie, kolosie, jednym z wielu egzemplarzy, które zbierał, ale o które się nie troszczył, bo w kącie garażu leżała i obrastała rdzą cała ich sterta. Wstukała: ODBIÓR W CIĄGU 48 GODZIN, a potem: BEZ ZWROTÓW/TYLKO GOTÓWKA. Nazwałem kapsułę Alan Bean, na cześć pilota modułu księżycowego Apolla 12, czwartego człowieka, który chodził po Księżycu, i z tej grupy jedynego, którego poznałem w meksykańskiej restauracji pod Houston w tysiąc dziewięćset osiemdziesiątym szóstym. Płacił kasjerowi, anonimowy jak łysiejący ortopeda, kiedy się wydarłem: „Do jasnej ciasnej! To przecież Al Bean!". Dał mi autograf i narysował nad nazwiskiem maleńkiego astronautę.

Jako że pojechać po bandzie wokół Księżyca miało nas czworo, musiałem znaleźć miejsce w Alanie Beanie i trochę go odchudzić. Nie będzie nam się szarogęsić żadne centrum kontroli lotów, więc wyrwałem całą konsolę łączności. Zastąpiłem każdą śrubę, każdy bolec, zawias, zacisk i każde złącze taśmą klejącą (trzy dolce za rolkę w Home Depot). Prywatność naszej wygódki gwarantowała zasłona od prysznica. Z wtajemniczonego źródła dowiedziałem się, że wyprawa do wychodka w stanie nieważkości wymaga rozebrania się do rosołu i trwa pół godziny, więc owszem, prywatność to podstawa. Wymieniłem zewnętrzny właz z jego nieporęczną EVAC-blokadą na stalową klapę z wielkim oknem i przysysającym się śliniaczkiem. W próżni ciśnienie powietrza w Alanie Beanie dopcha ją od środka i uszczelni. Fizyka dla klas pierwszych.

Ogłoście, że wybieracie się na Księżyc, a wszyscy założą, że chcecie na nim wylądować – wbić flagę, poskakać jak kangur w jednej szóstej ziemskiego ciążenia i nazbierać skały do domu, co nam ani było w głowie. Zamierzaliśmy go okrążyć.

Lądowanie to już całkiem inna historia, a spacer po powierzchni? Rany, sam wybór, kto z naszej czwórki wyjdzie pierwszy i zostanie trzynastą osobą, która zostawi tam odciski swoich podeszew, skończyłby się pójściem na noże, a nasza ekipa rozpadłaby się na długo przed początkiem odliczania. I, nie oszukujmy się, tym kimś i tak byłaby Anna.

Złożenie trzech członów poczciwego Alana Beana zajęło dwa dni. Spakowaliśmy batony musli i wodę w butelkach do wyciskania, potem wpompowaliśmy ciekły tlen do dwóch rakiet nośnych i paliwo hipergolowe do jednorazowego odpalenia napędu translunarnego, minirakiety mającej nadać nam trajektorię na schadzkę z Księżycem. Żaden z mieszkańców Oxnard, którzy stawili się tłumnie na podjeździe Steve'a Wonga pooglądać Alana Beana, nie miał pojęcia, kim jest Alan Bean ani dlaczego nazwaliśmy na jego cześć rakietę. Dzieciaki dopraszały się, żeby zajrzeć do środka, ale nie mieliśmy ubezpieczenia. „Na co czekacie? Start niedługo?" Klarowałem każdemu ciekawskiemu matołkowi o oknach startowych i trajektoriach, prezentując na apce MoonFaze (gratis), jak to musimy przeciąć orbitę Księżyca o precyzyjnie wyznaczonej porze, bo inaczej jego ciążenie nas... Ech, pal licho! Oto i Księżyc! Wymierzamy rakietę, czas na przedstawienie!

---

Dwadzieścia cztery sekundy po oderwaniu się od wieży nasz pierwszy człon grzał jak szalony, a apka Max-Q (99 centów) pokazywała, że wyciągamy 11,8 razy nasz ciężar na poziomie morza (nie żebyśmy nie wiedzieli tego bez iPhone'ów). Nie... mogliśmy... złapać... tchu... a Anna... krzyczała... „Złaź mi... z piersi!". Ale nikt nie siedział jej na piersi. W istocie to ona siedziała na mnie, przygniatając mnie niczym byczy futbolista wijący mi się na podołku w porywach tańca erotycznego. Bolce wybuchowe MDywiza zrobiły wielkie bum! i odpalił się drugi człon, zgodnie z planem. Chwilę potem zza naszych siedzeń wyfrunęły drobniaki, paprochy i parę długopisów, sygnalizując: „Hej! Jesteśmy na orbicie!".

Nieważkość to, jak się pewnie domyślacie, wielka frajda, ale może być kłopotliwa dla części podróżników, którzy bez wyraźnego powodu spędzają kilka pierwszych godzin w kosmosie, haftując, jakby przedobrzyli na imprezie pożegnalnej. To jeden z tych faktów, o których milczy NASA i którymi nie chwalą się astronauci w pamiętnikach. Po trzech obrotach wokół Ziemi, kiedy odhaczyliśmy wszystko z listy kontrolnej do manewru translunarnego, brzuch Steve'a Wonga dał mu w końcu spokój. Gdzieś nad Afryką otworzyliśmy zawory napędu translunarnego, paliwo hipergolowe spisało się na chemiczny medal i – szuuust! – zasuwaliśmy z pocztą do powiatu Księżycowo z rześką prędkością ucieczki jedenastu i dwóch dziesiątych kilometra na sekundę i z coraz mniejszą Ziemią w wizjerze.

Amerykanie, którzy polecieli na Księżyc przed nami, mieli tak prymitywne komputery, że nie mogli odbierać maili ani sprawdzać w Google'u, kto ma rację. Nasze iPady były jakieś siedemdziesiąt miliardów razy szybsze od sprzętu z epoki połączeń wdzwanianych programu Apollo i sprawdziły się niczego sobie, zwłaszcza bez netu na naszej dalekobieżnej trasie. MDywiz obejrzał na swoim ostatni sezon *Dziewczyn*. Strzeliliśmy z rąsi parę setek fot z Ziemią w tle i, odbijając piłeczkę o środkowy fotel, zorganizowaliśmy turniej bezstołowego ping-ponga, wygrany przez Annę. Obsługiwałem silniczki korekcyjne w trybie pulsacyjnym, pochylając Alana Beana pod kątem, aby dojrzeć nieliczne gwiazdy widzialne w nagim blasku słońca: Antaresa, Nunki, gromadę kulistą NGC 6333 – kiedy jest się wśród nich, żadna nie migocze.

Wielkim wydarzeniem podróży translunarnej jest przekroczenie sfery zrównania grawitacji, granicy niewidzialnej jak linia zmiany daty, ale dla Alana Beana o wadze Rubikonu. Po tej stronie sfery ciągnęła nas grawitacja Ziemi, spowalniając nasz lot, zachęcając do powrotu ku życiodajnym korzyściom wody, atmosfery i pola magnetycznego. Po jej przekroczeniu przejmował nas Księżyc, tuląc w swoich prastarych srebrzystych objęciach i pośpieszając nas szeptem, żebyśmy zmrużyli oczy z podziwu nad jego wybornym osamotnieniem.

Dokładnie w chwili, kiedy przekroczyliśmy ów próg, Anna wręczyła nam po żurawiu origami z folii aluminiowej, które przyczepiliśmy sobie do koszul niczym odznaki skrzydeł pilotów. Przełączyłem Alana Beana w tryb pasywnej kontroli termicznej „barbecue", w którym nasz zmierzający na Księżyc statek obracał się jak na niewidzialnym rożnie w celu lepszego rozłożenia energii słonecznej. Potem zgasiliśmy światła, zasłoniliśmy bluzą okno, żeby słońce nie zalewało kabiny, i poszliśmy spać, każde z nas skulone w przytulnym zakątku naszej małej rakiety.

Kiedy opowiadam, że widziałem niewidoczną stronę Księżyca, ludzie często mówią: „Chyba ciemną stronę", jakbym był fanatykiem Dartha Vadera albo Pink Floydów. W istocie obie strony Księżyca są oświetlane z taką samą mocą, tylko w innych fazach.

Ponieważ nasz satelita dla ferajny w domu był przed pełnią, musieliśmy przeczekać lot nad ocienioną częścią po drugiej stronie. W mroku, bez słońca i z Księżycem blokującym lustro Ziemi skorygowałem kurs Alana Beana, żeby nasz iluminator wyglądał na godną IMAX-a wizję nieskończonego kontinuum czasoprzestrzeni: nieruchome gwiazdy o subtelnych odcieniach czerwieni, pomarańczy, żółci, zieleni, błękitu, indyga i fioletu, galaktykę rozpościerającą się do granic naszych wielkich oczu, kryształowoniebieski dywan na tle czerni, tyleż przerażający, co hipnotyczny.

A potem stała się światłość, tak nagle, jakby MDywiz coś pstryknął. Skorygowałem kurs i mieliśmy pod sobą powierzchnię Księżyca. Niech mnie. Olśniewająca – to mało powiedziane; surowy krajobraz wzbudzał ochy i zachwyty. Według apki LunaTicket (99 centów) poruszaliśmy się z południa na północ, ale trochę pogubiliśmy się w tym całym kosmosie, powierzchnia kłębiła się niczym chaotyczne wody smaganej wiatrem zszarzałej zatoki, aż skojarzyłem krater Poincaré ze zdjęciem w przewodniku *Oto nasz Księżyc* na moim kobo. Alan Bean szybował na wysokości 153 kilometrów (95,06 mili po amerykańskiemu) z prędkością większą od wystrzelonego pocisku, a Księżyc przesuwał się tak szybko, że kończyła nam się niewidoczna strona. Krater Oresme miał białe, jakby namalowane palcami smugi. Na Heaviside widać było bruzdy i wgłębienia niby podmyte rzeką. Przecięliśmy Dufay równo na pół, przelatując od dolnego do górnego skraju, krawędzi stromej i ostrej jak brzytwa. Mare Moscoviense było daleko z lewej strony, niczym miniaturowa wersja Oceanu Burz, gdzie przed czterema i pół dekadami prawdziwy Alan Bean spędził dwa dni, spacerując, zbierając skały, pstrykając zdjęcia. Farciarz.

Mózgi nam parowały od nadmiaru wrażeń, więc nagrywaliśmy wszystko iPhone'ami, a ja przestałem wywoływać nazwy obiektów, choć rozpoznałem jeszcze Campbella i d'Alemberta, duże kratery złączone mniejszym Slipherem, właśnie kiedy mieliśmy wracać do domu nad biegunem północnym. Steve

Wong przygotował specjalną ścieżkę dźwiękową na wschód Ziemi, ale musiał zresetować bluetootha na jamboksie Anny i prawie się spóźnił. MDywiz wrzasnął: „Wciśnij PLAY! Wciśnij PLAY!", w chwili kiedy błękitnobiały skrawek życia – wycinek wszystkiego, co osiągnęliśmy i czym jesteśmy – przebił czarny kosmos nad poszarpanym horyzontem. Spodziewałem się klasyki, Franza Josepha Haydna albo George'a Harrisona, ale nasza planeta wznosiła się nad gipsowym Księżycem do taktów *Kręgu życia* z *Króla Lwa*. Serio? Tak Disneyem? Ale wiecie co, ten rytm i refren, i podwójny sens tekstu chwyciły mnie za gardło i się wzruszyłem. Łzy odskoczyły mi od twarzy i dołączyły do unoszących się w Alanie Beanie łez reszty ekipy. Anna wyściskała mnie, jakbym nadal był jej facetem. Płakaliśmy. Wszyscy się popłakaliśmy. Wy też byście się popłakali.

Powrót do domu był potężnym rozczarowaniem, pomimo (przemilczanej) możliwości spłonięcia podczas wejścia w atmosferę à la przestarzały satelita szpiegowski z okolic sześćdziesiątego drugiego roku. Wszyscy byliśmy rzecz jasna szczęśliwi jak prosię w maju, bo udało się nam zaliczyć wyprawę i zapchać pamięć iPhone'ów ajfociami. Ale pojawiła się kwestia, co będziemy robić po powrocie, nie licząc zapodania zajefajnych postów na Instagramie. Jeżeli wpadnę jeszcze kiedyś na Ala Beana, zapytam go, jak zmieniło się jego życie po dwukrotnym przekroczeniu sfery zrównania grawitacji. Czy gnębi go melancholia cichymi popołudniami, kiedy świat kręci się z automatu? Czy czekają mnie napady przygnębienia, bo nic nie może się równać ze ślizgiem nad Dufayem po średnicy? Się pewnie okaże.

– Ojej! Kamczatka! – zawołała Anna, kiedy nasza osłona termiczna rozbryznęła się na miliony mikrokomet.

Spadaliśmy łukiem nad kołem podbiegunowym, a grawitacja znów nakazywała, że co się wzniosło, musi spaść. Po odstrzeleniu spadochronów Alan Bean dał nam nieźle w kość, jambox wyrwał się z uścisku taśmy klejącej i pacnął MDywiza w czoło. Kiedy wodowaliśmy nieopodal Oahu, z paskudnej rany między brwiami ściekała mu krew. Anna rzuciła mu swoją bandanę, bo zgadnijcie, czego nikt nie uznał za niezbędne w podróży wokół Księżyca. Jeżeli ktoś z czytelników zamierza pójść w nasze ślady: brać plastry.

W fazie stabilnej jeden – czyli: kiwamy się na oceanie bez przemiany w plazmę – MDywiz wypuścił zamontowane pod wyrzutnią spadochronów flary ratunkowe. Otworzyłem zawór wyrównujący ciśnienie ździebko za wcześnie i – ups! – do kapsuły wessało toksyczne opary po spaleniu nadwyżki paliwa, od czego jeszcze bardziej nas zemdliło, jakby mało nam było choroby morskiej.

Kiedy psi w kabinie i psi na zewnątrz się wyrównały, Steve Wong mógł rozhermetyzować główny właz i do środka szustnęła bryza Pacyfiku, czuła jak całus Matki Ziemi, ale z uwagi na, jak się okazało, krytyczny feler konstrukcyjny sam Pacyfik też jął się nam pakować do towarzystwa w wymęczonym stateczku. Druga historyczna podróż Alana Beana miała się odbyć na dno morza. Anna, błysnąwszy refleksem, trzymała nasz sprzęt Apple'a w górze, ale Steve Wong stracił samsunga (Galaxy! Ha!), który zniknął w dolnym luku na sprzęt, kiedy podnoszący się poziom wody skłonił nas do ewakuacji.

Wyłowiła nas łódź wycieczkowa z Kahala Hilton pełna ciekawskich nurków; anglofoni poinformowali nas, że cuchniemy, obcojęzyczni omijali nas szerokim łukiem.

Po prysznicu i zmianie ciuchów nakładałem sobie ze szwedzkiego stołu w hotelu sałatkę owocową z ozdobnego kanoe z kory, kiedy jakaś kobieta zapytała, czy byłem może w tym czymś, co spadło z nieba. Owszem, odparłem, poleciałem na Księżyc i bezpiecznie wróciłem w oprysklíwe okowy Ziemi. Tak jak Alan Bean.

– Kim jest Alan Bean?

# Miejskie sprawy. Felieton Hanka Fiseta

## GRASUJĄC PO WIELKIM JABŁKU

Nowy Jork! Na trzy dni spuszczono mnie z uwięzi, żona pozwoliła mi się ze sobą zabrać, po czym udała się na spotkanie z psiapsiółami sprzed dwudziestu pięciu lat z licealnej paczki Zalicz, Zapij, Zapomnij. Na manhattańskiej wyspie ostatni raz byłem, kiedy na Broadwayu szły *Koty*, a telewizory w hotelach nadawały w niskiej rozdzielczości.

***

I co nowego w Nowym? Za dużo, jeżeli łączą was z nim miłe wspomnienia, za mało, jeżeli w Nagim Mieście czujecie się, no cóż, nadzy. En Łaj Si moim zdaniem lepiej wypada na dużym i małym ekranie, gdzie wystarczy zagwizdać, żeby taksówka się zatrzymała, a w ostatniej chwili zawsze uratują was Iniemamocni. W prawdziwym świecie (naszym) każdy dzień w Gotham City przypomina trochę paradę na Święto

Dziękczynienia i bardzo halę odbioru bagażu po długiej podróży nabitym samolotem.

***

Runda po ulicach Wielkiego Miasta to mus, zwłaszcza kiedy w molochach o jednowyrazowej nazwie (Bergdorf's, Goodman's, Saks, Bloomie's, z których żaden nie jest lepszy od naszego Henworthy'ego, otwartego na Siódmej i Sycamore w pięćdziesiątym drugim) pani Hankowa obniża rodzinną zdolność kredytową. Jak na mój gust (niekoniecznie wielkomiejski) owe sal-ę-ą-ny za dużo sobie liczą za same torby. Ale jedno trzeba Nowemu Jorkowi w stanie Nowy Jork przyznać – już chodzenie po ulicach to istny cyrk. Dokąd ci wszyscy ludzie w ogóle idą?

***

Może do Central Parku? Na tym wielkim prostokącie zieleni jest więcej muzyków niż w szkolnej orkiestrze dętej z East Valley, tylko że tu mamy same indywidualności. Dmuchacze saksofonowi, rogacze, skrzypkowie, obściskiwacze akordeonów i co najmniej jeden japoński samisenista – każdy z nich konkuruje z przymierającym głodem kolegą po fachu, który gra parę metrów dalej, a ich zakręcona fuga mąci relatywną ciszę parku. Dołóżmy do tego setki joggerów, chodziarzy, rowerzystów i taką samą liczbę maruderów, turystów na wynajętych rowerach, trójkołowców z pasażerami i dorożek z końmi, od których w parku czuć przydomowym zoo, a zatęskni się wam za Spitz Riverside, gdzie owszem, nie ma tylu pocztówkowych widoków, ale przynajmniej wiewiórki z Trójmiasta mają dużo szczęśliwsze miny. Przemierzacie Central Park pieszo od East Side, gdzie górują dawne rezydencje magnatów, do alej na West Side, gdzie wszędzie tylko Starbucks, Gap i Bed Bath & Beyond. Czyżbym wpadł właśnie na nasz Hillcrest Mall w Pearman? Na to wygląda, tylko co z bezstresowym parkowaniem?

***

Przyznaję, że Metropolis, znane też jako Nowy Jork, ma swój urok. Kiedy słońce zachodzi za wieżowcami i przestaje opiekać chodnik, miło jest zaparkować przy stoliku w ogródku, z koktajlem w garści. Wtedy miasto jankesów roztacza taki sam czar jak nasza miejscowa knajpa z grillem i patio. Siedziałem i sączyłem, i patrzyłem na mijający mnie świat nowojorskich dziwolągów. Zobaczyłem jakiegoś mężczyznę z kotem na ramieniu, turystów z Europy w spodniach tak obcisłych, że głowa mała, ekipę strażaków, która wysiadła z wozu, weszła do wieżowca, a po wyjściu skarżyła się na wadliwy wykrywacz dymu, człowieka toczącego po ulicy teleskop domowej roboty, minął mnie Kiefer Sutherland i kobieta z wielkim białym ptakiem na ramieniu. Mam nadzieję, że nie wpadła na faceta z kotem.

***

Prawdziwą próbą dla każdej hotelowej restauracji jest sałatka cesarska – do zanotowania! Nasza miejscowa Sun Garden//Red Lion Inn na lotnisku przyrządza ją doskonale, ale w knajpce na Times Square – wczesna kolacja z małżonką i jej ciągle ponętnymi kumpelami – moja sałatka była przywiędła, a sos za kwaśny. *Słabe, Cezar!* Ja zająłem się rachunkiem, a dziewczyny ruszyły na Broadway na *Chicago* – wyobraźcie sobie film, tylko bez zbliżeń. Nie znam się na musicalach, ale stawiam żywą gotówkę, że to, co tego wieczoru obejrzały, było niewiele lepsze od *Dzikich porywów młodości* w wykonaniu uczelnianego kółka teatralnego z Meadow Hills, którymi w zeszłym roku zakwalifkowało się ono na Festiwal Amerykańskich Teatrów Studenckich. Czy trójmiejskie talenty naprawdę odpadają w starciu ze światłami Broadwayu? Nie, zdaniem autora tej rubryki.

***

Jeżeli jesteście głodni i macie ochotę na frankfurterkę, to na Manhattanie sprzedają je wszędzie – na rogach ulic, co kilka metrów w parku, na stacjach metra, z sokiem z melonowca. I żadna nie umywa się do bułki z parówką z Pałacu Hot Doga Butterworth's na Grand Lake Drive. Bajgiel na Manhattanie jest niczym traktat teologiczny, ale Trójmiasto ma swoją bułkę z niebiańskim zaczynem z kafeterii Crane's West Side. Kiedy wszyscy się rozpływają nad pizzą z logo En Łaj Si, ja głosuję portfelem na kawałek neapolitanki, którą, nie inaczej, dowożą w promieniu piętnastu kilometrów z każdego z czternastu lokali Lamonica's. Skoro już mowa o włoskiej kuchni, Włoska Piwnica Anthony'ego w Harbor View nie ustępuje pod względem autentyzmu dowolnej pizzerii w Małych Włoszech i nie ma tam ryzyka mafijnej egzekucji.

***

Czy w Nowym Jorku jest coś, czego brakuje nam w Trójmieście? Nie za bardzo, bo telewizja zaspokaja z nawiązką wszelkie potrzeby sportowo-medialne, a od całej reszty jest internet. Przyznam, że multum muzeów na Manhattanie jest niczego sobie, robi wrażenie, grzeje itd. Możliwość wejścia do, dajmy na to, prastarej świątyni Dendur albo sali pełnej złożonych kości dinozaurów to świetny pomysł na wypad, nawet jeżeli trzeba się tym dzielić z uczniakami z całego stanu i turystami z całego świata. Miałem dzień na muzea, kiedy damy zamówiły sobie zabiegi na twarz, masaże i pedikiury – innymi słowy: terapię kaca. Obejrzałem obrazy, których nigdy nie zrozumiem, „instalację", na którą składała się sala pełna porwanych kawałków wykładziny, i rzeźbę, która wyglądała jak olbrzymia, zardzewiała, poobijana lodówka. *Ars gratia artis* (sztuka dla sztuki), jak zaryczał lew z MGM.

***

Na koniec zostawiłem sobie Muzeum Sztuki Nowoczesnej, gdzie zobaczyłem film o upływie czasu – serio, o tykających sekundnikach i ludziach spoglądających na zegarki. Wytrzymałem dziesięć minut. Na piętrze wisiało puste płótno przecięte na pół nożem. Inny obraz był jasnoniebieski na dole i ciemnoniebieski na górze. Na schodach pod sufitem podwieszono prawdziwy helikopter, zamrożony w locie. Piętro wyżej para włoskich maszyn do pisania, duża i mała wersja tego samego modelu, chowała się za szkłem, jakby była wysadzana drogocennymi klejnotami (nie była!). Nie miała też więcej niż pięćdziesiąt lat. Pomyślałem, że Trójmiasto mogłoby zorganizować wystawę używanych maszyn do pisania i pobierać opłatę za wstęp. Teraz już pusta fabryka szynki Baxter's na Wyatt Boulevard by się nadała. Znajdzie się jakiś chętny animator kultury?

ROYAL
ROYAL

# Nota o aktorach

W poniedziałek rano na początku listopada tysiąc dziewięćset siedemdziesiątego ósmego roku, tak jak codziennie przez ostatnie sześć tygodni, Sue Gliebe wstała i wyszła z mieszkania, zanim jej współlokatorki się obudziły. Rebecca spała dwa i pół metra nad podłogą, na antresoli w salonie, a Shelley prawdopodobnie ciągle kimała za zamkniętymi na klucz drzwiami jedynej sypialni.

Sue wzięła szybki i cichy prysznic w półwannie. Słaby strumień z gumowego węża naciągniętego na kran był raz letni, raz gorący jak powierzchnia Merkurego. Od kiedy przyjechała do Nowego Jorku, nie poczuła się jeszcze naprawdę czysta, a skóra na głowie zaczynała ją swędzieć. Ubrała się w zaparowanej maleńkiej łazience, włożyła buty wyciągnięte spod kanapy w salonie, na której spała, przełożyła swoją dużą skórzaną torebkę na skos przez ramię, potem wzięła kupioną w piątek parasolkę. Według prognozy nadciągała kolejna burza i Sue była przygotowana. Wręczyła pięć ze swoich dolarów jednemu z wielu mężczyzn, którzy pojawiali się z pudłami parasoli w tej samej chwili, kiedy zbierały się burzowe chmury. Jak tylko się dało najciszej wyszła frontowymi drzwiami, upewniając się, że zamek się za nią zatrzasnął. Kiedyś zapomniała tego dopilnować i wściekła Shelley urządziła jej wykład o niebezpieczeństwach niedomykania drzwi w Nowym Jorku w tysiąc dziewięćset siedemdziesiątym ósmym roku. Drzwi miały być zatrzaśnięte i basta.

Jej współlokatorki zaczęły ją traktować jak niewyegzorcyzmowanego poltergeista, którego trzeba omijać szerokim łukiem. Z drugiej strony to nie były tak naprawdę jej współlokatorki – była ich gościem, mniej więcej równie mile widzianym jak pasożyt jelita. Rebecca była taka życzliwa zeszłego lata, kiedy pracowała w garderobie w Arizona Civic Light Opera, a Sue, miejscowa, grała tam trzy role drugoplanowe. Ale z nich były wtedy psiapsióły! Kiedy Rebecca była mniej obłożona pracą, pływała w basenie w rodzinnym domu Gliebe'ów i imprezowała z resztą obsady na ich patio. Zaproponowała Sue, że ta może się zatrzymać u niej „na trochę" na kanapie, kiedy – jeśli – znajdzie się w Nowym Jorku. Gdy Sue zawitała z trzema walizami, ośmiuset dolarami oszczędności i marzeniem o sławie, prawdziwa współlokatorka Rebekki, Shelley, wyraziła swoją aprobatę skinieniem i rzuconym bez przekonania „pewnie". Ale to było przed siedmioma tygodniami, a Sue nadal spędzała każdą noc na kanapie w małym salonie. Nastrój w dwupokojowym mieszkaniu tuż przy górnym Broadwayu przeszedł od neutralnej gościnności do arktycznego chłodu. Rebecca chciała, żeby Sue się wyniosła, Shelley – żeby skonała. Sue miała nadzieję wkupić się w ich łaski i przedłużyć prawo pobytu na kanapie pięćdziesięciodolarowymi dopłatami do czynszu oraz darami mleka, soku pomarańczowego Tropicana i (raz) murzynkiem, którego Shelley zjadła na śniadanie. Jej gesty były nie tyle doceniane, ile wymagane.

Co mogła zrobić Sue? Dokąd mogła pójść? Każdego dnia rozglądała się za własnym nowojorskim lokum, ale agencje o nazwach Łowcy Mieszkań i Kącik na Westside miały „oferty" w ciemnych, cuchnących moczem kamienicach, gdzie nikt nie podnosił słuchawki domofonu, anonse były już nieaktualne albo po prostu zmyślone. Shelley poradziła jej zamieścić ogłoszenie o poszukiwaniu współlokatorek na tablicy w Actors' Equity, ale Sue przyznała, że nie wstąpiła jeszcze do związku zawodowego aktorów – najpierw musiałaby w czymś zagrać. Shelley posłała jej spod przymkniętych powiek spojrzenie podszyte dogłębnym rozczarowaniem, wtrąciła znów „pewnie", po czym dodała:

– Kiedy będziesz się wybierać do ShopRite, kup dużą puszkę kawy Chock Full O'Nuts.

W tym ósmym tygodniu – na początku jej trzeciego miesiąca na wyspie Manhattan – ta zdolniacha z Arizony, która grała Marię w *West Side Story* (jeszcze w zeszłym sezonie w ACLO), teraz po nocach szlochała po cichu w swoim śpiworze na kanapie, poszatkowana cieniem rombów rzucanym przez kraty w oknach (czy to rzeczywiście chroniło przed włamaniem?). W metrze, które kosztowało ją pięćdziesiąt centów za przejazd, często przełykała łzy, obawiając się, że ktoś zobaczy atrakcyjną dziewczynę w dołku i – cóż – okradnie ją albo jeszcze gorzej. Dla Sue wyjazd do Nowego Jorku był aktem wiary, wiary w siebie, w swój talent i w obietnicę miasta, które nigdy nie sypiało. To miała być przygoda jak z filmu, w którym po wyjściu drzwiami dla aktorów po przedstawieniu będzie się całować z przystojnym marynarzem na przepustce, albo jak w serialu *That Girl*, gdzie będzie miała mieszkanie z dużą kuchnią z żaluzjami i chłopaka zatrudnionego w redakcji „Newsview". Ale Nowy Jork odmawiał współpracy. Jak to się stało, że Sue Gliebe, z jej świętą trójcą atutów – umiała śpiewać, tańczyć i grać – tak mizernie się wiodło? Rodzice dostrzegli jej wrodzony talent, jeszcze kiedy była mała! Wystąpiła we wszystkich licealnych przedstawieniach! Wyłowiono ją z chóru w Civic Light Opera i została główną aktorką na trzy sezony z rzędu! Zagrała w *High Button Shoes* z Montym Hallem, prowadzącym *Idź na całość*! Na jej przyjęciu pożegnalnym wisiał wielki transparent z napisem NA PODBÓJ BROADWAYU!

Dlaczego więc Nowy Jork w stanie Nowy Jork doprowadzał ją do łez? Pierwszej nocy w mieście, kiedy Rebecca zabrała ją autobusem do Lincoln Center, Sue przyglądała się tłumom na górnym Broadwayu i zapytała: „Dokąd oni wszyscy idą?". Teraz wiedziała, że wszyscy chodzą wszędzie. Tego ranka ona szła do banku, oddziału Manufacturers Hanover, gdzie przed pięcioma tygodniami otworzyła konto. Zza (kuloodpornej) ściany z pleksiglasu znudzona kasjerka popchnęła do niej przez szczelinę banknot dziesięciodolarowy, piątaka i pięć jednodolarówek, uszczuplając tym samym oszczędności Sue do dokładnie pięciuset sześćdziesięciu czterech dolarów. Wydała ich w Nowym Jorku ponad dwieście i mogła się pochwalić jedynie parasolką za pięć dolców, niebieską i z wysuwaną teleskopowo rączką.

Z banku Sue poszła do ciastkarni na najzwyklejszego – i najtańszego – pączka i kawę z cukrem i pół na pół z mlekiem. To było jej śniadanie. Zjadła je na stojąco przy ladzie lepkiej od kawałków lukru i rozlanej kawy. Nieznacznie pokrzepiona poszła do biura Łowców Mieszkań na Columbus Avenue, do którego wchodziło się szerokimi schodami nad restauracją z hunańską kuchnią. Wywieszone ogłoszenia nie zmieniły się od soboty, ale Sue i tak przeleciała wzrokiem tablicę w poszukiwaniu odłupanego od pierścionka brylantu, ukrytego klejnotu, mieszkania zbudowanego z myślą o niej. Łowcy Mieszkań kosztowali ją pięćdziesiąt dolarów miesięcznie i równie dobrze mogła tymi banknotami zapalać świeczki. Wróci tu jeszcze później, kiedy teoretycznie miały się pojawić nowe ogłoszenia, ale podejrzewała, że jej nadzieje znów spełzną na niczym.

Odwróciła się na pięcie i wyruszywszy na Broadway z zapełnionym rozkładem dnia, poczuła się jak nowojorczanka. Nie będzie tracić czasu na jałowe spacery po Central Parku z jego zachwaszczonymi trawnikami i popękanymi ławkami, brudnymi piaskownicami i ścieżkami pełnymi kubków po kawie, zużytych prezerwatyw i innych śmieci. Nie będzie się snuć po sklepach z płytami i księgarniach, niczego nie kupując. Nie będzie wydawać pieniędzy na prasę branżową – „Show Biz", „Back Stage" czy „Daily Variety" – szukając ogłoszeń o przesłuchaniach związkowych i naborach dla niezrzeszonych. Nie dzisiaj. Dziś wybierała się do Biblioteki Publicznej, słynnego budynku przy Czterdziestej Drugiej i Piątej, charakterystycznej budowli z kamiennymi lwami usytuowanymi od frontu.

Dwie przecznice od stacji metra przy Osiemdziesiątej Szóstej Ulicy zaczęło padać. Sue zatrzymała się, sięgnęła po parasolkę, wcisnęła przycisk na wysuwanej teleskopowo rączce, ale rączka nie wysunęła się teleskopowo. Pociągnęła za materiał, rozkładając ją na siłę i przy okazji wyginając stelaż. Kiedy usiłowała przesunąć plastikowy dynks w górę, parasolka wygięła się jak noga stolika do gry w karty. Potrząsnęła nią i spróbowała zmusić do posłuszeństwa, ale rozłożyła się tylko połowa czaszy. Deszcz się wzmagał, więc złożyła parasolkę i chciała zacząć od nowa, ale czasza wywróciła się na drugą stronę, gubiąc kolejne szprychy jak połamane żebra.

Poddała się i chciała wcisnąć bezużyteczny wrak do przepełnionego śmietnika na rogu Broadwayu i Osiemdziesiątej

Ósmej, ale parasolka się opierała, nie śpiesząc się do innych śmieci. Została na miejscu dopiero po czwartej próbie.

Sue pognała na stację metra. Włosy ociekały jej deszczem, kiedy stała w kolejce do budki, żeby kupić dwa bilety na przejazdy tego dnia.

Miejscowe pociągi były opóźnione – zalane tory na północy. Na peronie zbierał się tłum, na tyle gęsty, że Sue przepychano coraz bliżej żółtej linii bezpieczeństwa. Jedno szturchnięcie i poleci na tory. Czterdzieści minut później jechała w wagoniku metra tak zatłoczonym, że wszyscy stali ściśnięci, a ciężkie, przesiąknięte deszczem płaszcze parowały od ciepła ciał. Było tak duszno i gorąco, że Sue zaczęła się pocić. Na Columbus Circle wagonik się zatrzymał i stał przez dziesięć minut z zamkniętymi drzwiami odcinającymi drogę ucieczki. W końcu na Times Square przecisnęła się do wyjścia wraz z falą ludzi, którym udało się trafić na schody. Wędrowała i wędrowała do góry i przez kołowrotki, potem znów po schodach, które wyprowadziły ją prosto w chaos Skrzyżowania Świata, gdzie wszyscy szli wszędzie.

Times Square był taki jak stacja poniżej, tylko na dworze – brudny, zalany i zatłoczony. Sue odrobiła najważniejszą lekcję od przybycia do miasta – nauczyła się, że nie wolno się zatrzymywać, trzeba się śpieszyć, nawet kiedy człowiek się nie śpieszy, zwłaszcza na Czterdziestej Drugiej Ulicy, wymijając ludzkie wraki, które zbierały się w poszukiwaniu narkotyków, pornografii i jeżeli pada, żeby wciskać parasolki za pięć dolców.

Już wcześniej tędy krążyła, starając się o przyjęcie w którejś z pomniejszych agencji, tych z biurami nieopodal wielkiego iksa, gdzie Broadway przecina Siódmą Aleję. Zaskoczyło ją, że zaledwie parę pięter nad szumem deszczu na betonie Times

Square przy zwykłych biurkach siedzieli zwykli ludzie, wykonując zwykłą pracę. W agencjach jej się nie poszczęściło – nigdy nie przedarła się przez sekretariat, więc musiała zostawiać swoje CV u asystentek, które rzucały „pewnie" niepokojąco podobnie do udzielającej jej tymczasowej gościny Shelley.

Cały poniedziałek miał być podporządkowany jej CV.

Ostatniego miesiąca w Scottsdale Sue zagrała w dwóch reklamach telewizyjnych mebli Domu w Dolinie, w których z rozpostartymi ramionami krzyczała: „Do każdego pokoju, w każdym stylu, na każdą kieszeń!". Potem przez cztery weekendy była Ponętną Dziewoją na Jesiennym Festiwalu Renesansu, recytując Szekspira za trzydzieści dolarów dniówki. Dodała te role do swojego CV długopisem, ale wiedziała, że to trąci, cóż, amatorszczyzną. Miała zamiar przepisać całość na maszynie, wydrukować w offsecie sto egzemplarzy, potem przyczepić je na odwrocie swoich portretów, na których wyglądała jak Cheryl Ladd w *Aniołkach Charliego*, tylko bardziej biuściasta.

Kłopot polegał na tym, że nie miała maszyny do pisania, Rebecca też zresztą nie. Kiedy Sue zapytała Shelley, czy ma maszynę, ta nie zaprzeczyła, powiedziała za to: „Możesz coś napisać w bibliotece". Dlatego też Sue Gliebe, już bez parasolki, podążała na wschód po Czterdziestej Drugiej Ulicy, mijając upalonego nastolatka, który posuwał się chwiejnie z wyciągniętym członkiem i sikał. Nikt nie zwrócił na niego uwagi.

W tej samej chwili, kiedy odkryła, że główna biblioteka jest zamknięta w poniedziałki, błyskawica wybieliła zabudowane niebo nad środkowym Manhattanem. Sue stała przy bocznym wejściu do słynnego budynku, którego drzwi były zamknięte na klucz, niezdolna pojąć znaczenia trzech prostych wyrazów: „W poniedziałki zamknięte". Kiedy grzmot zagłuszył klaksony samochodów, nie mogła już dłużej powstrzymywać łez, miara rozczarowań się przebrała: nowojorskie współlokatorki nie były siostrzanymi duszami, w Central Parku roiło się od gołych drzew, zdezelowanych ławek i zużytych kondomów, kraty w oknach uniemożliwiały wtargnięcie gwałcicielom i ucieczkę ofiarom, przystojni marynarze nie czekali na całusa od poznanej dziewczyny. Nie. W Nowym Jorku agencje nieruchomości brały od was pieniądze i pokazywały figę z makiem, narkomani wypróżniali się na widoku, a Biblioteka Publiczna była zamknięta w poniedziałki.

Sue płakała na Czterdziestej Drugiej Ulicy między Piątą a Szóstą Aleją, według mapy zwaną też Aleją Ameryk. Szloch, łkanie, łzy, teatr na całego. Dziewczyną, która miała tak koszmarny dzień, że szlochała na środku ulicy, zainteresowało się tyle samo osób co penisem marihuanisty. Aż tu nagle…

– Sue Gliebe! – zawołał jakiś mężczyzna. – Dzierlatka!

Bob Roy był jedynym człowiekiem na świecie, który nazywał ją dzierlatką. Bob szefował ACLO, ale mieszkał w Nowym Jorku. Był zakontraktowanym na sezon teatralnym zawodowcem pełną gębą i homoseksualistą. Kiedyś grywał na Broadwayu, a w latach sześćdziesiątych występował w reklamach, ale dla stałych zarobków przeszedł do zarządzania teatralnego. Prowadzenie Civic Light Opera na zachodzie było dla niego jak letni obóz – robił to co roku – i bardziej niż na swoich obowiązkach koncentrował się na plotkach i śmichach-chichach. Bob Roy wiedział wszystko o Teatrze, a jeżeli był waszym szefem, jeżeli podpisywał wasze wypłaty, to albo was uwielbiał, albo nienawidził. To, jak was traktował, zależało wyłącznie od jego widzimisię.

Sue Gliebe uwielbiał od chwili, kiedy zobaczył ją na próbie generalnej *Brigadoon* latem siedemdziesiątego szóstego.

Zachwyciła go jej młodość, jej aureola miodowych blond włosów, jej szczery wzrok pełen życzliwości i sumienne podejście do pracy. Ubóstwiał ją za to, że się nie spóźniała, uczyła się tekstu i miała pomysły, co ze sobą zrobić na scenie. Był zafascynowany jej opalonym ciałem i jędrnym biustem, brakiem skrępowania, złośliwości i nikłym ego. Każdy heteroseksualny mężczyzna w ACLO – z liczby siedmiu – chciał ją przelecieć, ale ona nie była z takich. Większość aktorek marzyłaby o adoracji i domagałaby się największej garderoby, ale Sue Gliebe chciała tylko występować. Po trzech sezonach nie zmieniła się ani na jotę i Bob Roy uwielbiał ją jeszcze bardziej.

Był w taksówce przy krawężniku, za ścianą deszczu i opuszczoną szybą.

– Wsiadaj tu w tej chwili! – rozkazał.

Przesunął się, żeby zrobić jej miejsce, i auto ruszyło.

– Prędzej bym się spodziewał zobaczyć na Czterdziestej Drugiej Ulicy Evę Gabor niż ciebie. Czy ty płaczesz?

– Nie. Tak. Och, Bobby!

Sue wyjaśniła: jest w mieście od dwóch miesięcy. Śpi na kanapie u Rebekki. Kończą jej się oszczędności. Żaden agent nie chce z nią rozmawiać. Widziała faceta sikającego na ulicy. A teraz konkretnie płakała, bo jedyne filmy, które pokazywały prawdziwy Nowy Jork, to te o narkomanach i taksówkarzach ogarniętych szałem zabijania. Bob Roy się roześmiał!

– Jesteś w En Łaj Si od dwóch miesięcy i do mnie nie zadzwoniłaś? Niegrzeczna Sue. Bardzo niegrzeczna.

– Nie mam twojego numeru.

– Co robiłaś na Szajs Square?

– Szłam do biblioteki.

– Poczytać najnowszy kryminał z Nancy Drew? Myślałem, że zaliczyłaś już wszystkie.

– Mają maszyny do pisania. Potrzebuję nowego CV.

– Dzierlatko – zaczął Bob. – Przede wszystkim potrzebujesz nowej siebie. Co powiesz na filiżankę herbaty albo gorącej kawy zbożowej? Cokolwiek ukoi wychowaną wśród Indian małą Sue.

Taksówka zawiozła ich do mieszkania Boba w centrum – w okropnej dzielnicy z pięciopiętrowymi czynszówkami i rzędami zdezelowanych śmietników na chodnikach. Bob podał szoferowi sześć dolarów i zostawił mu resztę. Sue podążyła za znajomym przez deszcz, przemierzyła ganek, weszła przez ciężkie drzwi frontowe, potem wdrapała się przez cztery piętra po wąskich schodach na kwadratowej klatce do mieszkania 4D. Bob otworzył trzy różne zamki w drzwiach.

Z obskurnego, ciemnego korytarza o ścianach kiedyś zielonych, a teraz brudnoszarych, po labiryncie popękanych i niedopasowanych klepek na podłodze Sue weszła do oazy pachnącej świeczkami i cytrynowym płynem do mycia naczyń, gabinetu osobliwości, z których jedną była wanna postawiona jak w pysk strzelił na środku małej kuchni. Mieszkanie z długim korytarzem składało się z czterech ciasnych, połączonych pokojów, każdego zawalonego duperelami, bibelotami, wihajstrami, meblami najróżniejszych stylów, półkami, książkami, oprawionymi zdjęciami, trofeami z pchlego targu, starymi płytami, małymi lampami i kalendarzami z minionej dekady.

– Wiem – przyznał. – Wygląda, jakbym handlował tu eliksirami, jakbym był animowanym borsukiem z kreskówki Disneya.

Potraktowany olbrzymią zapałką palnik zabuzował na kuchence, a lśniący przedpotopowy czajnik napełnił się kranówką. Ustawiając filiżanki na tacy, Bob oznajmił:

– Zaraz będzie herbata, dzierlatko. Rozgość się.

Pokój obok kuchni okazał się korytarzem, wąskim przejściem pośród skarbów i używanych ubrań. W salonie stały trzy duże fotele z różnych epok, jeden marki La-Z-Boy, każdy przykryty barwną narzutą. Na niskim okrągłym stoliku, prawie za dużym w kwadratowej przestrzeni, były sterty książek, pudełko po cygarach pełne zatemperowanych ołówków, wazon ze sztuczną orchideą i dwa złożone zabawkowe robaki z gry Cootie ustawione tak, jakby ze sobą walczyły albo kopulowały. Ciągle mocno padało, ale story godne rezydencji sprzed wojny secesyjnej tłumiły ryk burzy. Na końcu korytarza mieściła się sypialnia Boba, w większości zajęta przez łóżko z czterema kolumnami.

– Nigdy się stąd nie wyprowadzę, spakowanie się zajęłoby mi lata – oznajmił Bob z odległej o zaledwie dwa i pół metra kuchni. – Włączysz radio?

– Jeżeli je znajdę – powiedziała Sue i usłyszała w odpowiedzi jego śmiech.

Musiała się skoncentrować, żeby przeszukać wzrokiem rupieciarnię, jakby znalazła się w biurze rzeczy bardzo dawno temu znalezionych, aż w końcu dojrzała radioodbiornik. Skrzynkę z jasnego drewna wielkości lodówki turystycznej, z okrągłymi pokrętłami podobnymi do grubych żetonów do pokera i czterema rzędami liczb do każdej częstotliwości. Manipulowała pokrętłem WŁ./WYŁ. GŁOŚNOŚĆ, aż rozległ się satysfakcjonujący trzask, na tyle donośny, że Bob usłyszał go z kuchni.

– Lampy muszą się rozgrzać – wyjaśnił.

– Odbiera krótkie fale ze Związku Radzieckiego?

– Skąd wiedziałaś?

– Moja babcia miała podobne.

– Moja też. Tak naprawdę właśnie to.

Bob wszedł z tacą, na której stały dwie filiżanki, dzbanek mleka, cukiernica z namalowaną na wieczku pszczołą i talerzyk ze stosem ciastek oreo.

– Zdejmij płaszcz, chyba że lubisz siedzieć w mokrych rzeczach.

W radiu grała orkiestra, a czajnik zagwizdał do taktu.

Słodka herbata z mlekiem, trzy oreo i przytulne, miłe mieszkanie Boba Roya pomogły Sue odprężyć się pierwszy raz od miesięcy. Odetchnęła z mocą wzbierającej fali i rozłożyła się na fotelu aż niewiarygodnie wygodnym.

– Dobrze – zagaił Bob. – A teraz wszystko mi opowiedz.

Otworzyła się i zachęcona współczuciem Boba opowiedziała mu, no cóż, wszystko. Wspierał ją przy każdej historii, każdej anegdocie: Nowy Jork był idealnym miejscem dla Sue! Nie powinna się przejmować pogardliwymi odzywkami Shelley, tej cichej lipy! Metro dało się przeżyć, pod warunkiem że człowiek unikał kontaktu wzrokowego. Mieszkanie można było znaleźć, czytając ogłoszenia drobne w „Timesie" i „The Village Voice", ale trzeba było je kupić wcześnie, o siódmej rano, a potem zasuwać pod dany adres z torbą ciastek, bo każdy dozorca był łasy na pączka od ładnej dziewczyny. Następnie zaczęli się cofać w czasie, wspominając letni teatr w Arizonie, porównując plotki za kulisami z plotkami w dyrekcji, nieudane romanse i opinie na temat Monty'ego Halla, który zdaniem Sue był zawodowcem z górnej półki. Bob rozlał ze śmiechu herbatę.

– Jadłaś lunch?

– Nie. Szłam na pizzę. – Pizza, w cenie pół dolara za kawałek, była standardowym posiłkiem Sue w południe.

– Pójdę do delikatesów. Zdejmuj te swoje łaszki i się wykąp. Zostawię ci szlafrok, który ukradłem w pewnym spa na pustyni, a potem urządzimy sobie ucztę jak Żydzi z klasy średniej.

W kuchni zdjął z wanny dużą deskę do krojenia. Obecność wanny w pomieszczeniu wiązała się z rozkładem rur w starym budynku. Kiedy puścił wodę, zakratowane okno zamgliło się od gorących smug pary, potem położył na krześle szlafrok. W ażurowym koszu z wikliny były mydło zapachowe, szampon, odżywka, organiczna gąbka i dzbanek, którym po napełnieniu wodą można się było opłukać.

– Nie spodziewaj się mnie za szybko. Wymocz się. – Bob zamknął za sobą na klucz dwa zamki w drzwiach.

Po mizernych, skróconych prysznicach na północy Manhattanu Sue delektowała się gorącą wodą na skórze i polewaniem sobie głowy. Dziwnie było kąpać się tak w kuchni, ale była sama, wanna przypominała tę na rodzinnym patio Gliebe'ów, a Sue szorowała, spłukiwała i namaczała się tak długo, aż była cudownie czysta. Nadal się moczyła, kiedy zamki drzwi frontowych zagrzechotały i Bob wrócił z dużą torbą zakupów.

– Ciągle naga.

Bob nie uciekł wzrokiem, a Sue nie miała nic przeciwko. Jeżeli, jak mawiało się w teatrze, kulisy były za pan brat z nagością, to w kuchni Boba Roya też nie było sensu się krępować.

Kończyny Sue, teraz już blade, tonęły w męskim frotowym szlafroku, kiedy siedziała przy niskim stoliku, rozczesując grzebieniem wilgotne włosy. Bob rozłożył przekrojone na pół kanapki, małe pojemniki zupy, sałatkę coleslaw, pokrojone ogórki konserwowe i puszki tak zwanej wody selcerskiej i rozmawiali przy jedzeniu o filmach i sztukach. Bob powiedział, że może dla niej zdobyć bilety na kiepskie przedstawienia na Broadwayu i wejściówki na przeboje, więc nie będzie musiała spędzać nowojorskich wieczorów jako niechciany gość na kanapie u Rebekki. Podzwoni po znajomych i spróbuje umówić ją na spotkanie z jakimś agentem, poza tym nie może nic obiecać. Znał kilku pianistów korepetytorów, którzy pomogą jej przygotować utwory na przesłuchania, rozpiszą nuty w jej tonacji.

– Dobra, dzierlatko – podsumował Bob, wyklepując spomiędzy palców okruszki żytniego chleba. – Pokaż to swoje CV.

Wyciągnęła starą wersję z torebki, a Bob wziął ołówek. Jeden rzut oka wystarczył mężczyźnie, żeby z westchnieniem przekreślić całą stronę.

– Zwyczajne. Zbyt zwyczajne.

– Co w tym złego?

Sue zrobiło się przykro. Tak bardzo się przykładała. Na tej kartce była cała jej teatralna kariera. Wszystkie sztuki, w których zagrała w liceum, w tym jednoaktówki odsyłające gwiazdką do przypisu: *Nagroda Stowarzyszenia Dramatycznego. Każdy jej występ w ACLO, od miejsca w chórze aż do zeszłorocznej roli Nellie Forbush w *South Pacific*. Pięć sezonów i osiemnaście musicali! Role na Wieczorowej Scenie pod Lampą Naftową – Emily w *Naszym mieście* oraz „i inni" w *Opowiadaniu o zoo*. Lektorka tekstu kampanii społecznej podczas marszu Zadeptać Cukrzycę. Do CV trafił każdy występ w życiu Sue Gliebe.

– Ano to, że jak się mawia między nami, zblazowanymi ciotami: „Wszyscy mają cię w dupie, skarbie". – Bob wstał i poszedł do sypialni. Spod łóżka wyciągnął starą maszynę do pisania zapakowaną w pokrowiec z przezroczystego plastiku. – Ciężka bestia. Powinienem trzymać ją pod ręką. Zrobisz miejsce na stoliku?

Sue odsunęła resztki lunchu i stertę książek.

Maszyna Boba była prawie tak duża jak radio jego babki – czarny metalowy antyk pasujący do mieszkania zagraconego starymi dziwnymi rzeczami. To był royal ze szklanymi wstawkami z boku przypominającymi tylne boczne okienka w aucie, w sam raz dla dzierlatki, która miałaby ochotę zamieszkać wśród klawiszy.

– Działa? – zapytała Sue.

– To maszyna do pisania, dziecino. Taśma. Olej. Papier. Sprawne palce. Wszystko, czego potrzeba. Ale to... – Podniósł z pogardą podsumowanie życia Sue, trzymając je dwoma palcami jak zjełczałą skórkę melona. Potem złapał ołówek i użył go jako wskaźnika. – Wymieniasz tylko prawdziwe role, nie te z liceum ani kółka teatralnego imienia Ciotki Naftaliny. Zawodowe miałaś tylko w ACLO, nic tu nie nazmyślasz. Dajesz operę na samej górze wielkimi kapitalikami, potem wymieniasz sztuki i role, nie w kolejności chronologicznej, tylko od najlepszej. Jeżeli byłaś w chórze, pod spodem dopisz jakieś imię: „Ellen Mimi" albo „Kendi Bober". Jak ktoś cię zapyta, to wyjaśnisz, że to postać z chóru. A te inne role, z liceum, itepe?

– No?

– Podpadają pod „teatr prowincjonalny". Ubarwiaj. Nie mów, że to były jednoaktówki. Nie mów, że coś za nie wygrałaś. Nie mów, że leciały tylko przez dwa weekendy. Sztuka. Rola. Byłaś zawodową aktorką w Kamienikupie w stanie Arizona i możesz tego dowieść.

– To nie jest kłamstwo?

– Wszystkim to zwisa. – Bob znów potraktował CV ołówkiem. – A to co? Alleluja! Wystąpiłaś w reklamie! Mebli Domu w Dolinie! I jeszcze w chorobie miesiąca! Nie, nie, nie. Tu wpisujesz: „Reklamy do wglądu". Zobaczą, że robiłaś w reklamach, ale nigdy nie poproszą cię o spis.

– Serio?

– Sue, zaufaj Bobby'emu Royowi. Bierz wzór z najlepszych. A teraz ostatnia część, ta biedna lista twoich „szczególnych umiejętności". Żaden agent nie wychyli się nawet po to przez biurko. Zważ, że nie powiedziałem „przez łóżko".

– A co, jeżeli szukają jakichś szczególnych umiejętności?

– To cię zapytają. Ale ta lista? Gitara. Znasz trzy akordy, zgadza się? Umiesz żonglować. Trzema pomarańczami przez trzy sekundy, co nie? Jeździsz na rolkach. Ktoś w twoim wieku nie jeździ? Nie przewracasz się na nartach, rowerze i deskorolce. Wielkie mi, kurwa, mecyje! Czyś ty tu naprawdę wpisała język migowy?

– Liznęłam trochę podczas Dnia Spuścizny Plemiennej. To na przykład znaczy „niezręcznie".

Bob wymigał jedyny znany sobie znak.

– A to znaczy „gówno prawda". Musisz zrozumieć, że twoje CV będzie miało całe pięć nanosekund na przykucie uwagi. Ludzie z castingu patrzą na twoje zdjęcie, potem na ciebie, żeby sprawdzić, czy się zgadza. Jesteś dziewczyną? Jesteś blondynką? Masz odpowiedni rozmiar zderzaków? Jeżeli widzą to, czego szukają, to przechodzą do twojego CV, przelatują twoje role i bajery, a potem dopisują wyraz zaklęcie: oddzwonić.

Bob wkręcił papier do starego royala, ustawił marginesy i tabulatory i w ciągu paru minut napisał klarowne, konkretne i uporządkowane CV, z którego wynikało, że Sue jest niebagatelnym i doświadczonym okazem spośród rzeszy marzycielek dowiezionych autokarem do wielkiego miasta. Mogła się pochwalić trzydziestoma rolami. Brakowało jeszcze tylko nazwiska w nagłówku.

– Zastanówmy się chwilę – powiedział Bob. – Przy kolejnej herbacie. – Odniósł tacę z resztkami lunchu do kuchni i przyłożył następną zapałkę do kuchenki. – Przyniósłbym jeszcze oreo, ale boję się, że wtedy je po prostu zjemy.

– Nad czym mamy się zastanawiać? – Sue przejrzała swoje nowe, profesjonalnie przygotowane CV. Po redakcji Bobby'ego bardziej się lubiła.

– Rozważałaś zmianę nazwiska?

– Naprawdę nazywam się Susan Noreen Gliebe. Zawsze byłam po prostu Sue.

– Joan Crawford zawsze była Lucy LeSueur. Leroy Scherer był znany jako Junior, aż został Rockiem Hudsonem. Słyszałaś kiedyś o Frannie Gumm?

– O kim?

Bob zaśpiewał początek *Over the Rainbow*.

– Judy Garland?

– „Kumpel Frances" nie ma tej swady co „przyjaciel Doroty", prawda?

– Rodzice będą rozczarowani, jeżeli nie zobaczą mojego prawdziwego nazwiska.

– Rozczarować rodziców to pierwsze zadanie po przybyciu do Nowego Jorku. – Kiedy czajnik zagwizdał, Bob napełnił herbatą stojący obok royala dzbanek. – Załóżmy, że zostaniesz gwiazdą Broadwayu, bo zostaniesz. Naprawdę chcesz zobaczyć właśnie to imię na afiszu: Sue Gliebe?

Sue zaczerwieniła się, nie ze wstydu, że ktoś w nią uwierzył, ale ponieważ w głębi duszy wiedziała, że czeka ją przyszłość aktorki. Chciała odnieść sukces. Owszem, na miarę Frances Gumm.

Bobby dolał herbaty do obu filiżanek.

– Jak to się w ogóle wymawia? Glib? Glibi? Glajb? – Zamarkował niemiłosierne ziewnięcie. – Znasz pseudonim sceniczny Tammy Grimes? Tammy Grimes. – Niby ziewnął jeszcze szerzej.

– To może… Susan Noreen? – Sue mogła sobie bez trudu wyobrazić to imię na podświetlonym afiszu.

Bob włożył kartkę do royala, pstrykając w nowe CV palcem.

– Oto świadectwo urodzenia nowej Sue. Gdybyś mogła cofnąć się w czasie i wybrać zupełnie nowe imię dla siebie, mamy i taty, to na co byś się zdecydowała? Elizabeth St. John? Marilyn Conner-Bradley? Holly Woodandvine?

– Mogę się tak nazywać?

– Sprawdzi się w związku, ale tak. Kim chcesz być, dzierlatko?

Sue trzymała herbatę. Było pewne imię, o którym swego czasu marzyła – w gimnazjum, kiedy śpiewała w zespole folkowym przy miejscowym oddziale Young Life. Wszyscy wymyślali sobie morowe imiona, jak Tęczowy Ścigacz Dusz. Ona też miała pomysł, który w myślach widywała na okładce swojego pierwszego longplaya.

– Rada Mapa. – Powiedziała to na głos.

Bobby zachował kamienną twarz.

– Ten sygnał dymny wróży kłopoty – podsumował. – Chyba że Gliebe'owie mają indiańskie DNA.

I tak to się kręciło przez całe popołudnie. Bobby zaproponował wiele pseudonimów artystycznych, z których najlepszym była Suzannah Woods, a najgorszym Cassandra O'Day. Oreo znów się pojawiły i zniknęły. Sue nie chciała odpuścić Rady. Rada Morgana. Rada Leva. Rada Goa.

– Rada Trupa – skwitował Bobby.

Sue poszła do toalety. Nawet ubikacja Boba była zawalona zdobyczami z wyprzedaży. Nie mogła pojąć, po co komuś zabawkowy zestaw z Fredami Flintstone'ami w roli kręgli, ale właśnie to tam zastała.

Kiedy wróciła, Bobby trzymał plik staroświeckich pocztówek z Paryża. Rozważyli francuskie imiona Jeanne (d'Arc), Yvette, Babette i Bernadette, ale żadne z nich nie miało tego czegoś.

– Hm. – Bobby wyciągnął jedną z pocztówek. Pokazał ją Sue. – Rue Saint-Honoré. Brzmi prawie jak „Ona HEJ!". To rodzaj męski. Żeński ma na końcu dodatkowe „e" i wymawia się tak samo. Honorée. Czy to nie piękne?

– Nie jestem Francuzką.

– Możemy dobrać anglosaskie nazwisko. Coś prostego, jednosylabowego. Bates. Church. Smythe. Cooke.

– Nic z tego się nie nadaje. – Sue przejrzała stare pocztówki. Wieża Eiffla. Notre Dame. Charles de Gaulle.

– Honorée Goode? – Bob powtórzył całość, wyraźnie zadowolony. – „E" na końcu i imienia, i nazwiska.

– Będą na mnie mówić Honorée Goodbye.

– Nie będą. Wszyscy udają, że znają francuski, *ma petite djerlatteka*. Honorée Goode to na uszy miód. – Sięgnął na półkę, przysunął czarny aparat telefoniczny Princess i wybrał jakiś numer.

– Mam kumpla związkowca. Może sprawdzić na komputerze, czy jakieś nazwisko się nie powtarza. Jane Fonda. Faye Dunaway. Raquel Welch. Zajęte!

– Raquel Gliebe? Rodzice nie mieliby nic przeciwko.

Bob połączył się ze swoim przyjacielem Markiem.

– Hej, nocny Marku, tu Bob Roy. Wiem! Serio? Nie, od kiedy wypłynęła na wycieczkowcu. To się opłaca! Zrobisz coś dla mnie? Sprawdź mi w bazie danych pseudonim sceniczny. Nie, niezajęty. Nazwisko Goode z „e" na końcu. Imię Honorée. – Przeliterował. – Z akcentem czy szwa, czy jak go tam zwał, nad pierwszym „e". Pewnie, zaczekam.

– Sama nie wiem, Bobby. – Sue powtarzała w myślach nowe imię i nazwisko.

– Możesz się zdecydować po wmaszerowaniu do siedziby związku z pierwszym kontraktem i czekiem na składki. Wtedy możesz być Sue Gliebe albo Kociarą Żelatynowicz. Ale musisz wiedzieć...

Ktoś odezwał się na linii, ale to nie był kumpel Boba.

– Tak, czekam na Marka. Dziękuję. – Zwrócił się znów do Sue: – Byłem na próbie *Brigadoon*. I Fionę grała dziewczyna skazana na karierę.

Sue uśmiechnęła się i zarumieniła. To ona była Fioną. Rola poszła jej fenomenalnie, jej pierwsza po chórze. To Fionie zawdzięczała wszystko, co potem dostała w ACLO, to ona zapędziła ją do Nowego Jorku, ona wyszorowała ją w kuchennej wannie Boba Roya.

– Zachwyciła mnie tamta dziewczyna – przyznał Bob. – Zachwyciła mnie tamta aktorka. To nie była zgorzkniała protagonistka wkurzona, że Nowy Jork się nią znudził. Ani odpicowana starletka, która występuje w Civic Light Opera, bo odległość od sceny i makijaż maskują, że ma czterdzieści trzy lata. Tamta Fiona nie była baraniną. Nie, była miejscowym jagniątkiem, pannicą z Arizony, która rządziła na scenie jak Barrymore, śpiewała jak Julie Andrews, miała cycki stworzone do łamania serc. Gdybyś mi się przedstawiła jako Honorée Goode, tobym odparł: „To mało powiedziane". Ale nie, ty byłaś Sue Gliebe. A ja pomyślałem: Sue Gliebe? Nie za bardzo.

Sue Gliebe poczuła rozchodzące się po ciele ciepełko. Bobby Roy był jej największym fanem i go uwielbiała. Gdyby był piętnaście lat młodszy, dwadzieścia kilo lżejszy i hetero, pewnie by się z nim przespała. A może i tak to zrobi.

Mark wrócił do słuchawki.

– Jesteś pewien? – zapytał Bob. – Taka pisownia, z „e"? Jasne. Dzięki, Mareczku. Na pewno. Czwartek? Pewnie! Pa! – Odłożył słuchawkę, postukał w nią podrygującymi palcami i oznajmił: – Czas na poważną decyzję, dzierlatko.

Sue odchyliła się na przesadnie wypchanym fotelu. Na dworze przestało padać. Skóra wyschła jej pod frotté szlafroka i pachniała delikatną wodą różaną mydła kąpielowego. W dużym radiu orkiestra grała cicho jazzowy standard i Sue po raz pierwszy poczuła, że jej miejsce jest w Nowym Jorku…

DOKŁADNIE ROK PÓŹNIEJ:

## NOTA O AKTORACH

*HONORÉE GOODE (Panna Wentworth) – H. Goode doskonaliła rzemiosło na deskach Arizona Civic Light Opera. W zeszłym roku była nominowana do Obie za rolę Kate Brunswick w* Backwater Blues *Joe Runyana. To jej debiut na Broadwayu. Dziękuje za wsparcie rodzicom i Robertowi Royowi juniorowi, bez których nie byłoby to możliwe.*

IBM

# Niezwykły weekend

Był początek wiosny tysiąc dziewięćset siedemdziesiątego roku i Kenny Stahl, ciągle uważany w rodzinie za dziecko, nie musiał iść do szkoły, bo za półtora tygodnia kończył dziesięć lat. Mama miała po niego przyjechać koło południa i spędzić z nim niezwykły weekend, więc usiadł do stołu w jadalni w swoim zwykłym ubraniu. Jego starszy brat Kirk i starsza siostra Karen, oboje w mundurkach szkoły St. Philip Neri, uznali, że ten układ jest nie fair. Chcieli, żeby mama po nich też przyjechała, zabrała ich z domu, do którego się wprowadzili, i żeby mogli wrócić do Sacramento albo gdziekolwiek, byle tylko nie było tam innych dzieci, a ponure humory ojca i nieustanny słoneczny pragmatyzm jego drugiej żony nie robiły im z życia huśtawki emocjonalnej.

Trzy siostry przyrodnie Kenny'ego miały siedemnaście, piętnaście i czternaście lat. Jego brat przyrodni był od niego o dwa lata starszy. Żadne z nich nie miało zdania na temat uczciwości urodzinowego planu. Wcześniej mieszkali razem w Iron Bend, chodzili do zespołu szkół publicznych i nigdy nie musieli nosić mundurków. Ten weekend nie wydawał im się interesujący, szczególny ani pod żadnym względem niezwykły.

Mały dom, w którym wszyscy mieszkali, stał daleko za miastem na Webster Road, bliżej Molinas niż Iron Bend, siedziby hrabstwa, gdzie ojciec Kenny'ego był szefem kuchni w restauracji Niebieska Guma. Drzewa eukaliptusa – zwanego właśnie niebieską gumą – stały w rzędzie po obu stronach i wzdłuż większej części Webster Road na odcinku między oboma miasteczkami, rozrzucając swoje liście i torebki na obu pasach drogi i poboczach. Dekady temu te sprowadzone z Australii nieporządne okazy posadzono jako wiatrochron dla zagajników migdałowców i w ramach nieprzemyślanej idei uprawy drzew na podkłady kolejowe. To było w czasach, kiedy na podkładach można było zbić fortunę, pod warunkiem że nie były z eukaliptusa. Potracono majątki na powyginanych, obłażących, poskręcanych drzewach, z których trzy stały w ogródku przed domem Kenny'ego; spadające ciągle odpadki niweczyły każdą próbę zasiania tam porządnej trawy. W ogródku za domem był niby-trawnik, skrawek zachwaszczonej zieleni, który co jakiś czas dzieci kosiły na zmianę. Po drugiej stronie drogi rozciągały się sady migdałowe. Migdały były wtedy wielkim przemysłem, którym zresztą pozostają do dziś.

Ojciec Kenny'ego znalazł w Iron Bend nową pracę, nowy dom, nową szkołę i, jak się okazało, nową rodzinę. Przewiózł trójkę swoich dzieci do małego domu tego samego wieczoru, kiedy wyjechali z Sacramento. Wszyscy chłopcy sypiali w czymś, co wcześniej było werandą osłoniętą siatką na komary. Wszystkie dziewczynki spały w pokoju z piętrowymi łóżkami.

Po przyjeździe i odjeździe dwóch autobusów szkolnych Kenny spędził ranek, kręcąc się po domu; ojciec spał, a macocha sprzątała cicho naczynia po śniadaniu. Był podekscytowany tym, że ma dom tylko dla siebie, co nigdy wcześniej się nie zdarzyło. Dostał tylko jedno zalecenie: nie hałasować. Przez chwilę pooglądał telewizję prawie bez głosu, ale mieli tylko jeden program: dwunastkę z Chico, a w czasie szkoły nie leciało tam nic ciekawego. Pobawił się własnoręcznie złożonymi modelami statków i samolotów – niski stolik w salonie posłużył mu za bezkresne morze. W poszukiwaniu tajemnic przejrzał szuflady braci, rodzonego i przyrodniego, ale ich skarby skrywały się gdzie indziej. W ogródku za domem kopnął piłkę, licząc, że przeleci nad pobliskimi drzewami migdałowymi, a przynajmniej nie utknie w gałęziach. Przywiązał kawałek starego prześcieradła do wyrzuconego kija i biegał ze zrobioną tak flagą jak podczas szarży na wojnie secesyjnej. Usiłował zamocować swój sztandar w dziurze, kiedy macocha zawołała do niego przez uchylone okno w kuchni.

– Kenny! Matka przyjechała!

Nie usłyszał samochodu.

W kuchni zaskoczył go widok, który ujrzał po raz pierwszy w ciągu prawie dekady życia. Jego tata był na nogach i siedział przy stole z poranną kawą. Jego matka, prawdziwa mama, też siedziała przy stole ze swoim kubkiem. Jego przybrana matka stała i opierała się o blat, również sącząc kawę. Trójka jego opiekunów na tym świecie nigdy do tej pory nie znalazła się w tym samym pomieszczeniu jednocześnie.

– Oto i miś Kenny! – Mama się rozpromieniła. Przypominała sekretarkę z serialu: ubrana jak do biura, na wysokich obcasach, jej zadbane czarne włosy były starannie ułożone, a mocna czerwona szminka zostawiła ślady na kubku kawy. Wstała, uściskała go, roztaczając zapach perfum, i pocałowała w czubek głowy. – Idź po rzeczy i ruszamy.

Kenny nie miał pojęcia, o jakich rzeczach mowa, ale jego macocha włożyła trochę ubrań do jednej z małych różowych walizek swojej córki. Był spakowany. Ojciec wstał i poczochrał Kenny'emu włosy.

– Muszę wziąć prysznic – powiedział. – Idź pooglądaj hot wheelsa matki.

– Kupiłaś mi resoraki? – Kenny wywnioskował, że na urodziny dostanie miniaturowe samochodziki z metalu.

Ale nie. Na podjeździe stało prawdziwe sportowe auto, czerwone, dwuosobowe, z kołami szprychowymi. Dach był podniesiony i już zabrudzony odpadkami z eukaliptusów. Kenny widział sportowe samochody tylko w telewizji, gdzie jeździli nimi detektywi i młodzi lekarze.

– To twój, mamo?

– Przyjaciel mi go pożyczył.

Kenny zaglądał przez okno od strony kierowcy.

– Mogę wsiąść?

– Proszę bardzo.

Poradził sobie z drzwiami i usiadł za kierownicą. Tarcze i przełączniki auta wyglądały jak z odrzutowca. Drewniane panele przypominały meble. Fotele pachniały jak skórzane rękawice do bejsbola. Na czerwonym kole na środku kierownicy widniał napis FIAT. Po zapakowaniu różowej walizki do bagażnika matka poprosiła Kenny'ego, żeby pomógł jej złożyć dach.

– W drodze na autostradę wiatr trochę porozwiewa nam włosy, zgoda?

Odczepiła zatrzaski dachu i Kenny pomógł jej go złożyć, zginając okno z przejrzystego plastiku. Uruchomiła silnik, który zabrzmiał jak odchrząkujący smok, po czym wycofała auto z podjazdu – wcześniej zdjęła szpilki, żeby wciskać pedały, i włożyła okulary przeciwsłoneczne, takie, jakie noszą narciarze. Matka, syn i fiat oddalili się z rykiem od domu po Webster Road. Migające między eukaliptusami słońce oślepiało

Kenny'ego jak stroboskop, wiatr szumiał chłopcu w uszach i zwiał mu włosy na przód. Samochód był klawy, Kenny w życiu nie widział auta, które tak by g a n g s t e r z y ł o na drodze. Ostatni raz czuł się równie szczęśliwy, kiedy był małym chłopcem.

---

Pracownik stacji Shella w Iron Bend nie mógł wyjść z podziwu, obdarzając auto i kobietę za kółkiem całą swoją uwagą. Zatankował do pełna, umył przednią szybę, sprawdził poziom oleju i był zadziwiony „włoszczyzną pod maską". Kenny dostał darmowy napój gazowany z dystrybutora. Kiedy chłopiec wyciągał z lodówki piwo korzenne (swoje ulubione), mężczyzna pomagał matce postawić dach i zamknąć zatrzaski. Rozgadany, uśmiechnięty pracownik zapytał ją, czy jadą na północ, czy na południe, i czy niedługo wracają do Iron Bend. Po powrocie do auta i na autostradę (na południe) matka powiedziała chłopcu, że pracownik Shella miał „cielęcy wzrok", i się zaśmiała.

– Poszukaj nam muzyki, skarbie – poprosiła, wskazując radyjko na drewnianej desce rozdzielczej. – Tym pokrętłem się włącza, tamtym zmienia stacje.

Kenny, niczym radiooperator bombowca, przesunął czerwoną kreskę pokrętła wzdłuż podziałki. W miejscowym radiu leciała reklama Butów dla całej Rodziny Stana Nathana, sklepu w miasteczku. Na zmianę słychać było szum i głosy, aż Kenny znalazł stację, która odbierała głośno i wyraźnie. Jakiś mężczyzna śpiewał o kroplach deszczu na swojej głowie. Mama znała słowa i wtórowała mu, jednocześnie przeszukując torebkę i przez cały czas prowadząc. Znalazła mały, skórzany, zamykany na zatrzask futerał, z którego po otwarciu wyłoniły się końcówki papierosów; długich, dłuższych niż te, które palił ojciec

Kenny'ego. Włożyła jednego do ust, biały filtr zaplamił się od czerwonej szminki, a matka nacisnęła coś na desce rozdzielczej. Za parę sekund wyskoczył przycisk i wyciągnęła cały przyrząd. Na jego końcu lśnił czerwony krąg, tak gorący, że zapaliła nim długiego papierosa. Włożyła rozgrzany przycisk z powrotem do otworu, po czym przełożyła dłonie na kierownicy, żeby otworzyć małe trójkątne okno. Kiedy tylko rozległ się trzask i gwizd, dym z jej długiego papierosa wyssało z samochodu jak za sprawą czarów.

– Opowiedz mi o szkole, skarbie – poprosiła. – Lubisz szkołę?

Kenny powiedział jej, że St. Philip Neri nie była taka jak St. Joseph, jedyna inna szkoła, do której chodził, jeszcze w Sacramento. St. Philip Neri była mała, nie miała wielu uczniów, a niektóre z zakonnic nie ubierały się jak zakonnice. Sącząc piwo korzenne krótkimi, płytkimi łyczkami, opowiedział mamie o jeździe autobusem do szkoły, o tym, że mundurki są w czerwoną szkocką kratę, a nie w niebieską, że w niektóre dni nie muszą ich nosić i że jakiś chłopiec z ich klasy o imieniu Munson składa modele tak jak on i mieszka w domu z basenem, ale nie takim w ziemi jak w miejskim parku, tylko okrągłym basenem naziemnym. Po tym jednym pytaniu Kenny mówił przez całą drogę z Iron Bend do skrótu na Butte City, a jego matka paliła. Kiedy wyjechali poza zasięg stacji, Kenny znalazł następną, a potem kolejną. Mama pozwoliła mu pokazywać na migi mijanym kierowcom ciężarówek, żeby trąbili. Pociągał pięścią w dół i do góry i jeżeli kierowcy go widzieli, czasami spełniali jego życzenie. Raz Kenny zobaczył, jak kierowca przygląda się im w lusterku, i usłyszał klakson, o który nie musiał prosić. Kierowca posłał całusa, który był chyba dla jego mamy, nie dla niego.

Zatrzymali się na lunch w Maxwell w restauracji Kathy's Kountry Kafe, lokalu dla kierowców i, w sezonie, myśliwych polujących na kaczki. Fiat był jedynym sportowym autem na parkingu. Kelnerka chętnie gawędziła z mamą Kenny'ego – rozmawiały jak stare znajome albo siostry. Chłopiec zauważył, że kelnerka też ma bardzo czerwone wargi. Kiedy zapytała, co przynieść dla młodzieńca, zamówił hamburgera.

– O nie, skarbie – powiedziała matka. – Hamburgery są na co dzień. W restauracji powinniśmy zamówić coś z karty.

– Dlaczego nie, mamo? Tacie jest wszystko jedno. A Nancy nam pozwala. – Nancy była macochą Kenny'ego.

– Niech to będzie nasza specjalna zasada – zaproponowała matka. – Tylko moja i twoja.

Takie nagłe ustalenie zasady było dziwne. Kenny'emu nigdy wcześniej nie mówiono, co może zamówić, a czego nie.

– Kanapka z ostrym indykiem powinna ci smakować – powiedziała matka. – Zjemy na pół.

Kenny wywnioskował, że indyk będzie miał ostre kości, i nie był pewien, czy ma na to ochotę.

– Mogę dostać mleczny koktajl?

– Pewnie. – Uśmiechnęła się. – Jestem otwarta na propozycje!

Prawdę mówiąc, Kenny'emu nawet posmakowała kanapka, która pływała w brązowym sosie i nie było w niej nic ostrego. Biały, przesiąknięty chleb smakował mu tak samo jak mięso indyka, a tłuczone ziemniaki zawsze były jego ulubionym daniem. Mama dostała kopę twarożku w kształcie igloo na plastrach pomidora, ale odkroiła sobie parę kęsów indyka. Waniliowy koktajl Kenny'ego przybył w lodowatym pucharze ze stali, w którym został przygotowany, i wystarczył do podwójnego napełnienia eleganckiej szklanki. Chłopiec sam nalewał, postukując stalą o szkło, żeby napój szybciej wypływał. Koktajlu było tyle, że Kenny nie dał rady go skończyć.

Kiedy matka poszła do toalety, Kenny zauważył, że wszyscy mężczyźni wodzą za nią wzrokiem, odwracając głowy w jej stronę. Jeden z podróżnych wstał, żeby zapłacić rachunek, i przystanął przy boksie, gdzie siedział Kenny.

– To twoja mama, grzdylu? – zapytał. Był w brązowym garniturze z częściowo poluzowanym krawatem. W okularach miał podnoszone przyciemniane szkła, które sterczały jak daszki.

– Yhy – przyznał Kenny.

Mężczyzna się uśmiechnął.

– Wiesz, mam w domu takiego samego chłopaka jak ty. Ale takiej mamy jak twoja to nie mam. – Mężczyzna zaśmiał się głośno, po czym zapłacił przy kasie.

Kiedy mama Kenny'ego wróciła z toalety, miała świeżo umalowane usta. Wypiła łyk z resztki koktajlu syna, zostawiając na papierowej słomce czerwony ślad.

---

Sacramento leżało ponad godzinę drogi autostradą. Kenny nie był w swoim rodzinnym mieście, od kiedy ojciec spakował ich rzeczy do kombi w dniu przeprowadzki do Iron Bend. Znajomy widok budynków działał uspokajająco, ale kiedy mama zjechała z autostrady, znaleźli się na ulicy, której nie znał. Na widok szyldu hotelu Leamington uśmiechnął się odruchowo – kiedyś oboje rodzice pracowali w Leamingtonie, ale teraz została tam już tylko mama. On z bratem i siostrą przychodzili do hotelu czasami w weekendy, kiedy ich rodzice byli jeszcze małżeństwem. Bawili się w dużej sali konferencyjnej, jeżeli nikt jej nie zajmował, i jedli przy barze w kawiarni, kiedy nie było tłumu.

Tata płacił im pięć centów za każdą foremkę ziemniaków, które zawijali w cynfolię, a potem piekli wszystkie razem. Jeżeli poprosili o pozwolenie, mogli nalewać sobie mleko czekoladowe z maszyny, pod warunkiem że korzystali z małych szklanek. To było dawno temu; od tego czasu upłynął spory kawałek życia Kenny'ego.

Matka zaparkowała fiata za hotelem i weszli przez kuchnię – Kenny pamiętał, że tak samo robili, kiedy przyjeżdżali kombi taty i corollą mamy. Wszyscy pracownicy przywitali jego matkę, a ona w odpowiedzi zwracała się do każdego po imieniu. Jakaś pani i jeden z kucharzy nie mogli się nadziwić, jak Kenny urósł, odkąd go ostatnio widzieli, ale chłopiec nie przypominał sobie tych ludzi, choć wydawało mu się, że rozpoznał okulary kobiety, kocie z grubymi szkłami. Kuchnia wydawała się mniejsza, niż ją zapamiętał.

Kiedy był mały, matka pracowała jako kelnerka w hotelowej kawiarni, a ojciec był jednym z kucharzy. Wtedy chodziła w stroju kelnerki, ale teraz ubierała się jak do biura i miała gabinet obok holu. Na jej biurku leżała sterta papierów, a na ścianie wisiała korkowa tablica, do której w równych kolumnach przypięto zapisane różnymi kolorami karteczki.

– Misiu Kenny, mam parę spraw do załatwienia, a potem opowiem ci o twojej niespodziance na urodziny, zgoda? – Wsuwała jakieś dokumenty do skórzanej teczki. – Posiedzisz tu chwilę?

– Mogę udawać, że to mój gabinet i że tu pracuję?

– Pewnie – odparła z uśmiechem. – Masz tu kilka notesów, a to, spójrz, jest elektryczna temperówka. – Pokazała mu, jak wcisnąć ołówek do otworu urządzenia i włączyć struganie, po którym ołówek robił się ostry jak igła. – Jeżeli zadzwoni telefon, to nie odbieraj.

Do biura weszła jakaś pani, która nazywała się Abbott, i zapytała:

– Czyli to jest ten twój młodzieniec?

Była starsza od jego mamy i nosiła na szyi okulary na łańcuszku. Pani Abbott miała pilnować Kenny'ego i w razie potrzeby zawołać jego matkę.

– Kenny dzisiaj dla nas popracuje.

– Wspaniale – powiedziała pani Abbott. – Dam ci pieczątki i poduszeczkę do tuszu, żeby wszystko było oficjalnie. Chciałbyś?

Matka wyszła ze skórzaną teczką. Kenny usiadł na jej fotelu za biurkiem. Pani Abbott przyniosła mu parę datowników, na których były też stemple FAKTURA i WPŁYNĘŁO, oraz prostokątne metalowe pudełeczko z niebieskim tuszem na podkładce.

– Wiesz – zagaiła – mam siostrzeńca w twoim wieku.

---

Kenny ostemplował tuszem kilka stron notesu, po czym znudzony przejrzał górne szuflady biurka. W jednej były przegródki ze spinaczami, zszywkami w pudełkach, gumkami recepturkami, ołówkami i długopisami z obustronnym nadrukiem HOTEL LEAMINGTON. W innej były koperty i papier listowy z tym samym napisem i małym rysunkiem budynku na górze każdej strony.

Wstał, podszedł do drzwi i zobaczył panią Abbott przy biurku, piszącą na maszynie jakiś list.

– Proszę pani – zaczął Kenny – czy mogę wziąć ten papier z napisem „Hotel Leamington"?

Pani Abbott nie przerywała pisania.

– Słucham? – zapytała, nie podnosząc wzroku.

– Czy mogę wziąć ten papier z napisem „Hotel Leamington"?

– Proszę cię bardzo – odparła, ciągle pisząc.

Kenny podstemplował kartkę, podpisał się obok hotelowymi długopisami i narysował linie. Potem przyszedł mu do głowy pewien pomysł.

Zdjął pokrowiec z maszyny do pisania, która stała na osobnym małym stoliku obok biurka matki. Maszyna była błękitna, miała z przodu litery IBM i była naprawdę duża – zajmowała większość wydzielonego blatu. Wkręcił w nią kartkę i nacisnął klawisze, ale nie zareagowały. Nic się nie stało. Kenny miał zapytać panią Abbott, dlaczego maszyna nie działa, ale wtedy zobaczył przełącznik, obok którego był napis WŁĄCZ/ /WYŁĄCZ – wciśnięta była część z WYŁĄCZ. Pstryknął go, a maszyna zaszumiała i zaczęła wibrować. Mechaniczna kula z literami przesunęła się w obie strony wzdłuż kartki, po czym zatrzymała z lewej. Karetka z papierem nie poruszyła się, a Kenny uznał, że urządzenie musi być częściowo komputerowe albo działać jak teleks.

Spróbował wpisać swoje imię, ale wyszło mu: kkkkkkk kkkkk. Tak odkrył, że przyciskając klawisz, będzie powtarzał tę samą literę, co brzmiało jak karabin maszynowy – kkkkk kkkkkkk kkkk keeee eeeenn nnnnnnnn n n n yyyy yyy. Najbardziej go zdziwiło, że nie ma dźwigni, za którą się pociąga, żeby kartka wróciła na początek strony. Niczego takiego nie było. Znalazł za to bardzo duży przycisk z napisem POWRÓT. Kiedy go nacisnął, kula wycofała się z trzaskiem i mógł pisać od nowej linijki. To była najbardziej niesamowita maszyna do pisania, jaką Kenny kiedykolwiek widział albo o jakiej słyszał.

Chłopiec nie umiał pisać tak jak dorośli – pani Abbott albo jego mama – więc używał jednego palca, odnajdując poszukiwane litery, ale niekiedy naciskając nie te, które chciał – kennnystdahlkl kjenny stanhl kenn sath. Pracując bardzo powoli i ostrożnie, udało mu się w końcu poprawnie napisać swoje imię i nazwisko – kenny stahl – i wyciągnął kartkę z IBM-a. Obok nazwiska wstemplował datę oraz napis **FAKTURA**.

– Przerwa na kawę? – Pani Abbott stała w drzwiach.

– Nie piję kawy – powiedział Kenny.

Pani Abbott przytaknęła.

– W takim razie zobaczmy, czy znajdzie się coś innego.

Poszedł za nią do holu, gdzie zobaczył swoją matkę z grupą mężczyzn. Wszyscy rozmawiali o interesach, ale Kenny i tak do niej zawołał.

– Ma-ma! – wrzasnął, wskazując hotelową kuchnię. – Idę na przerwę na kawę!

Odwróciła się do niego, uśmiechnęła i pomachała, po czym wróciła do rozmowy z biznesmenami.

W kuchni Kenny zapytał panią Abbott, czy mógłby się poczęstować mlekiem czekoladowym, tak jak kiedyś, ale maszyna już go nie wydawała. Było tylko zwykłe i coś o nazwie „Odtłuszcz". Pani Abbott poszła za to do srebrnej lodówki i wyciągnęła karton mleka czekoladowego, wyjęła dużą szklankę i napełniła ją po sam brzeg. To było więcej mleka czekoladowego, niż Kenny'emu wolno było kiedykolwiek wypić, co bardzo mu się spodobało. Pani Abbott nalała sobie kawy z okrągłego szklanego dzbanka, który stał na ekspresie Bunn. Nie mogli wrócić z napojami do holu, więc poszli do kawiarni, która wyglądała i pachniała dokładnie tak samo, jak kiedy Kenny był mały. Usiedli w pustym boksie, nie przy barze.

– Pamiętasz mnie? – zapytała. – Pracowałam tu z twoim tatą. Zanim pojawiła się twoja mama. – Pani Abbott pytała Kenny'ego jeszcze o inne rzeczy, przede wszystkim o to, czy lubi to samo co jej siostrzeniec – bejsbol, karate i teleturnieje w telewizji. Kenny powiedział, że odbierają tylko dwunastkę z Chico.

---

Po powrocie do gabinetu matki postanowił napisać do niej list na maszynie IBM. Zaczął na nowej kartce z nagłówkiem hotelu Leamington i pracował bardzo powoli.

Drooga Mamo,

Jak się masz u mnie wszystko dobrze

Sportowe auto twojego przyjaciela jest jak auto rajdowe. Podoba mi się głośny silnik i zabawa radiem.

Zobaczyłem cię teraz w hotelu i ciekawe jaka jest moja wielka niespodzianka?????? ?

Zostawię ten list tam gdzie zrobię ci NIESPODIZANKĘ. Kiedy go znajdziesz odpirz mi coś na tej maszynie dopisania to jest ŕaaaaajowe i łatw.

Twój kochany

Kenny Stahl **WPŁYNĘŁO WPŁYNĘŁO FAKTURA**

Kenny złożył list najlepiej jak umiał, wsunął go do hotelowej koperty i polizał brzeg, uważając, żeby nie skaleczyć sobie języka ostrą krawędzią. Z przodu napisał hotelowym długopisem DLA MAMY, potem poszukał miejsca, gdzie mógłby schować list, uznając, że najlepsza kryjówka będzie w szufladzie pod kilkoma sztukami papeterii.

Bawił się gumkami, kiedy do pokoju wróciła mama. Była z jakimś mężczyzną o ciemnobrązowej skórze i najprostszych, najczarniejszych włosach, jakie Kenny w życiu widział.

– Kenny, to jest pan Garcia. To on pożyczył nam dzisiaj samochód na przejażdżkę.

– Dzień dobry – powiedział Kenny. – To pański samochód? Ten sportowy?

– Tak – przyznał pan Garcia. – Miło mi cię poznać. Ale zróbmy to porządnie, dobrze? Wstań.

Kenny wykonał polecenie.

– A teraz – ciągnął pan Garcia – uściśniemy sobie dłonie. Złap mocno.

Kenny ścisnął jego dłoń tak mocno, jak potrafił.

– Nie zrób mi krzywdy – zachichotał pan Garcia.

Mama Kenny'ego uśmiechnęła się promiennie do obu mężczyzn.

– Teraz spójrz mi w oczy, tak jak ja patrzę na ciebie. Dobrze. Teraz powiedz: „Miło mi pana poznać" – polecił pan Garcia.

– Miło mi pana poznać – powtórzył Kenny.

– A teraz najważniejsze. Zadamy sobie nawzajem pytanie, zagaimy do siebie jak mężczyzna z mężczyzną, jasne? Oto moje pytanie: wiesz, co znaczy FIAT?

Kenny pokręcił głową, bo pytanie go zaskoczyło i nie miał pojęcia, co się dzieje. Nikt nigdy mu nie tłumaczył, jak ściskać czyjąś dłoń.

– Fatalna Imitacja Auta Turystycznego – zaśmiał się pan Garcia. – Teraz ty zadaj mi pytanie. Proszę.

– Eee... – Kenny musiał coś wymyślić. Przyglądał się gęstym, kruczoczarnym włosom pana Garcii, bardzo lśniącym i nieruchomym. Wtedy przypomniał sobie, że już go kiedyś widział, kiedy był mały, kiedy bawił się w hotelu z bratem i siostrą. Przypomniał sobie, że pan Garcia nie pracował w kuchni z jego tatą, ale przychodził z holu w garniturze. – Pan też tu pracuje, jak moja mama, prawda?

Pan Garcia i mama wymienili spojrzenia i uśmiechy.

– Kiedyś tu pracowałem, ale teraz już nie. Teraz jestem w Senatorze.

– Jest pan senatorem? – Kenny wiedział, kim jest senator, z wiadomości na dwunastce.

– Pan Garcia pracuje w hotelu Senator, Kenny – wyjaśniła matka. – I ma dla ciebie wielką niespodziankę.

– Nie powiedziałaś mu? – zapytał pan Garcia.

– Pomyślałam, że sam powinieneś to zrobić.

– Zgoda. – Pan Garcia spojrzał na Kenny'ego. – Słyszałem, że masz niedługo urodziny, prawda?

Kenny przytaknął.

– Skończę dziesięć lat.

– Latałeś kiedyś?

– Znaczy się samolotem?

– Latałeś?

Kenny popatrzył na matkę. Być może dawno temu zabrała go na pokład samolotu, ale był zbyt mały, zeby to pamiętać.

– Latałem, mamo?

– José jest pilotem. Ma samolot i chciałby zabrać cię na przejażdżkę. Fajnie będzie, co?

Kenny nigdy w życiu nie spotkał pilota, który miałby własny samolot. Gdzie był mundur pana Garcii? Czy służył w lotnictwie?

– Co porabiasz jutro? – zapytał mężczyzna. – Chciałbyś się przelecieć?

Kenny podniósł wzrok i popatrzył na matkę.
– Mogę, mamo?
– Pewnie – odparła. – Jestem otwarta na propozycje.

---

Kenny z matką zjedli kolację w restauracji o nazwie Rosemount. Znała tam wszystkich z obsługi. Kelner sprzątnął dwa nakrycia, bo mama powiedziała, że jest na „specjalnej randce z tym młodzieńcem", mając na myśli Kenny'ego. Karty dań były wielkie jak gazety. Chłopiec zamówił spaghetti, a na deser dostał porcję ciasta czekoladowego wielkości swojego buta. Nie zdołał go skończyć. Matka paliła długie papierosy, a na deser piła kawę. Przyszedł jeden z kucharzy, którego Kenny pamiętał z czasów, kiedy był w Leamingtonie. Kucharz miał na imię Bruce. Usiadł z nimi przy stoliku i przez chwilę rozmawiał z jego mamą, głównie się śmiejąc.

– Dobry Boże, Kenny – zagaił do niego Bruce. – Rośniesz szybko jak lucerna.

Bruce znał niesamowitą sztuczkę – umiał rzucić słomką w surowy ziemniak tak, żeby wystawała z niego jak strzała. Przechodząc przez kuchnię – mama zaparkowała fiata z tyłu – Bruce pokazał ten trik chłopcu. Paf! i słomka prawie przebiła ziemniak na wylot. To było niesamowite!

Mama mieszkała w piętrowym budynku z klatką schodową pośrodku, która oddzielała dwa mieszkania na każdym piętrze. W salonie miała coś, co się nazywało łóżkiem Murphy'ego – składało się je i chowało w ścianie. Kiedy je rozłożyła, było od razu posłane. Miała też mały kolorowy telewizor na stoliku na kółkach, który obróciła ekranem do łóżka, ale zanim chłopiec mógł usiąść do telewizji, kazała mu się wykąpać.

Łazienka była niewielka, a wanna maleńka, więc szybko się napełniła. Na jednej półce stały płyny do kąpieli i inne dziewczyńskie rzeczy, wszystkie w kolorowych butelkach i tubkach z kwiatkami na etykietach. Na drugiej była puszka kremu do golenia Gillette i maszynka Wilkinson Sword. Kenny bawił się w wannie, aż palce mu się pomarszczyły, a woda wystygła. Piżama była spakowana w różowej walizce z domu, a kiedy się przebrał, poczuł popcorn. To była sprawka mamy, która budziła przysmak do życia, potrząsając garnkiem nad małą kuchenką.

– Poszukaj sobie czegoś w telewizji, skarbie – zawołała, topiąc na patelni masło, którym miała polać popcorn.

Kenny włączył telewizor, który ożył natychmiast, bez rozgrzewania się, nie tak jak w domu. Ucieszył się na widok starych programów, tych, które oglądał, zanim mama się wyprowadziła, a tata ponownie się ożenił. Teleturnieje były na programach trzecim, szóstym, dziesiątym i trzynastym. A na drugim pokrętle, tym, które nie klikało, tylko się obracało, była czterdziestka. Oprócz tego każdy program był w kolorze, z wyjątkiem starego filmu na czterdziestym. Wybrał teleturniej o nazwie *The Name of the Game*, a mama się zgodziła.

Leżeli razem na łóżku Murphy'ego i jedli popcorn. Mama zrzuciła buty i obejmowała syna ramieniem, bawiąc się przy okazji jego włosami. W pewnej chwili podniosła się i poprosiła:

– Pomasuj trochę mamie szyję.

Kenny podniósł się na kolana i zaczął masować jej kark, odsuwając włosy i uważając na łańcuszek wokół szyi. Po paru minutach podziękowała mu i powiedziała, że kocha swojego małego Kenny'ego. Oboje z powrotem się położyli. Zaczął się kolejny teleturniej – *Bracken's World*, gdzie dorośli opowiadali bez końca o sprawach, których Kenny nie rozumiał. Zasnął przed pierwszą reklamą.

---

Kiedy Kenny obudził się rano, z radia leciała muzyka. Matka była w kuchni i zdążyła zrobić kawę w szklanym ekspresie na kuchence. Chłopiec musiał zeskoczyć z łóżka Murphy'ego, bo było trochę wysokie.

– Cześć, zaspany misiu. – Matka pocałowała go w głowę. – Mamy wielki kłopot.

– Jaki? – Kenny przecierał oczy, siadając przy dwuosobowym stole.

– Nie kupiłam wczoraj mleka.

Miała puszkę czegoś o nazwie „mleko odparowane" – na etykiecie była rysunkowa krowa – co dodawała do porannej kawy.

– Poszedłbyś na bazarek Louie'ego i kupił dwa litry mleka? Będziesz miał do płatków.

– Pewnie.

Kenny nie miał pojęcia, gdzie jest bazarek Louie'ego. Mama wyjaśniła, że po wyjściu z domu trzeba skręcić w prawo, a potem w lewo. Idzie się trzy minuty. Na jej komodzie w sypialni znajdzie banknoty dolarowe, może wziąć dwa i kupić sobie jakiś smakołyk na później.

Ubrał się w te same rzeczy, które nosił poprzedniego dnia, i wszedł do maleńkiej sypialni mamy. Na jej komodzie leżały pieniądze, więc wziął dwa banknoty jednodolarowe. Szafa wnękowa była otwarta i paliło się w niej światło. Kenny widział na podłodze buty mamy, a na wieszakach sukienki i spódnice. W szafie wisiały też marynarka i spodnie od garnituru, a na małych haczykach krawaty. Obok szpilek mamy stała para męskich butów.

Wzdłuż okolicznych ulic ciągnęły się rzędy dużych drzew, ale nie niebieskich gum z Webster Road. Te miały szerokie, zielone liście, a gałęzie grube i długie. Korzenie potężnych starych drzew tak się rozrosły, że wypchnęły chodnik, teraz nierówny. Trzymając dwa banknoty dolarowe w dłoni, Kenny skręcił w prawo, potem w lewo i w niecałe trzy minuty znalazł bazarek Louie'ego.

Za kasą stał jakiś Japończyk w otoczeniu wystawionych cukierków i słodyczy. Kenny znalazł chłodziarkę z nabiałem i przyniósł dwulitrową butelkę mleka, żeby za nią zapłacić. Nabijając cenę, Japończyk zapytał:

– Kim jesteś? Wcześniej cię tu nie widziałem.

Kenny powiedział, że jego matka mieszka nieopodal i że zapomniała kupić mleko.

– Kim jest twoja matka? – zapytał mężczyzna.

Kiedy Kenny wyjaśnił, Japończyk skojarzył.

– A! Twoja matka to miła pani. Bardzo ładna pani. A ty jesteś jej synem? Ile masz lat?

– Za dziewięć dni skończę dziesięć.

– Mam córkę taką samą jak ty – wyznał sklepikarz.

Na później Kenny wybrał podwójne opakowanie babeczek Hostess, czekoladowych z zawijasem z białego lukru na środku. Kosztowały dwadzieścia pięć centów i miał nadzieję, że to nie za dużo. Kiedy wrócił z mlekiem, matka nic nie powiedziała. Zrobiła mu na śniadanie tosty i miseczkę płatków rice krispies z pokrojonymi kawałkami pomarańczy bez pestek.

Kenny oglądał kanał czterdziesty – przez cały ranek leciały filmy animowane i reklamy zabawek – kiedy zadzwonił telefon na ścianie w kuchni. Matka przywitała się i powiedziała coś, czego nie zrozumiał.

– *¿Qué pasó, mi amor?* Co? O nie! Nie mógł się doczekać. Na pewno? – Kenny patrzył na mamę, a ona, słuchając, na niego. – Aha! Tak, powinno być w porządku. Tak, dwie pieczenie przy jednym ogniu. Wspaniale. Zgoda. – Słuchała jeszcze przez chwilę, po czym rozłączyła się z chichotem.

– Misiu Kenny – zanuciła, wchodząc do pokoju. – Zmiana planów. Josému, panu Garcii, coś wypadło i nie może zabrać cię dzisiaj do samolotu. Ale za to... – przechyliła głowę, jakby szykowała jeszcze bardziej ekscytującą propozycję, na przykład taką, że zamiast tego czeka go podróż rakietą kosmiczną – ...może polecieć z tobą jutro aż do samego domu! Nie będziemy musieli jechać.

Kenny nie zrozumiał, jak miałaby wyglądać podróż powrotna samolotem. Czy wylądują na Webster Road tuż przy ich domu? Czy nie zderzą się z niebieskimi gumami?

---

Mając cały dzień do wypełnienia, Kenny i jego mama spędzili późny ranek w Bajkolandii, ośrodku dla dzieci prowadzonym przez Wydział Parków. Mieli tam domki pomalowane tak, jakby były ze słomy, gałęzi i kamieni, długą i krętą wersję drogi z żółtej cegły i przedstawienia lalkowe co godzinę aż do piętnastej. Kiedy Kenny był mały, wybierali się całą rodziną do tej wioski z baśni, choć nigdy z tatą, który zawsze spał wtedy w domu. Ponieważ Kenny miał teraz prawie dziesięć lat, bajkowe klimaty były dla niego zbyt dziecinne. Nawet huśtawki były dla brzdąców maleńszych od niego.

Niedaleko było zoo. Tam też Kenny uwielbiał chodzić, kiedy był mniejszy. Małpy nadal wietrzyły sobie kończyny, huśtając się na obręczach w klatce, słonie nadal chodziły na wybiegu za ogrodzeniem, które nie było już tak wysokie jak kiedyś, a żyrafy nadal można było karmić marchewkami z pełnych wiader podawanych przez pracowników. W zoo zatrzymali się z mamą dłużej niż w Bajkolandii, ociągając się zwłaszcza w pawilonie gadów. Był tam olbrzymi pyton, owinięty wokół części drzewa, z głową wielkości futbolówki tuż przy szklanej przegrodzie.

Lunch zjedli na małym targu, przy jednym z wystawionych stolików z obrusem w kratę. Kenny zamówił kanapkę z samym tuńczykiem, bez sałaty i pomidora, a jego matka sałatkę z makaronem. Do picia był złocisty sok w butelkach w kształcie jabłek – to zamiast coli. Z początku Kenny był rozczarowany, ale sok jabłkowy okazał się tak słodki i gęsty, że kiedy go przełykał, po całym ciele rozchodził mu się przyjemny dreszcz. Wyobraził sobie, że tak musi wyglądać picie wina, bo dorośli zawsze opowiadali z przejęciem o „dobrych winach". Na deser zjadł babeczki Hostess.

– To co teraz porobimy, misiu Kenny? – zapytała mama. – Co byś powiedział na minigolfa?

Wjechała czerwonym fiatem na autostradę, po czym skierowała się na zachód w stronę pogórza. Kiedy przejechali przez rzekę, Kenny zdał sobie sprawę, że są przy wyjeździe na Sunset Avenue, która prowadzi do jego starego domu. Rozpoznał dużą zieloną tablicę z białą strzałką i napisem SUNSET AVE i zobaczył stację Chevron z jednej strony i Phillips 66 z drugiej. Ale mama nie zmieniła pasa. Jechała prosto. Dalej na autostradzie pojawiło się barwne małe miasteczko z maleńkimi młynami i zamkami – Ośrodek Minigolfa i Rozrywki dla Całej Rodziny. Wyglądał jak spod igły i czarodziejsko.

Ponieważ była sobota, zastali całkiem sporo ludzi: rodziny w autach i dzieci bez opiekunów, które przyjechały na rowerach albo zostały przywiezione, dzieci z wystarczającym zapasem gotówki, żeby spędzić dzień Frajdy przez duże F. Był tam krąg klatek bejsbolowych z maszynami do rzucania piłek i salon gier z pinballami i strzelnicą. W barze szybkiej obsługi podawano parówki w cieście, olbrzymie precle i pepsi-colę. Kenny musiał czekać w kolejce po piłki i odpowiednie kije, które wręczył im nastolatek uśmiechający się do jego mamy z takim samym cielęcym spojrzeniem jak mężczyzna na stacji Shella w Iron Bend. Mieli dwa pola do wyboru, a chłopak za ladą nie tylko zaproponował pole magiczne, z zamkiem, ale zaprowadził ich do pierwszego dołka i skrupulatnie wytłumaczył, jak zaznaczać zdobyte punkty ołówkiem na karcie. Wyjaśnił też, że jeżeli trafią do osiemnastego dołka jednym uderzeniem, to dostaną darmową grę.

– Chyba wiemy już, co i jak – powiedziała mama, chcąc się w ten sposób pozbyć chłopaka.

Mimo to ten kręcił się przy nich, aż oboje wykonali pierwsze uderzenie. Życzył im dobrej rozgrywki i wrócił za ladę, żeby wydawać kije i kolorowe piłki.

Nie zawracali sobie głowy zliczaniem punktów. Kenny z całej siły uderzał swoją piłkę, fioletową, bardziej przejmując się dystansem niż precyzją, uderzając tyle razy, ile trzeba, żeby trafiła do dołka. Mama była trochę uważniejsza. Najwięcej zabawy mieli przy dołku, gdzie Kenny wbił piłkę do muchomora w kropki, a ta zniknęła na chwilę, po czym wyleciała z jednej z trzech rurek na położony niżej okrągły green. Stamtąd musiał ją wbić do pyska wielkiej żaby, który otwierał się i zamykał jak most zwodzony w zamku. Piłka znów zniknęła, wytoczyła się na greenie jeszcze niżej i prawie wpadła do dołka. Musiał tylko stuknąć fioletową kulkę krótkim kijem. Mamie przedostanie się przez pysk żaby zajęło wieki.

– Minigolf jest całkiem fajny – powiedział, kiedy wrócili do fiata. Kupiła mu parówkę w cieście, którą zjadł, zanim wsiadł do sportowego auta.

– I dobrze ci idzie – dodała, zmieniając bieg, po czym wyjechali z parkingu ośrodka i skierowali się z powrotem do miasta, w stronę wyjazdu z autostrady przy Sunset Avenue.

– Mamo? – zaczął.

Zapalała kolejnego długiego papierosa samochodową zapalniczką.

– Możemy pojechać obejrzeć stary dom?

Matka wypuściła dym i patrzyła, jak znika na wietrze. Nie chciała oglądać starego domu. Przywiozła Kenny'ego do tego domu ze szpitala dwa dni po porodzie. Jego brat i siostra urodzili się w Berkeley, ale nie pamiętali tamtego mieszkania. Przyglądała się, jak jej starsze dzieci bawią się w ogródku za tym domem, kiedy nosiła małego Kenny'ego na biodrze. Maluch pełzał po wyszywanym dywaniku – starym wyszywanym dywaniku jej matki – w salonie, aż nauczył się po nim chodzić. Dom niósł ze sobą wspomnienia Bożego Narodzenia i Halloween, przyjęć urodzinowych dla okolicznych dzieci, lepszych czasów jej małżeństwa i matkowania.

Ale w jego zakątkach krył się też smutek, ciągle rozbrzmiewały echem kłótnie, samotność nawiedzała noce po zaśnięciu dzieci, jak również dni, kiedy miała ich szczerze dość. Żeby uciec – od domu, maluchów, nudy kryjącej się w cieniu niezadowolenia – podjęła pracę w hotelu Leamington. Szukali kelnerki. Zostawiwszy dzieci u jednej z nastoletnich mormonek na ich ulicy, przyjeżdżała wcześnie, zanim jej mąż przychodził na lunch i wieczorną zmianę. Pieniądze się oczywiście przydawały, ale tak naprawdę zależało jej na zajęciu – miejscu, do którego mogła przyjść, pracy, którą mogła wykonywać, ludziach, z którymi mogła porozmawiać. Nadal była żoną Karla Stahla, a jej mąż był szefem kuchni, ale wszyscy, w tym José Garcia, zwracali się do niej po imieniu. Jak się okazało, tak dobrze sobie radziła z rachunkami, że dyrektor hotelu przeniósł ją z kawiarni do księgowości. Do działu sprzedaży awansowała po rozwodzie z ojcem Kenny'ego, kiedy nie była już panią Stahlową.

Zostawiła ten stary dom wieki temu. Nie chciała go znów oglądać.

– Pewnie – powiedziała synowi. – Jestem otwarta na propozycje.

---

Zjechała z autostrady, skręciła w prawo przy stacji Phillips 66 i dotarła Sunset Avenue do ulicy Palmetto. Stamtąd odbiła w lewo w Derby, zredukowała bieg, skręcając w prawo, przejechała przecznice Vista i Bush i zaparkowała przed numerem 4114.

Kenny miał tylko dwa domy i ten był pierwszy. Przyjrzał mu się. Skrzynka na listy przy podjeździe ta sama, balustrada w kształcie litery X na werandzie dokładnie taka, jak ją zapamiętał, ale drzewo przed domem wydawało się dziwnie małe. Trawnik był skoszony, Kenny nigdy nie widział tu tak równej trawy, a wzdłuż fasady domu rosły kwiaty. Wzdłuż fasady ich domu nigdy nie rosły kwiaty. W dużym oknie zawieszono niebieskie zasłony, nie białe z czasów jego dzieciństwa. Drzwi do garażu były zamknięte, nie tak, jak kiedy tu mieszkał i kiedy trzymali je otwarte, żeby mieć łatwy dostęp do wszystkich rowerów, zabawek i pokojów z tyłu domu. Zamiast starego kombi jego ojca albo corolli matki na podjeździe stał zaparkowany nowy dodge dart.

Obok mieszkali kiedyś Anhalterowie. Kenny spodziewał się zobaczyć ich białego pikapa, ale go nie było. W ogródku przed domem naprzeciwko stała tablica z napisem SPRZEDAM.

– Callendarowie sprzedają dom – powiedział Kenny.

– Wygląda, jakby już się wyprowadzili – dodała matka.

Tak, dom był chyba pusty. Ich dzieci, Brenda i Steve, nie były bliźniakami, ale wyglądały, jakby urodziły się tego samego dnia. Jeździły na rowerach Schwinn, miały psa o imieniu Ciacho, należały do drużyny pływackiej, a teraz mieszkały gdzie indziej.

Kenny z mamą siedzieli kilka minut w fiacie. Chłopiec patrzył przez okno na pokój, który kiedyś należał do niego. Ciągle były tam okiennice z ruchomymi listwami, tylko pomalowane na niebiesko, pod kolor zasłon w salonie. Kiedy Kenny i Kirk spali w dwóch łóżkach w tym pokoju, okiennice były w kolorze naturalnego drewna. Niebieski do nich nie pasował.

– Tu się urodziłem, prawda, mamo?

Patrzyła na ulicę, nie na dom z niebieskimi okiennicami.

– Urodziłeś się w szpitalu.

– No, wiem. Ale tu byłem mały, prawda?

Matka przekręciła kluczyk w stacyjce i wrzuciła bieg.

– Tak – powiedziała, a silnik warknął.

Tamtej nocy, gdy wyprowadziła się z domu przy ulicy Derby 4114, jej dzieci spały w swoich łóżkach, a ich ojciec stał bez słowa w kuchni. Nie zobaczyła potem żadnego z nich przez siedem tygodni. Kenny miał pięć lat.

Kiedy dojechali do hotelu, kończyła palić trzeciego długiego papierosa, a dym niknął na wietrze w sportowym aucie ze złożonym dachem.

---

Zabrała go na kolację do Senatora, który mieścił się w centrum, jak Leamington, ale był dużo elegantszy i pełen mężczyzn w garniturach z przypiętymi identyfikatorami.

Jedli w kawiarni. José Garcia wpadł się z nimi zobaczyć, kiedy Kenny kończył swój deser, olbrzymi placek z czereśniami i lodami – kelnerka powiedziała, że to *à la mode*. Kenny nie przepadał za czereśniami, ale lodów nie zostawił ani łyżeczki.

– Co powiesz, żebyśmy wzbili się w południe? – zaproponował pan Garcia. – Pooglądamy trochę deltę, a potem polecimy na północ. Leciałeś kiedyś samolotem, Kenny?

Już to mówił, ale grzecznie powtórzył odpowiedź.

– Nigdy.

– Może się zakochasz w niebie – powiedział pan Garcia.

Przed wyjściem pocałował mamę Kenny'ego w policzek. Chłopiec nigdy nie widział na żywo, jak mężczyzna całuje kobietę w policzek. Jego tata nigdy nie całował tak macochy Kenny'ego przed wyjściem z pokoju. W policzek całowali się tylko czasami ludzie w telewizji.

---

Następnego ranka José Garcia zabrał ich na śniadanie do kawiarni o nazwie Parada Naleśników, która wystrojem przypominała cyrk. Obaj panowie zamówili gofry, a dla mamy Kenny'ego kolejne igloo z twarożka. Kiedy jedli, przyjeżdżały całe auta wystrojonych rodzin i lokal się zapełnił. Wszyscy byli ubrani jak w niedzielę do kościoła – ojcowie w garnitury, mamy i dziewczynki w ładne sukienki. Chłopcy byli w tym samym wieku co Kenny, niektórzy pod krawatem. Wszyscy rozmawiali i zamawiali śniadanie, zrobiło się głośno, też jak w cyrku.

Kiedy dorośli skończyli kawę – kelnerka ciągle przychodziła z propozycją dolewki – mama pomalowała usta i wrócili do fiata. Pan Garcia prowadził w odblaskowych okularach ze złotymi oprawkami i okrągłymi zausznikami. Mama Kenny'ego założyła gogle. Kenny siedział w ciasnym kącie za siedzeniami, gdzie najmocniej wiało i nic nie było słychać. Przez całą drogę nie wiedział, o czym rozmawiają dorośli.

Mimo to dobrze się bawił, wykręcając się bokiem i machając rękami na wietrze przy schowanym dachu. Minęli domy z litej cegły z szerokimi trawnikami i olbrzymi zielony park z polem golfowym. Przyjechali do miejsca o nazwie Pas Służbowy, które okazało się lotniskiem, ale José nie skorzystał z parkingu. Zbliżył się do bramy, ta się otworzyła, wjechał i zaparkował przy stojących obok siebie awionetkach.

– Gotowy na kuszenie losu, Ken? – zapytał.

– Polecimy którymś z tych? – Kenny wskazał na awionetki.

Nie wyglądały jak składane modele, które miał w domu – myśliwce i bombowiec B-17. Te samoloty były małe, nie miały karabinów maszynowych i nie wyglądały, jakby latały bardzo szybko, choć niektóre miały dwa silniki.

– Comanche'em – potwierdził pan Garcia. Ruszył w stronę białej awionetki z czerwonym paskiem, z tych jednosilnikowych.

Drzwi otwierały się zupełnie jak w samochodzie i pan Garcia tak je zostawił, żeby przewietrzyć kabinę. Kenny mógł się wspiąć na skrzydło i zajrzeć do środka, popatrzeć na wskaźniki, tarcze, stery i pedały. Wszystkiego były dwa zestawy – widział też kilka dodatkowych przełączników i kontrolek, które wyglądały bardzo fachowo. Pan Garcia obszedł parę razy samolot, a potem pooglądał jakieś papiery włożone do koszulek na jednych z drzwi.

Mama Kenny'ego przyszła z samochodu z różową walizką.

– Chciałbyś pewnie siedzieć z przodu, co? – zapytała go.

Złożyła siedzenie i wsiadła do tyłu, stawiając różową walizkę obok siebie.

– Mogę usiąść tutaj? – Kenny pokazał na stery przed sąsiednim fotelem.

– Potrzebny mi drugi pilot – powiedział pan Garcia. – Twoja mama steruje trochę chybotliwie. – Zaśmiał się, po czym pokazał Kenny'emu, jak zapiąć pasy. Musiał je tylko mocno dla niego ściągnąć. Potem wyjął z kieszeni małe czarne okulary przeciwsłoneczne i wręczył je chłopcu. – Słońce mocno tam świeci.

Okulary miały złote oprawki tak jak u pana Garcii, choć nie wydawały się aż tak drogie. Też zawijały się za uszami. Były za duże na prawie dziesięcioletnią głowę Kenny'ego, choć chłopiec tego nie wiedział. Odwrócony pokazał się mamie. Uniósł do niej podniesiony kciuk i wszyscy się zaśmiali.

Zapalany silnik bardzo hałasował, i to nie tylko dlatego, że drzwi comanche'a były ciągle otwarte. Samolot się zatrząsł i wydawało się, jakby śmigło z każdym obrotem mogło się urwać. Pan Garcia zajął się przełącznikami i pokrętłami, aż silnik ryknął parę razy. Mężczyzna włożył słuchawki i wprawił samolot w ruch, choć drzwi były ciągle otwarte. Minęli inne zaparkowane samoloty, potem szerokie pasma trawy, gdzie stały małe znaki z literami i liczbami. Na końcu długiego pasa startowego samolot się zatrzymał. Pan Garcia pochylił się i zamknął drzwi od strony

Kenny'ego na zatrzask, potem zrobił to samo koło siebie. Silnik dalej bardzo hałasował, ale samolot już się tak nie chybotał.

– Gotowi? – krzyknął pan Garcia.

Kenny przytaknął. Jego matka pokazała podniesiony kciuk. Nachyliła się do przodu i poczochrała synowi włosy. Jeżeli coś mówiła, to Kenny nie usłyszał, ale widział jej szeroki uśmiech.

Kiedy samolot przyspieszał i było coraz głośniej, Kenny poczuł się jak nigdy, przenigdy wcześniej. Jechali coraz szybciej i szybciej, a potem wznieśli się i żołądek mu zaciążył, a zarazem czubek głowy jakby się uniósł. Ziemia szybko się zmniejszyła; niedługo potem ulice, domy i samochody zaczęły się wydawać nieprawdziwe. Kenny odwrócił się, żeby wyjrzeć przez boczne okienko. Skrzydło samolotu zasłaniało mu widok, więc nachylił się, żeby obejrzeć ziemię i niebo z przodu.

Zobaczył budynki w centrum i rozpoznał swój niegdysiejszy świat: Tower Theatre i siatkę ulic, stary fort – nazywany młynem Suttera, gdzie za czasów pionierów znaleziono złoto – a potem hotel Leamington. Mógł przeczytać szyld.

Pierwszy lot Kenny'ego samolotem był najwspanialszym wydarzeniem jego życia. W głowie mu się zakręciło i nie mógł złapać tchu. Słońce było jaśniejsze niż kiedykolwiek wcześniej i Kenny cieszył się, że ma ciemne okulary. Kiedy pan Garcia skręcił, lekko przechylając skrzydła w lewo, cały widok zajęła potężna delta rzeki. W dole były wyspy, rozdzielone krętymi drogami wodnymi i groblami. Tuż obok miejsca, gdzie urodził się Kenny, mieszkali rolnicy, którzy pływali do miasta łodzią. Nie miał o tym pojęcia!

– Tak wygląda Mekong! – zawołał pan Garcia. Pokazywał coś przez okno.

Kenny przytaknął odruchowo, niepewny, czy ma coś odpowiedzieć.

– To układ z wujem Samem! Uczy cię latać, a potem wysyła do Wietnamu aportować ptactwo!

Kenny wiedział o Wietnamie, bo wojna leciała na dwunastce z Chico. Za to w życiu nie słyszał o żadnym Mekongu.

Lecieli na południowy zachód, wznosząc się tak wysoko na niebie, że samochody i ciężarówki na autostradzie wyglądały prawie na nieruchome. Rzeka się rozszerzała i zmieniła barwę, gdy dotarli do słonych wód zatoki San Francisco. Na dole widać było duże statki, teraz przypominające modele, którymi Kenny bawił się na stoliku. Pan Garcia znów przechylił skrzydła i żołądek Kenny'ego ponownie opadł, ale tylko na chwilę.

Teraz lecieli na północ. Pan Garcia zsunął z połowy ucha jedną słuchawkę.

– Kenny, musisz przez parę minut pokierować – oznajmił głośno.

– Nie umiem latać samolotem! – Kenny popatrzył na pana Garcię, jakby ten oszalał.

– Wiesz, jak się prowadzi samochód?

– Tak.

– Złap sterownicę – polecił pan Garcia.

Sterownica przypominała kierownicę: trochę samochodu, trochę roweru. Kenny musiał się wyprostować, żeby dosięgnąć uchwytu.

– Samolot poleci tam, gdzie go skierujesz. Pociągnij trochę i spróbuj wyczuć drążek.

Kenny nie spodziewał się, że ma aż tyle siły, ile włożył w ruch dłoni, ale faktycznie, stery przesunęły się do niego. Niebo wypełniło przednią szybę, a silnik zwolnił.

– Widzisz? – powiedział pan Garcia. – Teraz tak samo spokojnie wypoziomuj.

Mężczyzna trzymał dłoń na swoich sterach, ale pozwolił Kenny'emu samemu popchnąć dziób samolotu w dół. Ziemia pod nimi znów wypełniła część okna.

– Mogę skręcić? – wrzasnął Kenny.

– Ty jesteś pilotem – potwierdził pan Garcia.

Bardzo, bardzo ostrożnie Kenny obrócił podobny do kierownicy roweru ster w prawo i samolot nieznacznie się przechylił. Kenny poczuł zmianę kierunku. Popchnął sterownicę w drugą stronę i poczuł, jak samolot wraca na poprzedni tor.

– Gdybyś był trochę wyższy – powiedział pan Garcia – pozwoliłbym ci posterować orczykiem, ale nie sięgniesz pedałów. Może za rok. W przyszłym roku.

Kenny ujrzał jedenastoletniego siebie, pilotującego samodzielnie comanche'a z mamą na tylnym siedzeniu.

– A teraz mam dla ciebie zadanie. Widzisz przed nami Mount Shasta?

Shasta, potężny wulkan, który górował nad doliną na północy, był zawsze ośnieżony. Przy dobrej pogodzie w Iron Bend góra wyglądała w oddali jak gigantyczny obraz. Z siedzenia Kenny'ego z przodu samolotu Shasta była wybijającym się na horyzoncie trójkątem bieli.

– Leć prosto na nią, zgoda?

Zgoda!

Kenny wbił wzrok w górę i spróbował utrzymać dziób idealnie na celu, podczas gdy pan Garcia wyciągnął jakieś papiery ze schowka przy fotelu i długopis z kieszeni. Coś zapisał, po czym popatrzył na mapę. Kenny nie był pewien, jak długo utrzymywał samolot na kursie – to mogło być parę minut albo większość drogi powrotnej – ale nigdy nie zboczył z wyznaczonego toru. Kiedy pan Garcia złożył mapę i pstryknął długopis, widać było więcej wulkanu.

– Doskonale, Kenny – powiedział, przejmując stery. – Masz zadatki na pilota.

– Świetna robota, skarbie! – zawołała mama z tyłu samolotu.

Kenny obejrzał się przez ramię – jej uśmiech był prawie tak szeroki jak jego.

Wyglądając przez okno, chłopiec zobaczył pasy autostrady prowadzącej przez dolinę i miasteczka Willows i Orland aż do Iron Bend i dalej. Jeszcze dwa dni temu byli z mamą na tej drodze. Teraz leciał kilka kilometrów nad nią.

Po tym, jak Kenny popilotował samolot, musiał odetkać sobie uszy, ziewając szeroko i z zamkniętymi ustami wydmuchując nos. Nie bolało. Awionetka obniżała lot, w miarę zbliżania się do ziemi silnik coraz bardziej hałasował i pojawiły się znajome okolice Iron Bend. Składnica drewna na południe od miasta, potem dwa motele przy autostradzie, stare silosy na zboże, w których nie było zboża, i parking centrum handlowego Montgomery Ward. Kenny nie wiedział, że w Iron Bend jest lotnisko, ale było – za boiskiem Union High.

Kiedy pan Garcia podchodził do lądowania, samolotem rzuciło i zatrzęsło. Mężczyzna coś zrobił i silnik ucichł, jakby się wyłączył, a koła zapiszczały na betonowym pasie. Pan Garcia pokierował samolotem jak autem i zatrzymał się parę metrów od reszty awionetek. Kiedy zgasił silnik, śmigło pokręciło się jeszcze trochę, po czym zatrzymało z szarpnięciem. Bez silnika cisza była dziwna, a odgłos odpinanych pasów rozbrzmiał wyraźnie, jak na filmie w State Theater.

– Kostucha znów wykiwana – podsumował pan Garcia, już bez podnoszenia głosu.

– Serio – powiedziała mama Kenny'ego. – Nie mógłbyś sobie darować?

Pan Garcia zaśmiał się, odwrócił i pocałował ją w policzek.

---

Na lotnisku była bardzo mała kawiarnia. Bez klientów ani, jak się okazało, obsługi. Kenny, ciągle w ciemnych okularach pilota, usiadł przy stoliku z różową walizką u stóp, podczas gdy jego mama wrzucała monety do telefonu na ścianie. Wybrała numer, odczekała, potem odwiesiła słuchawkę i włożyła te same monety jeszcze raz. Dopiero kiedy wybrała inny numer, udało jej się z kimś połączyć.

– No, było zajęte – powiedziała do słuchawki. – Możesz po niego przyjechać? Bo musimy wracać. Kiedy? W porządku. – Odwiesiła słuchawkę i podeszła do ławki. – Twój tata przyjedzie po ciebie z pracy. Zobaczmy, czy uda mi się kupić gorące kakao dla ciebie i kawę dla mnie.

Przez szklane drzwi kawiarni Kenny widział biuro lotniska. Pan Garcia – też ciągle w swoich ciemnych okularach – rozmawiał z jakimś mężczyzną siedzącym za biurkiem. Kenny usłyszał głośne wirowanie maszyny do gorącej czekolady. Mama przyniosła mu napój w styropianowym kubku, ale okazał się zbyt wodnisty. Nie wypił go do końca.

Tata przyjechał kombi. Wysiadając z samochodu, nie zgasił silnika. Był w spodniach kucharza i ciężkich butach. Uścisnął dłoń pana Garcii, zamienił parę słów z mamą Kenny'ego, potem podniósł małą różową walizkę i zaniósł ją do auta.

Kenny usiadł z przodu, tak jak w samolocie. Gdy wyjeżdżali z parkingu, ojciec zapytał chłopca o jego ciemne okulary.

– Dostałem je od pana Garcii – wyjaśnił Kenny.

Opowiedział ojcu o celowaniu w Mount Shasta, potem o wycieczce do zoo, minigolfie i oglądaniu starego domu.

– Aha – powiedział ojciec. Powtórzył to, kiedy Kenny wspomniał o wyprowadzce Callendarów.

W drodze powrotnej do miasta i restauracji Niebieska Guma Kenny wyglądał przez okno, wpatrywał się w niebo oczami granatowymi od szkieł okularów w metalowych oprawkach. Pan Garcia prawdopodobnie już wystartował, więc chłopiec miał nadzieję, że zobaczy samolot. Mama będzie siedziała na miejscu drugiego pilota.

Ale nie było po nich śladu. Żadnego.

# Oto refleksje mojego serca

Nie zamierzała kupować starej maszyny do pisania. Nie potrzebowała i nie chciała żadnych dodatkowych rzeczy – nowych, używanych, staroci – niczego. Zarzekła się, że poradzi sobie z niedawnymi niepowodzeniami natury osobistej, przechodząc na spartański tryb życia; nowy minimalizm, żywot, który zmieściłby się jej w aucie.

Lubiła swoje małe mieszkanie na zachód od rzeki Cuyahoga. Wyrzuciła wszystkie ubrania, które nosiła dla niego, Ćwoka; gotowała sobie prawie co wieczór i słuchała wielu podcastów. Oszczędności powinny jej wystarczyć do Nowego Roku, dzięki czemu mogła sobie pozwolić na leniwe lato bez zobowiązań. W styczniu jezioro zamarznie i prawdopodobnie popękają rury w jej budynku, ale do tej pory zdąży już wyjechać. Do Nowego Jorku albo Atlanty, albo Austin, albo Nowego Orleanu. Miała mnóstwo możliwości, pod warunkiem że będzie podróżować z niewielkim bagażem. Tyle że kościół metodystów w Lakewood, na rogu Michigan i Sycamore, urządzał w sobotę wyprzedaż na parkingu, zbierając pieniądze dla miejscowej społeczności: na darmową opiekę dzienną, mityngi programu dwunastu kroków i – nie była pewna – może kuchnię na kółkach. Nie chodziła do kościoła, nie była też chrzczoną metodystką, ale uznała, że przechadzki po parkingu zastawionym stolikami z rupieciami na wyprzedaży nie podpadają pod ceremonię religijną.

Dla hecy prawie kupiła zestaw aluminiowych tac obiadowych, lecz na trzech były ślady rdzy. W pudełkach ze sztuczną biżuterią nie ukrywał się żaden skarb. Ale wtedy zobaczyła zestaw do robienia lizaków. Jako dziecko wlewała kool-aid albo sok pomarańczowy do foremek i wkładała do nich opatentowane plastikowe patyczki, z których powstawały niedrogie mrożone smakołyki, kiedy w zamrażarce fizyka zrobiła swoje. Prawie poczuła gorący letni wiatr na pogórzu i lepkość dłoni od roztapiających się owocowych lodów. Kupiła zestaw za dolara, nie próbując nic utargować.

Na tym samym stoliku była maszyna do pisania koloru spłowiałej popartowej czerwieni – żadna atrakcja. Jej wzrok przyciągnęła nalepka w lewym górnym rogu obudowy. Małymi literami i podkreślone (szóstka plus zmieniak rejestru) widniało zdanie napisane przez pierwszego właściciela:

to są refleksje mojego serca

Wyrazy mogły tam trafić nawet trzydzieści lat temu, kiedy maszyna była zupełnie nowa, dopiero co rozpakowana, być może kupiona w prezencie na trzynaste urodziny jakiejś dziewczynki. Kolejny właściciel wstukał na kartce KUP MNIE ZA 5$, po czym wkręcił ją do wózka.

Maszyna była przenośna, z pokrywą z plastiku. Taśmę miała dwubarwną: czarną i czerwoną, a w obudowie został otwór w miejscu, gdzie kiedyś widniała nazwa marki: Smith Corona albo Brother, albo Olivetti. Do kompletu należała też czerwonawa skórzana walizka z klapą i zatrzaskiem.

Uderzyła w trzy klawisze – A, F i P – wszystkie plasnęły o papier i wróciły na miejsce. Więc to coś działało... chyba.

– Za tę maszynę naprawdę tylko pięć dolarów? – zapytała panią metodystkę przy pobliskim stoliku do kart.

– Tę? – upewniła się kobieta. – Chyba działa, ale nikt już nie pisze na maszynie.

Nie o to pytała, ale było jej wszystko jedno.

– Wezmę.

– Pieniążki.

Tak oto metodyści wzbogacili się o pięć dolców.

---

W mieszkaniu przygotowała zestaw lizaków z soku ananasowego na później wieczorem. Zje kilka, kiedy się ochłodzi, kiedy będzie mogła otworzyć okna i poprzyglądać się pierwszym świetlikom wieczoru. Wyciągnęła maszynę z taniego futerału, ustawiła ją na maleńkim stole w kuchni i wkręciła kartkę do drukarki z podajnika jej laserwritera. Sprawdziła każdy klawisz – wiele się zacinało. Brakowało jednej z czterech gumowych nóżek na spodzie obudowy, więc maszyna trochę się kiwała. Uderzyła po kolei w każdy klawisz z górnego rzędu, potem przeszła na duże litery, usiłując, z częściowym sukcesem, rozruszać mechanizm. Choć taśma była stara, litery dało się odczytać. Przetestowała odległości między wierszami po przesunięciu karetki – pojedynczą i podwójną – i wszystko działało, w odróżnieniu od dzwonka. Suwaki marginesów poszorowały, po czym się zacięły.

Maszynę trzeba było porządnie wyczyścić i naoliwić, co jej zdaniem powinno kosztować mniej więcej dwadzieścia pięć dolarów. Zajmowała ją jednak poważniejsza zagadka, której stawiali czoło wszyscy nabywcy maszyny do pisania w trzecim tysiącleciu: jaki jest jej cel? Adresowanie kopert. Mama ucieszy się na widok wystukanych na maszynie listów córki wędrowniczki. Mogłaby wysyłać anonimowe paszkwile do swojego byłego, na przykład: „Hej, Ćwoku, to był twój kurewsko wielki błąd!", nie przejmując się, że zostawi ślad w internecie. Mogła coś wstukać, zrobić zdjęcie telefonem, potem wrzucić je na blog i na Facebooka. Mogła sporządzać listy rzeczy do zrobienia na lodówkę. W ten sposób uzbierała pięć retrohipsterskich powodów, żeby wejść w posiadanie nowej starej maszyny do pisania. Dorzućmy do tego parę jej refleksji od serca i będzie szósty.

Wpisała motto pierwszego właściciela.

T osą re f leks je moj e go s e rc a.

Spacja przeskakiwała, tak nie mogło być. Wzięła telefon i wygooglowała naprawę starych maszyn do pisania.

Trzy wyniki dały jej wybór między oddaloną o dwie godziny pracownią przy Ashtabula, serwisem w centrum, gdzie nikt nie odbierał połączenia, i (o dziwo) Detroit Avenue: Maszynami Biurowymi, które znajdowały się parę minut od niej. Znała ten punkt – był obok sklepu z oponami. Mijała go wiele razy po drodze do pewnej świetnej pizzerii i trochę dalej, do sklepu z materiałami artystycznymi, który szykował się do plajty. Myślała, że w małym lokalu naprawiano komputery i drukarki, więc po kilkuminutowym spacerze, przyjrzawszy się z bliska wystawie, rozbawiona zobaczyła starą maszynę sumującą, trzydziestoletnią automatyczną sekretarkę, niejaki „dyktafon" i wiekową maszynę do pisania. Kiedy weszła, nad drzwiami rozbrzmiał dzwonek.

Po jednej stronie sklepu stały same drukarki – w pudłach z tonerami do każdego modelu. Druga strona przypominała Muzeum Osprzętu Biurowego z Zamierzchłych Czasów. Były tam sumatory z osiemdziesięcioma jeden klawiszami i wajchą, jednorazowe kalkulatory dziesięciocyfrowe, maszyna stenograficzna, modele IBM Selectric, większość w beżowych obudowach, a na półkach ściennych dziesiątki najróżniejszych maszyn do pisania połyskujących czernią, czerwienią, zielenią i nawet błękitem. Wszystkie wyglądały na sprawne.

Lada mieściła się na tyłach sklepu. Za nią były biurka i stół warsztatowy, na którym jakiś starszy pan przeglądał papiery.

– Czym mogę służyć młodej damie? – zapytał z lekkim akcentem, prawdopodobnie polskim.

– Liczę, że uda się panu uratować mój nabytek – powiedziała.

Położyła skórzaną walizeczkę na ladzie. Odczepiła zatrzask i wyciągnęła maszynę. Na jej widok staruszek westchnął.

– Wiem – przyznała. – To cacko wymaga pracy. Połowa klawiszy się zacina. Kiwa się przy pisaniu, a spacja szwankuje. I nie ma dzwonka.

– Nie ma dzwonka – powtórzył. – Aha.

– Pomoże pan kobiecie w tarapatach? Utopiłam w niej pięć dolców.

Staruszek spojrzał na nią, potem z powrotem na maszynę. Westchnął jeszcze raz.

– Młoda damo, tu nic się nie da zrobić.

Zdziwiła się. Z tego, co zdążyła zobaczyć, to było idealne miejsce, żeby doprowadzić takie właśnie urządzenie do stanu używalności. Na litość boską, na stole za staruszkiem widziała rozmontowane maszyny i ich części.

– Bo żadna z tamtych części nie będzie do niej pasować?

– Do tego nie ma części – oznajmił, machając dłonią nad matowoczerwoną maszyną i skórzanym futerałem.

– Musiałby je pan zamówić? Nie ma pośpiechu.

– Nie rozumie pani. – Na krawędzi lady stało pudełeczko z jego wizytówkami. Wyjął jedną z nich i jej ją wręczył. – Co tu jest napisane, młoda damo?

Przeczytała wizytówkę.

– DETROIT AVENUE: MASZYNY BIUROWE. *Drukarki. Sprzedaż. Serwis. Naprawa.* W niedzielę, czyli jutro, zamknięte – wyrecytowała. – Otwarte od dziewiątej do szesnastej. W soboty od dziesiątej do piętnastej. Mój zegarek i pana zegar zgodnie wskazują dwunastą dziewiętnaście. – Odwróciła wizytówkę. Na odwrocie nic nie było. – Czegoś nie zrozumiałam?

– Nazwa sklepu – zwrócił uwagę staruszek. – Proszę przeczytać nazwę mojego sklepu.

– Detroit Avenue: Maszyny Biurowe.

– Właśnie. Maszyny Biurowe.

– Aha. Jasne.

– Młoda damo, zajmuję się maszynami. Ale to? – Kolejne machnięcie dłoni nad jej sprzętem za pięć dolarów. – To bzdura. – Słowo wybrzmiało pogardliwie, prawie jak „bździna". – Zrobiona z plastiku na podobieństwo maszyny do pisania. Ale to nie jest maszyna do pisania.

Zdjął obudowę z tej, jak ją nazwał, bzdury, a plastik wygiął się, po czym odczepił z trzaskiem, odsłaniając wnętrze.

– Czcionki, dźwignie, szpulki z taśmą – z plastiku. Przycisk zmiany kierunku taśmy. Widełki.

Nie miała pojęcia, że w maszynie do pisania są widełki.

Postukał w klawisze, pociągnął za dźwignię, przesunął wózek w obie strony, pokręcił wałkiem, nacisnął cofacz – wszystko z obrzydzeniem.

– Maszyna to narzędzie. Które, w rękach właściwej osoby, może zmienić świat. A to? To ma jedynie zajmować miejsce i hałasować.

– Czy mógłby pan przynajmniej ją trochę naoliwić, żebym też mogła spróbować zmienić świat? – poprosiła.

– Mógłbym ją wyczyścić, naoliwić, dokręcić każdą śrubkę. Naprawić dzwonek. Policzyć pani sześćdziesiąt dolarów i posypać maszynę czarodziejskim pyłem. Ale to by było w stosunku do pani nie fair. Za rok spacja znów zaczęłaby...

– Szwankować?

– Proszę zanieść ją do domu i wsadzić w nią kwiatek. – Gestem owijania martwej ryby gazetą wsunął maszynę z powrotem do walizki.

Zrobiło jej się przykro, zupełnie jakby jej nauczyciel był rozczarowany zadaniem, do którego się nie przyłożyła, nieprzemyślanym wypracowaniem, które oddała. Gdyby była nadal z Ćwokiem, ten stałby teraz obok staruszka i przytakiwał: „Mówiłem ci, że to stary rupieć. Pięć dolarów? Wyrzucone w błoto!".

– Proszę spojrzeć. – Staruszek pomachał na maszyny stojące w rzędach na półkach. – To są maszyny. Są ze stali. Są dziełami inżynierów. Skonstruowano je w fabrykach w Stanach, Niemczech, Szwajcarii. Wie pani, dlaczego stoją teraz na tej półce?

– Bo są na sprzedaż?

– Bo zostały solidnie zrobione! – Staruszek naprawdę wrzasnął.

Usłyszała wtedy ryk swojego ojca: „Kto zostawił te rowery na trawniku przed domem...? Dlaczego tylko ja jestem ubrany do kościoła...? Głowa domu wróciła i nikt go nie wyściska?". Dotarło do niej, że uśmiecha się do staruszka.

– Ta – zaczął, przechodząc do półek. Zdjął czarnego remingtona 7, model o nazwie Bezgłośny. – Proszę mi podać tamten bloczek.

Znalazła blok czystego papieru na ladzie i mu go wręczyła. Staruszek wyrwał dwie kartki i wkręcił je w połyskującą, lśniącą maszynę.

– Proszę posłuchać. – Wpisał wyrazy:

Detroit Avenue: Maszyny Biurowe.

Litery spłynęły szeptem na stronę, jedna po drugiej.

– Ameryka była zaganiana – powiedział staruszek. – Pracowano w zatłoczonych biurach, małych mieszkaniach, w pociągach. Remington sprzedawał maszyny od lat. Ktoś zaproponował: „Zbudujmy mniejszą, cichszą maszynę. Pozbądźmy się hałasu". I tak zrobili! Czy używali plastikowych części? Nie! Zaprojektowali od nowa napięcie, siłę uderzenia. Stworzyli maszynę do pisania tak cichą, że można ją było sprzedawać jako „bezgłośną". Proszę coś napisać.

Odwrócił do niej maszynę. Wystukała:

Wycisz się. Piszę na maszynie.

– Nic nie słychać – przyznała. – Robi wrażenie. – Wskazała dwubarwne urządzenie, zaokrąglone i kremowo-niebieskie. – A ta też jest cicha?

– Aha. Royal. – Odstawił czarnego remingtona 7 i ściągnął przepiękną małą maszynę do pisania. – Przenośne safari. Porządny model.

Wkręcił jeszcze dwie kartki i dopuścił ją do klawiatury. Pomyślała o wyrazach związanych z safari.

Mogambo.
Diabeł z Bwany.
„Miałam w Afryce farmę..."

Maszyna była głośniejsza niż Bezgłośna, a klawisze nie chodziły tak lekko. Ale royal miał dodatki, które powstały już po wprowadzeniu na rynek remingtona. Klawisz jedynki z wykrzyknikiem. Przycisk z napisem MAGICZNE KOLUMNY. I była dwubarwna!

– Czy jej królewska mość jest na sprzedaż? – zapytała.

Staruszek popatrzył na nią z uśmiechem i skinął.

– Tak. Ale proszę mi powiedzieć: dlaczego?

– Dlaczego chcę mieć maszynę do pisania?

– Dlaczego chce pani akurat tę maszynę do pisania?

– Próbuje mnie pan odwieść od zakupu?

– Młoda damo, sprzedam pani każdą maszynę, jaką sobie pani zażyczy. Wezmę pani pieniądze i pomacham pani na pożegnanie. Ale proszę mi powiedzieć, dlaczego właśnie ten royal safari? Ze względu na kolor? Czcionkę? Białe klawisze?

Musiała to sobie przemyśleć. Znów poczuła się jak w szkole, przed sprawdzianem, którego nie zaliczy, przed kartkówką z nieprzeczytanej lektury.

– Przez mój zmienny gust – wyjaśniła. – Bo przyniosłam tamtą bzdurę do domu i przyszło mi do głowy, że wolałabym pisać na maszynie niż długopisem i ołówkiem, ale to cholerstwo się zacina, a miejscowy warsztat naprawy maszyn do pisania nie chce się go dotknąć. Oczami duszy widzę siebie siedzącą przy moim małym stole w moim małym mieszkaniu, wstukującą notatki i listy. Mam laptopa, drukarkę, iPada, a teraz też to. – Pokazała swojego iPhone'a. – Korzystam z nich tak często jak każda współczesna kobieta, ale...

Urwała. Zaczęła się teraz zastanawiać, co faktycznie skłoniło ją do zakupu maszyny do pisania za pięć dolarów – z lewą spacją i bez dzwonka – i dlaczego była teraz w tym sklepie, prowadząc de facto kłótnię ze staruszkiem, podczas gdy jeszcze wczoraj stare maszyny do pisania były jej obojętne.

Ciągnęła.

– Mam zamaszysty, zaokrąglony charakter pisma, trochę jak mała dziewczynka, więc moje teksty kojarzą się z plakatem kampanii społecznej w poczekalni u lekarza. Nie jestem z tych, którzy przerywają stukanie na maszynie, żeby pociągnąć łyk z karafki albo sięgnąć po szluga z paczki. Chcę tylko spisać te kilka rzeczy o życiu, których się dowiedziałam.

Wróciła do lady i podniosła skórzaną walizeczkę. Wyszarpnęła z niej plastikową maszynę, zaniosła ją na półkę i prawie cisnęła obok royala safari. Wskazała nalepkę na obudowie.

– Chcę, żeby moje na razie niepoczęte dzieci pewnego dnia przeczytały refleksje mojego serca. Osobiście będę je wbijała we włókna papieru strona za stroną, jak prawdziwy strumień świadomości, który będę składować w pudełku po butach, aż moje dzieci będą na tyle duże, żeby poczytać, ale też porozmyślać o kondycji człowieka! – Słyszała, że krzyczy. – Będą sobie nawzajem podawać kartki ze słowami: „Czyli to właśnie robiła mama, hałasując tak na maszynie do pisania", i przepraszam! Krzyczę!

– Aha.

– Dlaczego krzyczę?

Staruszek mrugnął do młodej damy.

– Szuka pani trwałości.

– Chyba tak! – Urwała na chwilę, żeby zaczerpnąć powietrza, po czym opróżniła płuca, wydając westchnienie, od którego wydęły się jej policzki. – To ile za tę maszynę z dżunglandii?

W sklepie na chwilę zapadła cisza. Staruszek przyłożył palec do ust w zamyśleniu. Zastanawiał się, co powiedzieć.

– To nie jest maszyna dla pani. – Podniósł dwubarwnego royala i odstawił go na półkę na ścianie. – To sprzęt dla młodej dziewczyny zaczynającej pierwszy rok studiów, fiu-bździu w głowie, przekonanej, że niedługo spotka mężczyznę swoich marzeń. To maszyna do wypracowań.

Zdjął poręczną maszynę w obudowie koloru zielonej piany morskiej. Jej klawisze były nieco jaśniejsze.

– Tę – zaczął, znów wkręcając dwie kartki do wałka – zrobiono w Szwajcarii. Szwajcarzy produkowali kiedyś, oprócz zegarów z kukułką, czekolady i drogich zegarków, najlepsze maszyny do pisania na świecie. W tysiąc dziewięćset pięćdziesiątym dziewiątym roku zrobili tę. Hermes dwa tysiące. Szczytowe osiągnięcie, najlepszy model, którego nigdy nic nie przebiło. Nazwać ją mercedesem maszyn do pisania to schlebiać mercedesowi. Proszę coś napisać.

Poczuła się zdeprymowana zielonym mechanizmem, który miała przed sobą. Co takiego mogła wyrazić na sześćdziesięcioletnim cudzie szwajcarskiego rzemiosła? Dokąd pojechałaby starym benzem?

W górach nad Genewą
Pada śnieg, biały i czysty
A dzieci jedzą kakaowe płatki
Z miseczek bez mleka.

– Czcionka to Epoca – wyjaśnił. – Proszę się przyjrzeć, jaka jest równa i porządna. Jak od linijki. To cała Szwajcaria. Widzi pani otwory w podziałce po obu stronach widełek?

Aha, czyli to są widełki.

– Proszę popatrzeć. – Staruszek wyjął długopis z kieszeni koszuli i włożył końcówkę w jeden z otworów. Zwolnił wózek, przesuwając go w obie strony i podkreślając to, co napisała.

W górach nad Genewą
Pada śnieg, biały i czysty

– Można używać różnych kolorów, żeby inaczej zaznaczać. A widzi pani to z tyłu? – Pokrętło było wielkości naparstka z lekko chropowatą krawędzią. – Służy do regulacji siły uderzeń.

Podkręciła je. Klawisze wyraźnie ciężej chodziły jej pod palcami i musiała bardziej się wysilić.

Zegary z kukułką.

– Kiedy do zrobienia trzech lub czterech odbitek trzeba było pisać przez kalkę, na najmocniejszym ustawieniu można się było przebić do ostatniej kartki. – Zachichotał. – Szwajcarzy przechowywali wiele dokumentów.

Po obrocie pokrętła w drugą stronę klawisze chodziły lekko jak piórko.

Zegary. Mercedes Hermes 2000000

– Też jest prawie bezgłośna – zauważyła.

– Owszem. – Pokazał jej, jak łatwo wyznaczyć marginesy, naciskając dźwignie po obu stronach wózka. Tabulatory ustawiało się klawiszem TAB. – Ten hermes powstał w roku, w którym skończyłem dziesięć lat. Jest niezniszczalny.

– Tak jak pan.

Staruszek uśmiechnął się do młodej damy.

– Pani dzieci będą się na niej uczyły pisać.

To się jej spodobało.

– Ile kosztuje?

– Nieważne – odparł staruszek. – Sprzedam ją pani pod jednym warunkiem. Że będzie pani z niej korzystać.

– Cóż, nie chcę być niegrzeczna, ale... jakżeby inaczej!

– Niech ta maszyna stanie się częścią pani życia. Częścią pani dnia. Nie chcę, żeby popisała pani na niej kilka razy, a potem potrzebowała miejsca na stole i zamknęła ją z powrotem w walizce, po czym postawiła na półce z tyłu szafy. Jeżeli to pani zrobi, to być może już nigdy pani do niej nie usiądzie. – Otworzył szafkę pod wystawą starych sumatorów, przeszukując zapasowe futerały. Wyciągnął coś, co wyglądało jak kwadratowa zielona walizka z klapką na zatrzask. – Czy kupiłaby pani wieżę i nie słuchała płyt? Maszyny do pisania muszą być używane. Tak jak żaglówka musi pływać, a samolot latać. Po co komu pianino, na którym nikt nie gra? Okrywa się kurzem, a w pani życiu nie ma muzyki.

Włożył hermesa 2000 do zielonej walizki.

– Proszę postawić maszynę na stole, gdzie będzie ją pani widziała. Trzymać pod ręką ryzę papieru. Używać dwóch kartek, żeby oszczędzać wałek. Zamówić koperty i własną papeterię. Dołożę pani pokrowiec, nieodpłatnie, ale proszę go zdjąć, kiedy maszyna będzie w domu, żeby zawsze była gotowa do użycia.

– To znaczy, że jesteśmy w trakcie ustalania ceny?

– Chyba tak.

– Ile?

– Ech – zaczął staruszek. – Te maszyny są bezcenne. Poprzednią sprzedałem za trzysta dolarów. Ale dla młodych dam? Pięćdziesiąt.

– A może coś za tę moją oddaną? – Pokazała przyniesioną bzdurę. Targowała się.

Staruszek łypnął na młodą damę, jakby chciał jej posłać zły urok.

– Jeszcze raz: ile panią kosztowała?

– Pięć dolarów.

– Dała się pani nabrać. – Wydął wargi. – Czterdzieści pięć. Jeżeli żona się kiedyś dowie, na co ja się tu godzę, to będzie rozwód.

– W takim razie zachowajmy to dla siebie.

---

Jedno trzeba było o hermesie 2000 powiedzieć – był dużo cięższy od bzdury. Zielona walizka obijała się jej o nogi, kiedy niosła go do domu. Zatrzymała się dwa razy, stawiając maszynę na ziemi; nie musiała odpoczywać, ale dłonie jej się spociły.

Po powrocie do mieszkania wypełniła, zgodnie z obietnicą, wszystkie zalecenia. Maszyna koloru zielonej piany morskiej trafiła na mały stolik kuchenny, a obok niej stanął papier. Zrobiła sobie dwa tosty z awokado i pokroiła gruszkę – to jej kolacja. Włączyła iTunes w telefonie i nacisnęła PLAY, dla nagłośnienia włożyła aparat do pustego kubka po kawie, gdzie Joni śpiewała swoje stare piosenki, a Adele nowe, kiedy ona skubała posiłek.

Wytarła dłonie z okruszków. W końcu, przejęta faktem posiadania jednej z najlepszych maszyn do pisania, jakie zeszły z Alp, wkręciła dwie kartki do wałka i zaczęła pisać.

DO ZROBIENIA:

PAPETERIA – KOPERTY & PAPIER LISTOWY
NAPISAĆ DO MAMY RAZ W TYGODNIU?
Zakupy: jogurt / miód/ 1/2 & 1/2
Soki różne
Orzechy (różne)
oliwa (grecka)
pomidory & Cebule/szalotki. OGÓRKI!
Gramofon/wieża (tanie). Kościół metodystów?
Mata do jogi.
Depilacja.
Umówić się do dentysty
Lekcje fortepianu (czemu nie?)

– No dobra – powiedziała do siebie na głos, sama w mieszkaniu. – To se popisałam.

Odepchnęła się od stołu, od zielonej piany hermesa. Wyciągnęła z maszyny listę rzeczy do zrobienia i przyczepiła ją magnesem do drzwi lodówki. Wyjęła foremkę z zamrażarki i polała ją ciepłą wodą nad zlewem, uwalniając jeden z ananasowych lizaków. Spodziewała się, że zje też drugi, więc włożyła foremkę do lodówki, na chłodzenie do czasu, aż przyjdzie jej ochota na dokładkę.

W salonie otworzyła okna, żeby trochę przewietrzyć. Słońce zaszło, niedługo rozbłysną pierwsze świetliki wieczoru. Usiadła na parapecie, delektując się chłodnym, uformowanym ananasem, i przyglądała się, jak wiewiórki biegają po drutach telefonicznych, a ich ciała i ogonki układają się w idealną sinusoidę. Siedząc tam, zjadła też drugi lizak, aż świetliki zaczęły unosić się czarodziejsko nad połaciami trawy i chodnika.

W kuchni opłukała dłonie i przełożyła foremkę do zamrażarki. Jutro będzie na nią czekać kolejne sześć lizaków. Popatrzyła na maszynę na stole.

Przyszedł jej do głowy pewien pomysł. Jak to jest, zastanowiło ją, że przeciętna kobieta, singielka po rozstaniu, upija się sama winem w smutnym, pustym mieszkaniu, aż urywa się jej film na kanapie z, dajmy na to, *Gospodyniami z kasą* w telewizji? Nie miała telewizora, a jej ostatnim pozostałym nałogiem były lizaki domowej roboty. W życiu nie urwał się jej film po winie.

Usiadła przy stole i wkręciła do hermesa 2000 dwie kolejne kartki. Ustawiła blisko marginesy, jak w gazetowej kolumnie, a odstęp między wierszami na półtora.

Napisała:

Refleksja mojego serca

po czym cofnęła wózek i zaczęła od akapitu. Jej prawie bezgłośne pisanie rozchodziło się cichym echem po mieszkaniu i przez otwarte okno aż do późna w nocy.

# Miejskie sprawy. Felieton Hanka Fiseta

## Z POWROTEM Z POWROTU W CZASIE

Czasami wydający „Dziennik/ /Herald Trójmiejski" tyrani (czyżbym napisał „tyrani"? Oczywiście „tytani") finansują moje wyjazdy z żoną, na których łączę przyjemne z (zawodowo) pożytecznym – opłacone wycieczki do Rzymu (w Ohio), Paryża (w Illinois) i rodzinnego domu (małżonki) na brzegu jeziora Nixon, krótkie wypady później przekuwane w tysiąc wyrazów na jedynkę, a w każdym razie taka jest wersja oficjalna. W zeszłym tygodniu miałem służbową przygodę, że głowa mała. Wyobraźcie sobie: cofnąłem się w czasie! Nie przeniosłem się do epoki dinozaurów, nie oglądałem upadku caratu ani nie wziąłem na słowo kapitana Titanica. Za to zsunąłem się w czasie do własnej przeszłości, oparów wspomnień, przeniesiony za sprawą pewnej prostej, acz magicznej maszyny...

***

Zwykłe sprawy mają niezwykły koniec: szykowałem się, żeby opisać wam, moim czytelnikom, cotygodniowy kiermasz w starym kinie samochodowym Empire w Santa Alameda, gigantyczny pchli targ, któremu stuknął właśnie trzydziesty dziewiąty rok, miejsce, gdzie nie brakuje sentymentalnych rupieci i rzeczy używanych. Stare sprzęty kuchenne, stare ubrania, stare książki, tony bibelotów w stanie dobrym, w stanie lichym, sterty używanych narzędzi i całe skrzynki nowych, zabawki, lampy, krzesła nie od kompletu i zestaw setek okularów słonecznych jak spod igły – wszystko to teraz wypracowuje zysk tam, gdzie wcześniej zmotoryzowani widzowie parkowali, żeby obejrzeć, dajmy na to, *Na wschód od Jawy* na odległym, przypominającym billboard ekranie. Słuchali filmu przez głośniczki wielkości tostera przyczepiane do okna samochodu. Filmy w mono...

***

Wyobraźcie sobie krzyżówkę największej ogródkowej wyprzedaży zachodniego świata z megaobniżką przed ostatecznym zamknięciem całej sieci Sears, a będziecie mieli pojęcie o ogromie Giełdy, jak ją zwą miejscowi. Cały dzień można się przechadzać wśród stoisk ustawionych na górkach między słupkami na głośniki, podjadać chili dogi i słodki popcorn, ostrzyć sobie zęby na wszystko, co wpadnie wam w oko, ograniczając się jedynie zasobnością portfela i pojemnością bagażnika. Gdybym chciał, mógłbym za niecałe dwieście dolarów kupić stół z sekwoi z sękami, lodówkozamrażarkę Amana z lat sześćdziesiątych albo przednie i tylne siedzenia wymontowane z mercury montego. Całe szczęście, że już to wszystko mam!

***

Szykowałem się, żeby zajść do baru szybkiej obsługi na golonego loda z limonką, kiedy mój wzrok padł na starą maszynę do pisania, przenośnego hebanowego underwooda, który, jak babcię kocham, połyskiwał na słońcu niczym podrasowany hot rod Springsteena. Z pobieżnego przeglądu wynikało, że taśma, po nieznacznym naciągnięciu szpuli, się nadaje, a w futerale z ułamaną rączką jest mały zapas wymazywalnego peluru. Choć w tych czasach maszyna do pisania jest człowiekowi potrzebna jak siekiera do wycinki, zaproponowałem dzieciakowi ze stoiska całe „czterdzieści dolarów za tę starą maszynę z pękniętym futerałem", a on na to: „Stoi". Powinienem był dać dwie dychy. Albo piątaka.

***

Po powrocie do domu ustawiłem maszynę na blacie w kuchni i przetestowałem, wstukując pchnąćwtęłódźjeżalubośmskrzyńfig. D się trochę zacinało, A lekko zapadało. Ale wszystkie cyfry chodziły, a po kilkakrotnym postukaniu i interpunkcja się rozruszała. Napisałem: Dziś kupiłem tę maszynę do pisania i, o dziwo, działa, po czym czysto i klarownie wybrzmiał dzwonek na koniec wiersza i ni stąd, ni zowąd, szustnęło mnie przez kontinuum czasoprzestrzeni w podróż w przeszłość, która trwała albo mgnienie oka, albo ostatnie czterdzieści dziewięć lat.

***

*Dzyń*! Pierwszy postój był w pokoju na zapleczu starego sklepu z częściami samochodowymi mojego taty, gdzie teraz mieści się miejski parking numer 9 przy Webster i Alcorn. Ojciec miał tam dużą starą maszynę, choć nigdy nie widziałem, żeby z niej korzystał. W weekendy, kiedy byłem mały, wstukiwałem na niej drobnymi paluszkami swoje imię. Jako nastolatek za wszelką cenę unikałem sklepu, bo jeżeli się tam pojawiłem, tata zaganiał mnie na resztę dnia do inwentaryzacji.

***

*Dzyń!* W ósmej klasie jestem redaktorem „Frick Junior High School Banner" (Rysie, do boju!) i przyglądam się, jak pani Kaye, nauczycielka dziennikarstwa, wpisuje moją rubrykę „Cześć pracy!" na matrycy powielacza, z której miało powstać trzysta pięćdziesiąt egzemplarzy gazetki szkolnej czytanej w tym nakładzie przez przynajmniej czterdziestu uczniów. Pękałem z dumy na widok swojego nazwiska, które pierwszy raz ukazało się drukiem.

***

*Dzyń!* Jestem teraz w liceum, starej siedzibie Logan High, na piętrze budynku niezabezpieczonego przed trzęsieniem (nic nigdy nie drgnęło), w pokoju przeznaczonym do nauki jednego przedmiotu – maszynopisania na poziomach 1, 2 i 3 dla uczniów, którzy chcieli zdobyć kwalifikacje biurowe. Ławki i niezniszczalne maszyny do pisania nadzorowała osoba tak mało zainteresowana swoimi obowiązkami, że nie przypominam sobie, bym ją/ /jego kiedykolwiek widział. Ktoś puszczał płytę z gramofonu i wstukiwaliśmy wywołaną literę. Jeden semestr maszynopisania wystarczył, żebym zgłosił się na ochotnika do ekipy audiowizualnej. Zamiast siedzieć w sali, kursowałem po korytarzach szkoły, roznosząc projektory i pomagając nauczycielom zakładać taśmę, bo sobie z tym nie radzili. I tak oto nigdy nie zapoznałem się z mnogością formatów korespondencji służbowej ani nie zgłębiłem tajników „nagłówka". Byłaby ze mnie mierna sekretarka. A i tak od tamtej pory ciągle stukam.

***

*Dzyń*! Druga w nocy, jestem w pokoju akademika Wardell-Pierce College i wklepuję esej (do oddania za osiem godzin) na retorykę – owszem, mieliśmy taki przedmiot. Tytuł pracy to *Krytyka komparatywna w dziennikarstwie sportowym: bejsbol/lekkoatletyka*, wybrany, bo byłem dziennikarzem sportowym w „Wardell-Pierce Pioneer" i w tym tygodniu pisałem i o meczu bejsbola, i o mityngu. Mój kolega z pokoju, Don Gammelgaard, usiłować spać, ale mnie gonił termin. A ponieważ padało, nie było mowy, żebym zasuwał przez dziedziniec do świetlicy. O ile pamięć mnie nie myli, retorykę zaliczyłem koncertowo*.

***

*Dzyń*! Jestem przy tak zwanym biurku w tak zwanej redakcji „Greensheet Gratis", darmowego poradnika konsumenta, któremu kiedyś Trójmiasto zawdzięczało masę kuponów, reklam i zamieszczonych na końcu lokalnych spraw, dzięki czemu zwykli ludzie mogli zobaczyć swoje nazwiska drukiem. Pisałem artykuł o wystawie psów odbywającej się właśnie w starym miejskim audytorium – moja stawka: piętnaście dolarów! – kiedy podeszła najpiękniejsza kobieta, jaka kiedykolwiek do mnie zagadała, ze słowami: „Szybko pan pisze". Miała rację, a ponieważ w ogóle byłem szybki, zawróciłem jej w głowie, poślubiłem ją i od przeszło czterdziestu lat jestem jej czarusiem.

***

Ten sam okaz amerykańskiej kobiecości ściągnął mnie z powrotem z powrotu w czasie, wkraczając do kuchni i nakazując mi sprzątnąć maszynę i nakryć do stołu. Przychodziły wnuczki, a w menu było samoobsługowe taco, więc szykował się bałagan. Underwood ma niewyjaśnione moce, jest wehikułem moich marzeń, więc szybko zamknąłem go z powrotem w futerale i odniosłem na półkę w domowym biurze. W nocy chyba lśni w ciemności...

* Poprawka: z dokumentacji wynika, że z retoryki w W-P dostałem cztery z minusem. Za pomyłkę przepraszam...

underwood

# Przeszłość jest dla nas ważna

Ponieważ w jego samolocie montowano nowomodny wystrój, J.J. Cox dał się podrzucić do Nowego Jorku na pokładzie panrejsowego szeptodrzutowca Berta Allenberry'ego.

– Bert, miałem cię za bystrego człowieka! – wrzeszczał na swojego przyjaciela J.J.

Poznali się w college'u, jako dwudziestolatkowie, wtedy jeszcze kierowcy FedEksu, zadziorni i buńczuczni – dwie głowy, ogrom pomysłów. Za zarobione pieniądze wynajęli garaż bez okien na obrzeżach Saliny w Kansas, który służył im za warsztat i dom. Po trzech i pół roku studwudziestogodzinnych tygodni pracy skonstruowali prototyp cyfrowego przekaźnika zaworu losowego dostępu. Równie dobrze mogliby odkryć ogień. Trzydzieści lat później i z siedmiuset pięćdziesięcioma sześcioma miliardami dolarów na koncie J.J. właśnie się dowiadywał, że Bert zapłacił sześć milionów jakiejś firemce o nazwie Przygody Chronometryczne za – teraz uwaga – w a k a c y j n ą p o d r ó ż w c z a s i e. Nie, nie, nie!

Cindee, czwarta i najmłodsza z dotychczasowych pań Allenberrych, własnoręcznie sprzątała porcelanę po lunchu. Miała wprawę, bo jeszcze rok temu była w tym samolocie stewardessą. Musiała się śpieszyć, do lądowania zostało już tylko kilka minut. Z panrejsowcem były dwa problemy: zawrotna prędkość i zawroty głowy. Loty z Saliny do Nowego Jorku trwały zaledwie sześćdziesiąt cztery minuty, co z trudem wystarczało, żeby oblizać palce po żeberkach w sosie barbecue. Przez przezroczystą podłogę i panoramiczne iluminatory można się było najeść w powietrzu niezłego strachu, zwłaszcza gdy ktoś cierpiał na lęk wysokości.

– Myślałam, że podali nam jakiś narkotyk – zawołała Cindee z kuchni. – Budzisz się z koszmarnym bólem głowy, a pokój wygląda zupełnie inaczej. Potem z miejsca uderzasz w kimono i śpisz wiele godzin.

J.J. nie mógł uwierzyć w to, co usłyszał.

– Spróbujmy rozgryźć ten przekręt. Wchodzisz do pokoju, zasypiasz i budzisz się kiedy?

– W tysiąc dziewięćset trzydziestym dziewiątym – przyznał zadowolony Bert.

– No przecież – prychnął J.J. – Ale potem tracisz przytomność i budzisz się znowu w tysiąc dziewięćset trzydziestym dziewiątym.

– W centrum Nowego Jorku. W hotelu przy Ósmej Alei. – Bert patrzył w dół przez kadłub. Pensylwania przechodziła w New Jersey. – Pokój tysiąc sto czternaście.

– I spędzasz cały dzień w hotelu? – J.J. miał ochotę puknąć się w czoło, jak również wbić trochę rozumu do łepetyny swojego przyjaciela i wspólnika.

– Wszystko wygląda autentycznie – ciągnęła Cindee, wróciwszy na miejsce, żeby zapiąć pas przed lądowaniem. – Wszystkiego można dotykać. Można jeść i pić. I wąchać. Od mężczyzn czuć śmierdzącym olejkiem do włosów, a kobiety są za mocno umalowane, i wszyscy palą. A te ich zęby! Krzywe i poplamione.

– W powietrzu unosi się woń palonej kawy. – Bert się uśmiechał. – Z fabryki w New Jersey.

– Obudziliście się w tysiąc dziewięćset trzydziestym dziewiątym roku – podsumował J.J. – I poczuliście kawę.

– Potem Cindee zabrała mnie na Wystawę Światową – powiedział Bert. – Na moje urodziny. Mieliśmy vipowskie zaproszenia.

– To była niespodzianka. – Cindee posłała mężowi uśmiech i wzięła go za rękę. – Szóstkę przed zerem stawia się tylko raz w życiu.

J.J. miał pytanie.

– Dlaczego nie cofnąć się w czasie, żeby zobaczyć podpisanie *Deklaracji niepodległości* albo Jezusa na krzyżu?

– Można się przenieść tylko do roku tysiąc dziewięćset trzydziestego dziewiątego – wyjaśnił Bert. – Do ósmego czerwca tysiąc dziewięćset trzydziestego dziewiątego. Przygody Chronometryczne mają oddział w Cleveland. Tam można się cofnąć do tysiąc dziewięćset dwudziestego siódmego roku i obejrzeć, jak Babe Ruth wybija piłkę za boisko, ale nie jestem fanem bejsbola.

– Babe Ruth. W Cleveland. – J.J. prawie się opluł. – Chryste Panie.

– Cztery razy wybrał się beze mnie – powiedziała Cindee. – Miałam już dość tego, że wszyscy biorą mnie za jego córkę.

– Jutro znowu wracam. – Bert uśmiechnął się na samą myśl.

– Trzydzieści sześć milionów dolarów! – Teraz J.J. się śmiał. – Bert, za połowę tego mogę ci załatwić schadzkę w rajskim ogrodzie z Adamem i Ewą, którzy zatańczą ci limbo na golasa. Będziesz musiał tylko zaufać mojej metodzie.

– Mój mąż najchętniej zostałby w tysiąc dziewięćset trzydziestym dziewiątym roku – przyznała Cindee. – Ale może tam być tylko przez dwadzieścia dwie godziny.

– Dlaczego akurat dwadzieścia dwie godziny? – zapytał J.J.

Bert wyjaśnił mu dlaczego.

– Długość fali w kontinuum czasoprzestrzeni jest skończona. Podróż echem musi mieć swój koniec.

– Dają ci papierowe pieniądze i staroświeckie monety – powiedziała Cindee. – Kupiłam maleńką pozłacaną kosmiczną iglicę i glob.

– Trylon i Perysferę – poprawił ją Bert.

– No właśnie. Ale kiedy się obudziliśmy, został po nich zaschnięty kit.

– To osobliwość molekularna. – Bert nie zapinał pasa przed lądowaniem. Był właścicielem samolotu. Federalna Administracja Lotnictwa mogła mu skoczyć.

– A czemu nie cofnąć się w czasie i nie zmienić historii? – zaciekawił się J.J. – Czemu nie zabijecie Hitlera?

– Nie było go tego dnia na Wystawie Światowej.

Szeptodrzutowiec wytracał prędkość, a ziemia unosiła się im na spotkanie. Silniki przegubowe przechyliły się nieznacznie, żeby wkrótce zezwolić na pionowe lądowanie na dachu budynku przy Piątej Alei 909.

– Poza tym to by niczego nie zmieniło.

– Dlaczego?

– Przez osobliwe styczne wymiarowe – wyjaśnił Bert, patrząc w dół na Central Park, który od tysiąc dziewięćset trzydziestego dziewiątego prawie w ogóle się nie zmienił. – Jest nieskończona liczba stycznych, ale my wszyscy istniejemy tylko na jednej.

J.J. zerknął na Cindee. Ta wzruszyła ramionami – na staruszka nie było rady.

– Lubi oglądać, jak będzie wyglądała przyszłość. Ale my żyjemy w przyszłości. Nic nas już nie zaskoczy.

---

Dwanaście minut później J.J. śmigał swoim poduszkowcem po aerolinii na własną wyspę w cieśninie. Bert i Cindee zjechali prywatną windą z lądowiska na dachu i zaczęli się aklimatyzować w swoim apartamencie na piętrach od dziewięćdziesiątego siódmego do sto drugiego. Cindee od razu sięgnęła do jednej ze swoich szaf po nowy strój. Wybierali się na przyjęcie z okazji dwudziestych piątych urodzin Kick Adler-Johnson i prywatny występ holograficzny Rolling Stonesów. Bert nie znosił Kick Adler-Johnson, choć szanował jej męża, Nicka, który zbił majątek, skupując na całym świecie prawa do powietrza i wody. Poza tym na pracowniczej Wigilii dwa tysiące dziewiętnastego roku, kiedy jeszcze był mężem L'Audrey, żony numer trzy, Stonesi grali na żywo. Wolał zostać w domu, ale Cindee się na to nie zgodzi.

Bert żałował, że nie może przenieść się w czasie właśnie teraz, najpierw w przód, do ranka, i z powrotem do tysiąc dziewięćset trzydziestego dziewiątego roku, na Wystawę wypełnioną tyloma obietnicami na temat świata przyszłości.

---

Podczas tamtej pierwszej urodzinowej wizyty Cindee czuła się w staroświeckim ubraniu jak idiotka. Za to Bert był w siódmym niebie, kiedy włożył dwurzędowy garnitur uszyty na miarę przez krawców Przygód Chronometrycznych. Nie mógł się nadziwić każdemu szczegółowi, każdej sekundzie dwudziestu dwóch godzin spędzonych w tysiąc dziewięćset trzydziestym dziewiątym roku. Jaki był wtedy Nowy Jork! Budynki wcale nie wydawały się wysokie, niebo rozpościerało się swobodnie, na chodnikach wszyscy się mieścili, a samochody i taksówki były olbrzymie i przestronne. Szofer pod krawatem skarżył się na korki aż do parku Flushing Meadows, ale jeżeli tak wyglądał korek, to Bert nie miał nic przeciwko.

Na Wystawie Światowej pokazano wysoki Trylon i olbrzymi glob zwany Perysferą – dwa unikatowe cacka architektury, lśniące jaskrawą bielą na tle błękitu otwartego nieba. Aleje Patriotów i Pionierów nazwano tak bez cienia ironii, a – posłuchajcie tylko – Dziedzińce poświęcono Kolejom i Statkom, fetując technologie wymagające silników wielkości szeptodrzutowca Berta. Była tam olbrzymia maszyna do pisania Underwood, było wodne przedstawienie i był Electro, mechaniczny człowiek, który chodził i liczył na swoich stalowych palcach! Przygody Chronometryczne dostarczyły dwa vipowskie bilety, żeby Bert i Cindee nie musieli stać w żadnej kolejce.

Teren wystawowy lśnił czystością. Flagi i chorągiewki powiewały na lekkim wietrze. Hot dogi kosztowały pięć centów. Zwiedzający mieli ubrania jak spod igły, niektóre kobiety nosiły nawet rękawiczki. Na głowach większości mężczyzn tkwiły kapelusze. Bert chciał zwiedzić cały Świat Jutra, ale Cindee przeszkadzały brzydkie buty i nie miała ochoty na hot dogi. Wyszli koło trzeciej po południu, aby zdążyć na drinki i kolację w hotelu Astor na Times Square. Kiedy oboje znaleźli się z powrotem w pokoju 1114, szykując się do progresji, czyli podróży w przyszłość, Cindee była podchmielona, zmęczona i miała dość papierosowego dymu.

Dwa tygodnie później żona Berta zapakowała do szept-odrzutowca grono swoich przyjaciółek i wszystkie poleciały do spa w Maroku, czemu Bert zawdzięczał kolejne dwadzieścia dwie godziny w tysiąc dziewięćset trzydziestym dziewiątym. U Percy'ego, hotelowego boya, zamówił poranną kawę tylko dla siebie. Zjadł sam śniadanie w kawiarni hotelu Astor, przepięknym lokalu na Times Square. Wziął tego samego taksówkarza pod krawatem. Sam obejrzał zakątki Wystawy, które wcześniej przegapił, w tym Miasto Jutra i Zelektryfikowane Gospodarstwo, zjadł lunch w Kopule Heinza, zlustrował wzrokiem Świątynię Religii i podziwiał raj robotnika – Związek Socjalistycznych Republik Radzieckich. Nasłuchiwał rozmów, chłonął entuzjazm zwiedzających, zwracając uwagę na brak wulgaryzmów i jaskrawe barwy ubrań – nie zobaczył nikogo zupełnie na czarno. Od pracowników Wystawy biła duma z pracy, którą wykonywali w swoich różnorodnych uniformach. I trzeba przyznać: wielu ludzi paliło.

To podczas drugiej wyprawy, bez Cindee, zauważył drobną, uroczą kobietę w zielonej sukni. Siedziała na ławce przy Lagunie Narodów, nad którą górowały potężne rzeźby Czterech Wolności. Nad brązowymi butami z paskiem widać było kawałek dyskretnie odsłoniętej nogi. Kobieta miała małą torebkę i kapelusz, a raczej czapkę z białym kwiatem. Była zajęta ożywioną rozmową z jakąś dziewczynką, ubraną bardziej jak do szkółki niedzielnej niż na wystawę.

Obie się śmiały, gestykulowały, szeptały sobie nawzajem tajemnice jak najlepsze przyjaciółki najlepszego dnia w najlepszym możliwym miejscu – były kobiecym wcieleniem wystawowej duszy.

Nie mogąc oderwać od nich wzroku, Bert przyglądał się, jak wstają z ławki i kierują się w stronę pawilonu Eastmana Kodaka.

Chciał za nimi pójść, pooglądać wystawę ich oczami. Ale na zegarku dochodziła siedemnasta, co znaczyło, że zostało mu niewiele ponad dwie z jego dwudziestu dwóch godzin. Niechętnie skręcił w stronę postoju taksówek przed północnym wejściem przy Bramie Corona.

Kolejny szofer pod krawatem zawiózł go z powrotem na Manhattan.

– Ale wystawa, co nie? – zapytał kierowca.

– Nie inaczej – przyznał Bert.

– Widział pan Przyszłoświat? Wyprawę do tysiąc dziewięćset sześćdziesiątego?

– Nie widziałem. – Bert, rocznik 66., zaśmiał się w duchu.

– Och, musi pan ją zobaczyć – powiedział szofer. – Jest w pawilonie GM. Długa kolejka, ale warto.

Bert zastanawiał się, czy urocza kobieta w zielonej sukni widziała Przyszłoświat. A jeżeli tak, to co myślała o roku tysiąc dziewięćset sześćdziesiątym.

---

Choć podróżowanie wte i wewte w czasie to dla ludzkiego ciała niezły wycisk, ekipa lekarzy Przygód Chronometrycznych zezwoliła Bertowi na trzecią wyprawę. Wyjaśnił Cindee, że Wystawa Światowa jest zbyt wielka, żeby ją obejrzeć podczas dwóch wizyt, co było prawdą. Nie powiedział jej natomiast, że po powrocie do Flushing Meadows trzydziestego dziewiątego roku spędzi cały dzień na poszukiwaniu kobiety w zielonej sukni.

Nie było jej w żadnym z pawilonów poświęconych wybitnej działalności humanitarnej U.S. Steel, Westinghouse ani General Electric. Nie było jej na Placu Światła, w Alei Pracy, na Dziedzińcu Pokoju ani w Alei Kontynentalnej. Nie było jej w żadnym z przeszukanych przez Berta miejsc. Zatem parę minut przed siedemnastą skierował się do Laguny Narodów i, jakżeby inaczej, zastał tam kobietę w zielonej sukni z jej małą przyjaciółką, na tej samej ławce pod jedną z Czterech Wolności.

Usiadł na tyle blisko, żeby usłyszeć, jak wymieniają się opowieściami o cudach Wystawy, a po wymowie „Nowy Jołk" można było poznać, że są przyjezdne. Nie mogły się zdecydować, czym się zająć do zmroku, kiedy to przy Fontannach Światła odbędzie się przedstawienie – feeria barw i technologii.

Bert właśnie zbierał się na odwagę, żeby do nich zagadać, kiedy wstały i pośpieszyły ramię w ramię do Eastmana Kodaka, gawędząc i chichocząc. Patrzył, jak się oddalają, podziwiając kobiecy chód właścicielki zielonej sukni i jej podrygujące na karku włosy. Rozważał, czy za nią nie podążyć, ale robiło się późno i musiał wracać do pokoju 1114.

Przez wiele tygodni Bert co chwilę wracał myślami do kobiety w zielonej sukni – do jej gestykulacji i podskakujących włosów. Chciał poznać jej imię, dowiedzieć się o niej czegoś, spędzić z nią choćby godzinę w tysiąc dziewięćset trzydziestym dziewiątym roku. Kiedy Cindee oznajmiła, że wybiera się z Kick Adler-Johnson na konną wyprawę przez Kubę, umówił się na kolejne badanie u lekarzy Przygód Chronometrycznych.

---

Siedział na ławce przy Lagunie Narodów, kiedy za piętnaście piąta, punktualnie jak w dostrojonym do mechanizmu osobliwości zegarku, kobieta w zielonej sukni i jej młoda przyjaciółka usiadły, żeby porozmawiać. Bert uznał, że ma trzydzieści kilka lat, choć ze współczesnej perspektywy tamtejsza moda wszystkich postarzała. Była potężniejsza niż Cindee i niż większość dzisiejszych kobiet, bo w tysiąc dziewięćset trzydziestym dziewiątym ludzie nie liczyli kalorii, a wysiłek fizyczny był domeną tylko sportowców i robotników. Ta kobieta miała prawdziwą figurę; z krągłościami było jej do twarzy.

Przygotował sobie zdanie, żeby odezwać się do kobiety, której szukał od ponad ośmiu dekad.

– Przepraszam – zagaił Bert. – Raczą panie wiedzieć, czy można dziś zobaczyć Przyszłoświat?

– Można, ale jest bardzo długa kolejka – powiedziała kobieta w zielonej sukni. – Spędziłyśmy całe popołudnie w Rejonie Rozrywek. Aleśmy się ubawiły!

– Czy jeździł pan na spadochronie? – Dziewczynka była urzekająco rozentuzjazmowana.

– Nie jeździłem – przyznał Bert. – A powinienem?

– Trzeba mieć mocne nerwy – wtrąciła kobieta.

– Jedzie się do góry i do góry, i do góry – wyjaśniła dziewczynka, wymachując dłońmi. – A potem się spada, ale wcale nie powoli i łagodnie, tylko – łup!

– To prawda!

Kobieta i dziewczynka roześmiały się.

– A zwiedzały panie Przyszłoświat? – zapytał Bert.

– Nie chciało nam się stać w długiej kolejce – powiedziała kobieta.

– Cóż – zaczął Bert, sięgając do kieszeni dwurzędowego garnituru. – Mam kilka specjalnych zaproszeń, z których nie skorzystam.

Wręczył im te same dwa grube kartoniki, które dostał od Przygód Chronometrycznych podczas pierwszej wyprawy z Cindee – bilety z wytłoczonymi Trylonem, Perysferą i literami VIP.

– Jeżeli pokażą je panie obsłudze na samym dole tej krętej kładki – chciałem powiedzieć: spiralni – to wpuszczą panie tajnymi drzwiami.

– Och, jak to miło z pana strony – ucieszyła się kobieta. – Ale my nie jesteśmy żadnymi ważnymi osobistościami.

– Ja też nie jestem, może mi pani wierzyć – powiedział Bert. – Muszę wracać do miasta. Proszę z nich skorzystać.

– Możemy, ciociu Carmen? – poprosiła błagalnie dziewczynka.

Carmen. Kobieta w zielonej sukni miała na imię Carmen. Doskonale do niej pasowało.

– Czuję się jak krętaczka – wyznała po chwili Carmen. – Ale zgoda! Bardzo panu dziękujemy.

– Tak, dzięki! – dodała jej siostrzenica. – Mam na imię Virginia, a to jest moja ciocia Carmen. A pan jak się nazywa?

– Bert Allenberry.

– Więc dziękujemy panu, panie Allenberry – powiedziała Virginia. – Zawdzięczamy panu Przyszłość!

Kobiety poszły Pasażem Konstytucji w stronę pawilonu GM, do Przyszłoświata. Bert przyglądał się, jak odchodzą, w świetnym nastroju, szczęśliwy, że wrócił do roku tysiąc dziewięćset trzydziestego dziewiątego.

Przez wiele miesięcy marzył o uroczej krętaczce Carmen. Choć ciałem był w gabinecie w Salinie, na spotkaniu rady nadzorczej w Tokio, na łodzi u wybrzeży wyspy Mykonos, jego duch przebywał w parku Flushing Meadows, na ławce pod Czterema Wolnościami pewnego dnia na początku czerwca tysiąc dziewięćset trzydziestego dziewiątego. Kiedy spotkanie udziałowców wymagało jego obecności w „Nowym Jołku", znalazł czas na kolejną wyprawę za sześć milionów dolarów do pokoju 1114.

---

Wszystko potoczyło się tak jak poprzednio. Zaproponował Carmen i Virginii vipowskie zaproszenia i obie poszły, zawdzięczając mu przyszłość. Jednak Bert chciał spędzić trochę więcej czasu z kobietą – niedużo, może jeszcze pół godziny – więc ustawił się przy wyjściu z Przyszłoświata. Pomachał do nich.

– Jak było? – zawołał.

– Pan Allenberry! – zdziwiła się Carmen. – Myślałam, że musi pan wracać.

– Och, jestem szefem, więc postanowiłem nagiąć reguły.

– Jest pan szefem? – zapytała Virginia. – Czego?

– Wszystkich ludzi, którym szefuję.

– Jako że jest pan teraz w towarzystwie pary VIP-ek – powiedziała ze śmiechem Carmen – czy mogłabym zaprosić pana na kawałek ciasta?

– Tak się składa, że uwielbiam ciasto.

– Chodźmy do Borden's! – zapiszczała Virginia. – Zobaczymy krowę Elsie.

Usiedli w trójkę z ciastem precyzyjnie pokrojonym na trójkątne porcje po dziesięć centów. Carmen i Bert zamówili kawę – pięć centów za filiżankę. Virginia piła mleko ze szklanki i opowiadała o wspaniałościach, które, według prognoz Przyszłoświata, miał przynieść rok tysiąc dziewięćset sześćdziesiąty.

– Mam nadzieję, że do tego czasu wyprowadzę się z Bronksu – powiedziała dziewczynka.

Mieszkała z rodziną na Parkway, z matką (siostrą Carmen) i ojcem, który był rzeźnikiem. Chodziła do piątej klasy, należała do Radio Clubu, a kiedy dorośnie, chciała zostać nauczycielką, jeżeli będzie ją stać na college. Carmen dzieliła mieszkanie na trzecim piętrze bez windy przy Wschodniej Trzydziestej Ósmej

Ulicy z dwiema sekretarkami w agencji ubezpieczeniowej. Sama była księgową w fabryce torebek w centrum. Wszyscy się zgodzili, że Wystawa Światowa w tysiąc dziewięćset trzydziestym dziewiątym roku jest jeszcze wspanialsza na żywo niż w kronikach.

– Czy pana żona jest w Nowym Jorku, panie Allenberry?

Bert zdziwił się, skąd Carmen wie, że jest żonaty, po czym przypomniał sobie o otrzymanej od Przygód Chronometrycznych obrączce. Musiał odruchowo włożyć ją na palec.

– Yyy... Nie – powiedział. – Cindee jest z koleżankami. Na Kubie.

– Mama i tata pojechali tam w podróż poślubną – oznajmiła Virginia. – A niedługo potem pojawiłam się ja!

– Virginio! – Carmen nie posiadała się z oburzenia. – Zachowuj się!

– To prawda! – upierała się dziewczynka. Wyjadła nadzienie z ciastka, zachowując skórkę na koniec.

– A pani ma męża, Carmen? – zapytał Bert. – Przepraszam, nie wiem nawet, jak się pani nazywa.

– Perry – powiedziała. – Carmen Perry. Ależ jestem niewychowana. I... nie. Nie jestem zamężna.

Bert już to wiedział, bo na jej lewej dłoni nie było śladu obrączki.

– Mama mówi, że jak niedługo nie znajdziesz chętnego, to nikt ci nie zostanie! – zawołała Virginia. – Masz prawie dwadzieścia siedem lat!

– Cicho tam! – syknęła Carmen, sięgając widelcem, żeby nabić najlepszy kawałek skórki, po czym włożyła go do ust.

– Złodziejka! – zaśmiała się Virginia.

Wycierając usta serwetką, Carmen uśmiechnęła się do Berta.

– To prawda. Jestem ostatnią kurą w zagrodzie.

Carmen miała dopiero dwadzieścia sześć lat? Bert mógłby przysiąc, że jest starsza.

Po cieście obejrzeli krowę Elsie i wybrali się do Akademii Sportu. Po filmach o akrobacjach narciarzy wodnych Bert zerknął na swój zabytkowy zegarek. Dochodziła osiemnasta.

– Naprawdę czas już na mnie.

– Szkoda, że nie może pan zostać na pokaz świateł przy fontannach – zasmuciła się Carmen. – Podobno jest przepiękny.

– I każdego wieczoru są sztuczne ognie – pisnęła Virginia. – Zupełnie, jakby Dzień Niepodległości trwał całe lato.

– Mamy z Virginią upatrzone doskonałe miejsce. – Carmen nie spuszczała wzroku z Berta. – Na pewno nie może pan zostać?

– Niezmiernie żałuję.

Bert naprawdę niezmiernie żałował. W życiu nie spotkał kobiety tak uroczej jak Carmen. Jej usta nie były zbyt wąskie, miała zdecydowany i buńczuczny uśmiech, a oczy orzechowe, szmaragdowozielone i z odcieniem brązu.

– Dziękujemy za wspaniałą przygodę! – zawołała Virginia. – Byłyśmy VIP-kami!

– Tak, dziękujemy, panie Allenberry. – Carmen podała mu dłoń. – Był pan bardzo miły i świetnie się bawiłyśmy.

Bert wziął dłoń Carmen – lewą, tę bez obrączki ślubnej.

– To był cudowny dzień.

W taksówce wiozącej go z powrotem na Manhattan Bertowi zdawało się, że czuje perfumy Carmen – bez z nutą wanilii.

---

Holograficzni Stonesi posunęli się o jeden bis za daleko, a przyjęcie urodzinowe Kick Adler-Johnson ciągnęło się do czwartej rano. Cindee spała za zamkniętymi drzwiami i szczelnie spuszczonymi roletami. Za to Bert wstał o ósmej, wziął prysznic i stał teraz ubrany z kawą w dłoni. Na śniadanie zjadł białkową omnibułkę z miksokiem, po czym, zjeżdżając windą na poziom ulicy, zamówił solochód.

Po potwierdzeniu, że Bert wybiera się do Przygód Chronometrycznych, pojazd zaczął się prowadzić po Piątej Alei z algorytmicznie bezpieczną prędkością dwudziestu siedmiu kilometrów na godzinę. Przemierzył centrum po Pięćdziesiątej Drugiej, wymijając Kopułę na Times Square, potem skręcił trzy razy w lewo i zatrzymał się na Ósmej Alei między ulicami Zachodnią Czterdziestą Czwartą a Zachodnią Czterdziestą Piątą.

Bert wysiadł z auta przy budowli, w której mieściły się, cofając się w czasie, Milford Plaza, hotel Royal Manhattan i w tysiąc dziewięćset trzydziestym dziewiątym hotel Lincoln. Znaczną część budynku stanowiły punkty usługowe Kopuły, z którą graniczył; oprócz tego mieścił się tam ratusz Times Square.

Przygody Chronometryczne zajmowały piętra od dziewiątego do trzynastego, nie z wyboru ani wygody, ale ze względu na serię zbiegów okoliczności i cuda technologii. Znaczna część budynku zachowała architekturę ze swoich czasów hotelowych, a jeden pokój, ten o numerze 1114, jakimś cudem ominęły wszystkie przebudowy i renowacje, od kiedy budynek wzniesiono w roku tysiąc dziewięćset dwudziestym ósmym. Dzięki niezmienionym wymiarom pokój ten cechował się autentyzmem objętości niezbędnym do wzbudzenia – z maksymalną precyzją – zmarszczki w kontinuum czasoprzestrzeni, łuku stycznego z ósmym czerwca tysiąc dziewięćset trzydziestego dziewiątego. Potężne rury, kable i sieć plazmową, niezbędne do podróży w czasie, wbudowano w niegdysiejszy hotel Lincoln na górze, na dole i na poziomie pokoju 1114; sprzęt zawierał mniej więcej milion cyfrowych przekaźników zaworu losowego dostępu wynalezionych przez Berta Allenberry'ego.

Wjechał windą na ósme piętro, słuchając, jak kobiecy głos tuż przed rozsunięciem się drzwi zapowiada „Przygody Chronometryczne". Na ścianie widniało motto firmy – *Przeszłość jest dla nas ważna* – a pod nim czekał Howard Frye.

– Pan Allenberry. Miło znów pana widzieć. – Howard nadzorował każdą z dotychczasowych przygód Berta. – Mniemam, że dobrze się pan miewa?

– Doskonale. A ty?

– Zmagam się z resztkami przeziębienia. Syn przyniósł je ze szkoły.

– Zaleta nieposiadania dzieci – skomentował Bert.

Cindee nie wspomniała ani słowem, że chciałaby mieć dziecko, jej poprzedniczka, L'Audrey, byłaby tak koszmarną matką, jak koszmarną była towarzyszką życia, Mary-Lynn bardzo chciała począć, ale kiedy lekarz poinformował ją, że niska zawartość plemików w spermie Berta pokrzyżuje szyki biologii, znalazła satysfakcję w ramionach innych mężczyzn. Wyszła ponownie za mąż i błyskiem odhaczyła dwie córki i syna. Z jego pierwszego małżeństwa, z Barb, urodziła się dziewczynka. Ale rozwód wyzwolił pokłady takiej wrogości i niechęci, że jedyne kontakty, jakie Bert utrzymywał z córką – kiedy skończyła osiemnaście lat – sprowadzały się do sporadycznych kolacji w Londynie, gdzie jego alimenty umożliwiały jej zdecydowanie zbyt beztroskie życie.

– Przejdziemy do przed-przyg? – zapytał Howard.

– Czas ucieka.

– Czasu to jest akurat aż nadto – zachichotał Howard.

W przygotowalni przedprzygodowej Berta kolejny raz zbadali lekarze. Pobrano mu próbki płynów i wykonano USG, osłuchano serce i przetestowano dwanaście pozostałych aspektów fizjologii, na które mają wpływ progresja/reprogresja. Dostał pięć zastrzyków na wzmocnienie ciała na poziomie molekularnym i antyemetyki na nudności tuż po przybyciu. Zdjął ubranie i biżuterię, w tym zegarek i cienki złoty łańcuszek na szyję. Żaden współczesny przedmiot nie przetrwałby podróży do przeszłości, a jego cząsteczki mogły krytycznie zakłócić sam proces. Rozebrawszy się do naga, Bert włożył szlafrok z logo Przygód Chronometrycznych i przeczekał na siedząco wymagane prawem ostrzeżenia.

Najpierw było nagranie wideo – profesjonalne i konkretne – ostrzegające przed niebezpieczeństwami i wyjaśniające procedury. Potem dostał dokument, w którym powtórzono słowo w słowo to, co przed chwilą usłyszał. Bert wiedział już, że reprogresja może się skończyć śmiercią, choć nikt jeszcze nie zginął; podróżnik miał do wyboru paletę doświadczeń – mógł spędzić dzień, robiąc, co mu się żywnie podoba – ale pewne kluczowe procedury nie były fakultatywne. Odciskiem kciuka Bert poświadczył – kolejny raz – że przyjmuje wszystko do wiadomości i na wszystko wyraża zgodę. Potem Howard wszedł do sali przed-przyg z dużym niby-koktajlem, który miał chronić układ trawienny Berta przed nieznośnymi zarazkami z tysiąc dziewięćset trzydziestego dziewiątego roku.

– Czyń swą powinność, Howardzie – zagaił Bert, wznosząc toast.

– Powinien już pan znać to na pamięć – powiedział Howard, odchrząkując. Potem zreferował prostymi słowami sączącemu napój o smaku czarnych borówek Bertowi warunki, na które ów przed chwilą przystał. – Nieprzymuszony zgodził się pan na świadczenie przez Przygody Chronometryczne usługi fizycznej reprogesji temporalnej do tego samego miejsca ósmego czerwca tysiąc dziewięćset trzydziestego dziewiątego roku na okres nie dłuższy i nie krótszy niż dwadzieścia dwie godziny według ogólnie przyjętych standardów pomiaru czasu. Na podstawie tej samej umowy o dziewiętnastej zero zero ósmego czerwca tysiąc dziewięćset trzydziestego dziewiątego roku dokona pan progresji z powrotem do tego miejsca w dniu dzisiejszym. Rozumie pan to, prawda?

Bert przytaknął.

– Tak jest.

– Przygody Chronometryczne w żadnym wypadku nie twierdzą, jakoby pański wakacyjny pobyt w przeszłości był wolny od ryzyka. Przebieg pańskiej przygody podlega powszechnie obowiązującym prawom fizyki, regułom i zachowaniom.

– Jak się przewrócę, to złamię nogę. Jak ktoś da mi w zęby, to mi je wybije.

– W rzeczy samej. Podczas tych dwudziestu dwóch godzin nikt nie będzie pana nadzorował. Sugerujemy, żeby trzymał się pan przygotowanego przez nas harmonogramu. Kolejny dzień na Wystawie Światowej, zgadza się?

– Powinieneś sam się wybrać, Howardzie.

Howard się zaśmiał.

– Jako Afroamerykanin nie podzielam pana entuzjazmu na temat Nowego Jorku tysiąc dziewięćset trzydziestego dziewiątego roku.

– Rozumiem – przyznał Bert.

Podczas jego wypraw w czasie prawie każda czarnoskóra twarz należała do bagażowego albo dozorcy. Choć na Wystawie były czarnoskóre rodziny, odświętnie ubrane i oglądające te same eksponaty, to szukały one obietnic przyszłości innej niż ta, na której zależało jemu.

– Gdyby zmienił pan plany, chciał zobaczyć jakieś przedstawienie albo powałkonić się po Central Parku, nie będzie ryzyka, dopóki będzie się pan trzymał procedur progresji.

– Wracam do Flushing Meadows. Może następnym razem się powałkonię.

Bert pomyślał o spędzeniu dnia z Carmen w Central Parku i zastanawiał się, jak to zaaranżować. Virginia mogłaby przejechać się na karuzeli! Zwiedziliby zoo takie, jakie było na początku!

– A, właśnie. Następnym razem. – Howard otworzył na tablecie kartę Berta. – Panie Allenberry, obawiam się, że tą wyprawą wyczerpie pan limit reprogresji w naszym oddziale PCh.

– Słucham? – Bertowi została jeszcze jedna trzecia koktajlu.

– Po pana ostatniej podróży wyniki testów przed-przyg odbiegały nieco od normy – wyjaśnił Howard. – Wykazały podniesiony poziom trójlistu we krwi i obniżoną płynność komórkową.

To nie wróżyło najlepiej.

– Każdy człowiek ma inną wytrzymałość, panie Allenberry. Niektórzy z naszych klientów mogli skorzystać z dwóch lub trzech pakietów. Sześć wypraw wymęczy pana do granic możliwości.

– Dlaczego?

– Przez dynamikę cząsteczkową, panie Allenberry. Podróż do roku tysiąc dziewięćset trzydziestego dziewiątego i z powrotem to długi dystans dla pana tkanek, białka, gęstości szpiku i zakończeń nerwowych. Nie możemy ryzykować, że pana wyniszczymy. Hipotetycznie jest możliwe, że siódma albo nawet ósma wyprawa na Wystawę Światową byłaby dla pana bezpieczna, ale nasz model ubezpieczeniowy na to nie zezwala. To złe wieści.

Bert myślał o Carmen, o Virginii, o ich trójce jedzącej ciasto i oglądającej krowę Elsie. Zrobi to z nimi jeszcze tylko jeden raz. To faktycznie złe wieści.

– Dobre wieści – pocieszył go Howard – są za to takie, że pańskie Przygody Chronometryczne nie muszą się kończyć na Nowym Jorku tysiąc dziewięćset trzydziestego dziewiątego. Mamy Nashville w tysiąc dziewięćset sześćdziesiątym pierwszym. Mógłby pan się wybrać na Grand Ole Opry. Mamy oddział w Gunnison w Kolorado – piękny domek w tysiąc dziewięćset siedemdziesiątym dziewiątym. Nie dzieje się tam za wiele, ale widoki są fantastyczne.

Bert przestał pić. Myślał o Carmen, o jej zapachu bzu z wanilią i orzechowych oczach.

– Przykro mi, panie Allenberry, ale właśnie tak się sprawy mają. Przeszłość jest dla nas ważna, ale nie tak jak pańskie długie życie.

– W takim razie będę musiał wziąć tam ze sobą coś jeszcze – powiedział Bert.

---

Bert poczuł, jak skafander ciśnieniowy się zaciska, kiedy wszystkie atomy pokoju 1114, w tym jego, uległy transpozycji za sprawą stosowanej przez Przygody Chronometryczne technologii. Nauczył się nie panikować podczas reprogresji, ale ciągle nie mógł się przyzwyczaić do zimna, tak przejmującego, że tracił całą koncentrację, całą równowagę psychiczną. Wiedział, że leży na czymś, co w tysiąc dziewięćset trzydziestym dziewiątym roku zamieni się w łóżko, ale wszystko wirowało. Zmagał się, żeby nie stracić przytomności, czuwać i zobaczyć, jak wygląda faktyczny proces przemiany pokoju w czasie, ale, tak jak poprzednio, od razu zemdlał.

Kiedy poczuł upiorny ból głowy, wiedział, że jest znów w roku tysiąc dziewięćset trzydziestym dziewiątym. Migreny były koszmarne, ale litościwie krótkie. Bert wydostał się ze skafandra ciśnieniowego – podobnego do kombinezonu nurka, o jeden rozmiar za małego – i usiadł nagi na skraju łóżka, czekając, aż jego czaszkę przestaną rozłupywać młotki z noskiem kulistym.

Tak jak poprzednio, w otwartej szafie wisiał dwurzędowy garnitur, a na podłodze stały buty i leżały skarpety. Na cienkim drucianym wieszaku czekały elegencka koszula i krawat. Bielizna była w koszu na krześle. Na stoliku leżały zegarek, obrączka, sygnet i portfel z jego dowodem tożsamości i innymi przedmiotami z tego okresu, a wszystko z materiałów sprzed drugiej wojny światowej. Była tam gotówka – całe pięćdziesiąt dolarów w kuriozalnych papierowych banknotach, które swego czasu stanowiły środek płatniczy. Były też ciężkie monety – półdolarówka z wytłoczonym portretem jakiejś wpatrzonej w zachód słońca kobiety z naręczem pszenicy i dziesięciocentówki, *dimes*, z głową boga Merkurego. *Nickels* były warte pięć centów, a w tysiąc dziewięćset trzydziestym dziewiątym nawet za centa dało się coś kupić.

Spakował skafander ciśnieniowy, schował go i zamknął na klucz w zabytkowej walizce na stojaku na bagaż; ponownie mu się przyda dopiero na progresję. Potem włożył staroświecki zegarek, śledząc upływ czasu już trzy minuty po dwudziestej pierwszej. Sygnet trafił na palec prawej dłoni, ale Bert pamiętał, żeby złotą obrączkę ślubną zostawić w hotelu.

Na biurku zobaczył kopertę, która powinna zawierać jego vipowskie bilety na Wystawę – na tę ostatnią wyprawę do tysiąc dziewięćset trzydziestego dziewiątego roku zamówił trzy sztuki.

Okno na Ósmą Aleję było ledwie uchylone, wpuszczając wieczorne powietrze wraz z odgłosami ruchu ulicznego Times Square do pokoju, który jeszcze nie zaznał klimatyzacji. Bert chciał wstać, ubrać się i wyjść w noc, przespacerować się Wschodnią Trzydziestą Ósmą Ulicą, gdzie mieszkała Carmen, ale miał obolałe ciało. Do diabła z tą fizyką! Czuł się zmęczony, tak jak ostatnim razem. Położył się na łóżku i, też tak jak ostatnio, zasnął.

Kiedy się obudził, przez okno wpadał słaby blask, a miasto było ciche. Czuł się zwyczajnie, jakby zażył wyciągu z zielonej herbaty i przespał jak zabity dziesięć godzin. Zegarek pokazywał za dziesięć siódmą. Był ranek ósmego czerwca tysiąc dziewięćset trzydziestego dziewiątego roku, a on miał całe dwanaście godzin, żeby znaleźć Carmen i Virginię. Podniósł ciężką słuchawkę telefonu, nacisnął jedyny guzik na obudowie i połączył się z hotelową recepcją. Znów poprosił o przysłanie kogoś z obsługi. Po tych samych pięciu minutach przed jego drzwiami zameldował się Percy w stroju boya hotelowego z tacą, na której niósł srebrny dzbanek kawy, dzbanuszek prawdziwej śmietanki, kostki cukru, szklankę wody i poranne wydanie gazety „New York Daily Mirror". Poprzednie pięć razy Bert wręczał mu tego ranka dziesięć centów napiwku, na co Percy reagował kurtuazyjnym „Dziękuję, panie Allenby". Tego ranka położył mu na dłoni półdolarówkę, a mężczyzna zrobił wiekie oczy.

– Ojej, panie Allenby, ale z pana bogacz!

Dzięki prawdziwej śmietance kawa nabiera gęstego, niebiańskiego smaku. Bert delektował się drugą filiżanką, kiedy woda na jego prysznic się zagrzała – przy hydraulice z trzydziestego dziewiątego chwilę to zajęło. Wyszorował się i ubrał. Nauczono go wiązać krawat, który uważał za absurdalny wynalazek, za to ubóstwiał uszyty na miarę prawie wiek później dwurzędowy garnitur. Tkaniny pochodziły z tego okresu, w skarpetach nie było gumek, a buty były jak kanonierki – szerokie i ciężkie, ale wygodne.

Zjeżdżając windą, Bert znów poczuł tonik do włosów windziarza. Nie wydawał mu się teraz aż tak śmierdzący.

– Hol, proszę pana – oznajmił mężczyzna, odsuwając siatkę.

Bert poznał już wszystkie wonie hotelu Lincoln i je polubił – dym cygar zmieszany z zapachem dywanowej wełny, kwiaty ustawiane przez czarnoskóre pokojówki, intensywne perfumy eleganckich dam spędzających dzień na Manhattanie. Na zewnątrz, na Ósmej Alei, taksówki czekały na jałowym biegu, a autobusy kierowały się do zamożnych dzielnic, zionąc oparami spalanej benzyny.

Po wyjściu z holu ruszył na piechotę, skręcił w prawo i jeszcze raz w prawo na Zachodniej Czterdziestej Piątej Ulicy, wdychając woń palonej kawy, przynoszoną lekkim wiatrem znad rzeki Hudson, z fabryki Maxwell House Coffee w New Jersey, kawy, która smakowała do ostatniej kropli.

Tego ranka, ósmego czerwca tysiąc dziewięćset trzydziestego dziewiątego roku, nie zje śniadania w hotelu Astor z jego słynnym zegarem i okazałym wystrojem. Zamiast tego Bert miał zamiar rozejrzeć się po tylu pobliskich kawiarniach, na ile wystarczy mu czasu. Carmen mieszkała tylko siedem przecznic stąd. Ale może była w pobliżu i jadła szybkie śniadanie przed podróżą metrem na Bronx po Virginię? Może siedziała w tej właśnie chwili w jadłodajni na Broadwayu przy kawie i pączku? Mógłby się z nią od razu spotkać, bez czekania cały dzień na ich wspólną chwilę na ławce przy Czterech Wolnościach.

Przeszukał Times Square i boczne uliczki, buszując po kawiarniach i zaglądając przez szyby do tanich restauracji, ale kobiety nigdzie nie było. Niechętnie się poddał, usiadł przy barze w lokalu przy Siódmej i kupił śniadanie za dwadzieścia pięć centów: jajka, kiełbasę, sok i kawę.

Napiwkiem była dziesięciocentówka z Merkurym.

– Przepraszam – zwrócił się do zbyt mocno uszminkowanej kelnerki. – Czy dojadę stąd metrem na Wystawę Światową?

– Skarbie – odparła. – To najlepszy dojazd.

Kelnerka zgarnęła monetę do kieszeni fartucha i wytłumaczyła Bertowi, jak dojść do linii IRT.

Jego pierwsza w życiu podróż metrem kosztowała tylko pięć centów z głową Indianina. W wagonie był tłok, a wszyscy czymś pachnieli, choćby krochmalem świeżo uprasowanych rzeczy. Nikt nie gapił się w telefon ani w tablet. Podróżni w większości czytali poranną prasę – niektórzy zadrukowane farbą prostokąty dużego formatu, inni mniejsze tabloidy. Zdarzały się strony czasopism, na których było więcej tekstu niż obrazków. Jechało wielu palaczy, kilku mężczyzn miało nawet cygara, a dwóch pykało fajkę. Sądząc po broszurach i przewodnikach, wielu podróżnych, tak jak Bert, wybierało się na Wystawę Światową.

Na każdej stacji mężczyzna wychodził z pociągu, żeby rozejrzeć się po peronie za Carmen i Virginią, bo kto wie? Też mogły jechać metrem do Flushing Meadows. Gdyby tak było, Bert zapytałby je o drogę, one zaproponowałyby, że go zaprowadzą, bo i tak się tam wybierają, on powiedziałby, że ma dwa nadprogramowe vipowskie bilety, więc dlaczego nie miałby zaprosić dwóch dam, bez kłopotu, bez kolejki, bez czekania? I tak z niegdysiejszych dwóch godzin z Carmen zrobiłby się cały dzień spędzony razem.

Ale Carmen nie wsiadła do metra.

– Hej! Patrzcie! – zawołał jakiś podróżny.

Przez okno widać było Trylon i Perysferę – Wystawę. Bert ujrzał olbrzymi glob i przyległą iglicę, jaskrawe i białe na porannym niebie. Wszyscy w pociągu zerknęli na niecodzienne budowle.

Kolejka wypuściła zwiedzających przy Bowling Green Gate, gdzie Bert zapłacił siedemdziesiąt pięć centów za wstęp i kupił przewodnik za dziesięć.

Było dopiero wpół do jedenastej, więc, pomijając jakieś zrządzenie losu, od spotkania z Carmen dzieliło go wiele godzin. Obejrzał Ośrodek Domatorów, zachwycił się rozkładanymi kanapami w pawilonie Wystroju Wnętrz, a eksponaty z budynku American Radiator wydały mu się komiczne. Śmiał się pod nosem z ówczas oszałamiających pokazów RCA, American Telephone & Telegraph, pawilonu Komunikacji i trącących starzyzną wystaw Crosley Radio Corporation.

Stanął w kolejce do Demiastokracji, wykładu socjologicznego, który odbywał się w Perysferze. Szybko wdał się w rozmowę z Gammelgardami, sześcioosobową rodziną włącznie z dziadkami, którzy przyjechali pociągiem aż z Topeki w Kansas, żeby spędzić na Wystawie tydzień. To był ich pierwszy dzień, a od głowy rodu Bert usłyszał:

– Młody człowieku, w życiu mi się nie śniło, że dobry Bóg pozwoli mi ujrzeć takie miejsce.

Bert ucieszył się, że ktoś uznał go za młodego. Jego siedemset pięćdziesiąt sześć miliardów dało mu dostęp do wszelkich zabiegów odmładzających – nie wyglądał na swoje sześćdziesiąt jeden lat.

Powiedział Gammelgardom, że ma znajomych w Salinie, po czym został zaproszony na kolację, gdyby kiedyś trafił do Topeki.

Przez cały ranek przyglądał się każdej kobiecie ubranej na zielono, w nadziei na spotkanie Carmen. Przemierzył wszystkie budynki na Dziedzińcu Władzy, Placu Światła i wzdłuż Alei Pracy, gdzie hostessy w uniformach Swift & Co. demonstrowały krojenie i pakowanie świeżego bekonu. W południe przepuścił dwie pięciocentówki na hot dogi w Childs i porównał krój swojego dwurzędowego garnituru z fasonem lansowanym przez proroków z „Men's Apparel". Potem przeszedł całą drogę do Rejonu Rozrywek, kierując się ku wysokiej żelaznej wieży, z której skakało się na spadochronie. Rozrywki cieszyły się na Wystawie największą popularnością, kłębił się tam rozbawiony gęsty tłum. Bert wiele razy okrążył okolicę, przystając za każdym razem pod wieżą skoków i spodziewając się natknąć tam na Carmen i Virginię, jak jadą do góry i do góry, i do góry, a potem spadają – łup. Ale ich tam nie było. Ruszył zatem na ostatnią, nieśpieszną przechadzkę po okolicy i z powrotem do głównej sekcji Wystawy.

Wtedy ją zobaczył! Najpierw nie Carmen, tylko Virginię! Przechodził mostem przy amfiteatrze, gdzie odbywało się wodne przedstawienie, kiedy minął go tramwaj z wieloma wagonikami. Virginia siedziała na poręczy, a Carmen była obok! Czyli jednak musiały kręcić się gdzieś wśród miłośników rozrywek, a teraz jechały na Plac Światła. Bert spojrzał na zegarek. Gdyby udało mu się dogonić kolejkę, spotkałby się z Carmen prawie godzinę wcześniej! Puścił się biegiem.

Nie spuszczał tramwaju z oka wzdłuż Alei Pracy, ale zgubił go przy Ośrodku Schaefera w Alei Tęczy. Nie wytrzymał tempa. Kolejka odjechała, mijając Dziedziniec Stanów, po czym zatrzymała się przy Pasażu Konstytucji, żeby wypuścić jedną grupę zwiedzających i przyjąć kolejną. Musiały być niedaleko! Spocony w dwurzędowym garniturze Bert sprawdził Beech-Nut, Żydowską Palestynę, YMCA, Świątynię Religii i Works

Progress Administration, ale nic z tego. Pogodzony z osobliwością kontinuum czasoprzestrzeni skręcał w stronę ławek nad laguną, kiedy kobieta pojawiła się tuż przed nim.

Carmen wychodziła z Brazylii, trzymając Virginię za rękę. Śmiały się. Dobry Boże, ta kobieta tyle się śmiała, a jej uśmiech był po prostu uroczy. Prawie do niej zawołał, ale przypomniał sobie, że jeszcze się nie spotkali, więc zamiast tego ruszył w odległości kilku metrów za nimi przejściem nad sztuczną rzeką, która wpadała do Laguny Narodów. Nie wszedł za nimi do Wielkiej Brytanii, tylko skierował się na ławkę. Za kilka minut kobieta znów się pojawiła, z Virginią. Punktualnie co do sekundy.

– Przepraszam – zagaił od razu Bert, jeszcze kiedy Carmen i Virginia siadały. – Raczą panie wiedzieć, czy można dziś zobaczyć Przyszłoświat?

– Można, ale jest bardzo długa kolejka. Spędziłyśmy całe popołudnie w Rejonie Rozrywek. Aleśmy się ubawiły!

– Czy jeździł pan na spadochronie?

– Nie jeździłem. A powinienem?

– Trzeba mieć mocne nerwy.

– Jedzie się do góry i do góry, i do góry. A potem się spada, ale wcale nie powoli i łagodnie, tylko – łup!

– To prawda.

– A zwiedzały panie Przyszłoświat? – zapytał Bert.

– Nie chciało nam się stać w długiej kolejce.

– Lepiej go nie przegapić. – Bert sięgnął do kieszeni na piersi garnituru. – A ja mam specjalne wejściówki.

Bert pokazał im trzy grube kartoniki z wytłoczonymi Trylonem, Perysferą i literami VIP.

– Podobno można się dzięki nim dostać do Przyszłoświata tajnym przejściem. Bez czekania. Mam trzy. Jestem sam. Zechciałyby panie mi towarzyszyć?

– Och, jak to miło z pana strony. Ale my nie jesteśmy żadnymi ważnymi osobistościami.

– Ja też nie jestem, może mi pani wierzyć. Nie jestem pewien, dlaczego je w ogóle dostałem.

– Możemy, ciociu Carmen?

– Czuję się jak krętaczka. Ale zgoda! Bardzo panu dziękujemy.

– Tak, dzięki! Mam na imię Virginia, a to jest moja ciocia Carmen. A pan jak się nazywa?

– Bert Allenberry.

– Więc dziękujemy panu, panie Allenberry. Zobaczymy z panem Przyszłość!

Gawędzili we troje, idąc Pasażem Konstytucji pod olbrzymim pomnikiem George'a Washingtona i wokół Trylonu i Perysfery. Virginia opowiedziała o wszystkim, co widziały tego dnia, którego większa część upłynęła im na zabawie w Rejonie Rozrywek.

– Widziałaś Electra, mechanicznego człowieka? – zapytał Bert. – Umie dodawać na swoich metalowych palcach.

Budynek General Motors stał obok pawilonu Ford Motor Company. Ford pokazywał zwiedzającym, jak powstają ich samochody, potem pozwalał na przejażdżkę po zakręconym, koślawym torze wokół budynku. GM zabierał swoich gości w przyszłość, do której najpierw wiodła długa kładka, tak nowoczesna, że nazwano ją spiralnią, prowadząca do majestatycznej szczeliny w zabudowie, którą można by wziąć za bramę do ziemi obiecanej. Wydawało się, jakby w kolejce do Przyszłoświata stały miliony.

Ale wystarczyło pokazać vipowskie bilety atrakcyjnej dziewczynie w stroju GM, a Berta, Carmen i Virginię skierowano prosto do drzwi na parterze.

– Mam nadzieję, że nie są państwo zmęczeni – powiedziała dziewczyna. – Trzeba się będzie trochę powspinać.

Wokół nich maszyneria Przyszłoświata łoskotała i szumiała. Słychać było muzykę dobiegającą przez ściany i stłumiony głos lektora.

– Zauważą państwo, że tło dźwiękowe idealnie odpowiada widokom – wyjaśniła dziewczyna. – Firma GM jest szczególnie dumna z kunsztu inżynierów, którzy zaprojektowali Przyszłoświat. Jest doskonale nowoczesny.

– Pojedziemy samochodem? – zapytała Virginia.

– Sama zobaczysz! – Dziewczyna otworzyła drzwi, odsłaniając punkt startowy ich przejażdżki. Przez szparę widać było wlewający się wraz ze słońcem tłum. – Miłej zabawy.

Zamiast samochodów był długi ciąg obudowanych kanap na kółkach. Zwiedzający wsiadali do wagoników w ruchu, kiedy te zmierzały do tunelu.

Trójka nieustraszonych podróżników zajęła jedną z kanap: Virginia pierwsza, potem Carmen, na końcu Bert. Ani się obejrzeli, kiedy znaleźli się w mroku. Słychać było muzykę, a lektor powitał ich w Ameryce tysiąc dziewięćset sześćdziesiątego roku. Głos był tak wyraźny, jakby dobiegał z wnętrza wagonika.

Ujrzeli przed sobą miasto – rozciągający się po horyzont miniaturowy świat. Wieżowce w środku stały jak trofea, niektóre były połączone mostami. Lektor wyjaśnił, że za niespełna kilka dekad amerykańskie miasta będą projektowane i wznoszone z perfekcyjną precyzją. Ulice będą czyste i spokojne. Po autostradach będą sunąć nowoczesne auta – wszystkie marki GM – i nie będzie korków ani zatorów. Niebo zaroi się od samolotów przewożących towary i pasażerów do terminali rozmieszczonych tak gęsto jak stacje benzynowe. Krajobraz wokół miast usiany będzie gospodarstwami, domami i elektrowniami w całości zaspokajającymi potrzeby Amerykanów roku tysiąc dziewięćset sześćdziesiątego pod względem żywności, przestrzeni i prądu.

Domy, wieże, samochody, pociągi i samoloty pełne były szczęśliwych, niewidocznych mieszkańców, którzy oswoili dziki chaos przeszłości, nie tylko odkryli sekret zbudowania przyszłości, ale nauczyli się w niej koegzystować w pokoju.

Przesuwająca się wizja przykuła Virginię do fotela. Carmen uśmiechnęła się do siostrzenicy i spojrzała na Berta. Nachyliła się do niego i wyszeptała:

– Będzie tam żyć i to się jej podoba.

Słowa tknęły Berta niczym fala czułych pocałunków. Lektor zamilkł, oddając głos wzbierającym skrzypcom i wiolonczelom tła muzycznego. Bert czuł perfumy Carmen – delikatny powiew bzu z domieszką wanilii. Jej wargi nie odsunęły się od jego policzka.

– Myśli pan, że to wszystko się stanie? – zapytała cicho. – Właśnie tak?

Odnalazłszy jej ucho w otoczce pukla ciemnych włosów, Bert szepnął:

– Jeżeli tak, to będzie cudownie.

Kiedy wyszli, popołudniowe cienie zdążyły się wydłużyć. Na Moście Kół nad Grand Central Parkway Virginia oznajmiła, że w tysiąc dziewięćset sześćdziesiątym roku będzie miała trzydzieści lat.

– Żałuję, że nie mogę wskoczyć teraz do wehikułu czasu i się tam przenieść!

Bert zerknął na zegarek – była 17:56. W przeszłości był już o tej porze w taksówce wiozącej go do pokoju 1114. Przed dziewiętnastą był już rozebrany, zdejmował wszystkie przedmioty otrzymane na czas wyprawy, w tym biżuterię i zegarek, wciskał się z powrotem w skafander ciśnieniowy i kładł na precyzyjnie ustawionym łóżku, szykując się do progresji z tysiąc dziewięćset trzydziestego dziewiątego roku. Powinien w tej chwili się zbierać; taksówka stała tuż przed bramą po drugiej stronie pawilonu Chrysler Motors. Zamiast tego zapytał swoją towarzyszkę, kiedy zaczyna się pokaz Fontann Światła.

– Dopiero o zmroku. Jako że jest pan teraz w towarzystwie pary VIP-ek – powiedziała ze śmiechem Carmen – czy mogłabym zaprosić pana na kawałek ciasta?

– Tak się składa, że uwielbiam ciasto.

– Chodźmy do Borden's! – zapiszczała Virginia. – Zobaczymy krowę Elsie.

Przy cieście i kawie Bert kolejny raz dowiedział się wielu rzeczy o Carmen i jej siostrzenicy – o Radio Clubie i współlokatorkach na Wschodniej Trzydziestej Ósmej Ulicy. Wszystko było tak jak poprzednio. Potem przeszłość wywinęła woltę.

– Czy w pana życiu jest jakaś szczególna osoba, panie Allenberry?

Bert popatrzył Carmen w oczy. Skadrowane tłem wystroju Borden's przybrały jeszcze ciemniejszy odcień zieleni.

– Znaczy się, czy ma pan żonę! – droczyła się Virginia.

– Virginio! Przepraszam, panie Allenberry. Nie chciałam być nietaktowna, ale widzę, że nie ma pan obrączki, i pomyślałam sobie: cóż, w życiu kogoś takiego jak pan musi być już jakaś szczególna osoba.

– Też tak myślałem, wiele razy – przyznał tęsknie. – Chyba ciągle szukam.

– Wy, nieżonaci, to dopiero macie szczęście. Możecie czekać i czekać, aż traficie na odpowiednią dziewczynę, i nikt się was nie czepia. – Tu wydeklamowała nazwiska sportowców i hollywoodzkich gwiazdorów stanu wolnego, z których Bert nie rozpoznał żadnego. – Ale my, kobiety? Jeśli czekamy za długo, to nazywają nas starymi pannami.

– Mama mówi, że jak niedługo nie znajdziesz chętnego, to nikt ci nie zostanie! – zawołała Virginia. – Masz prawie dwadzieścia siedem lat!

– Cicho tam! – syknęła Carmen, sięgając widelcem, żeby nabić najlepszy kawałek skórki, po czym włożyła go do ust.

– Złodziejka! – zaśmiała się Virginia.

Wycierając sobie usta serwetką, Carmen uśmiechnęła się do Berta.

– To prawda. Jestem ostatnią kurą w zagrodzie.

– A pan ile ma lat, panie Allenberry? – zapytała Virginia. – Musi być pan w podobnym wieku jak pan Lowenstein, dyrektor mojej szkoły. Jest pod czterdziestkę. A pan ma już czterdzieści lat?

– Młoda damo, zaraz cię wrzucę do Laguny Narodów! Panie Allenberry, tak mi przykro. Moja siostrzenica ma tyle do nadrobienia w kwestii manier. Może do tysiąc dziewięćset sześćdziesiątego roku zdąży to wszystko opanować.

Bert się roześmiał.

– Jestem jak twoja ciocia Carmen. Ostatni kogut w zagrodzie.

Wszyscy się z tego zaśmiali. Carmen sięgnęła i dotknęła jego nadgarstka.

– To ci z nas para! – powiedziała.

Bert powinien był się w tej chwili wymówić. Minęła osiemnasta. Jeżeli taksówka będzie czekać, dotrze do pokoju 1114 tuż na progresję. Ale to był jego ostatni dzień w życiu z Carmen. Nigdy więcej miał już nie zobaczyć kobiety w zielonej sukni.

Owszem, Bert Allenberry był bystrym człowiekiem, zdaniem wielu wręcz geniuszem. Wynaleziony przez niego cyfrowy przekaźnik zaworu losowego dostępu zmienił świat, a wystąpień Berta na konferencjach pełnych tuzów – w Davos, Wiedniu, Abu Zabi i Ketchum w Idaho – słuchano z nabożną uwagą. Zastępy prawników spełniały jego dyktaty, rzesze naukowców i deweloperów przekuwały jego fantazje w rzeczywistość. Jego osobisty majątek przerastał PNB większości krajów świata, w tym tych, w których był właścicielem fabryk. Przekazywał pieniądze na bardzo szczytne cele, a jego nazwisko zdobiło budowle, do których nigdy się nawet nie pofatygował. Miał wszystko, co człowiek – bardzo zamożny człowiek – mógł mieć, każdą rzecz, której mógł potrzebować lub pragnąć.

Oczywiście oprócz czasu.

Przygody Chronometryczne twierdziły, że ósmego czerwca tysiąc dziewięćset trzydziestego dziewiątego roku ma dwadzieścia dwie godziny, żeby robić, co mu się żywnie podoba. Ale teraz żywnie spodobało mu się trochę tu zostać. Musi być jakiś margines tolerancji, prawda? Bądź co bądź progresja, czy może reprogresja – zawsze mu się myliły – nie mogła się rozpocząć, dopóki jego ciało, ze wszystkimi atomami i molekułami, nie znajdzie się na swoim miejscu w pokoju 1114 w hotelu Lincoln przy Ósmej Alei. Rozumiał, dlaczego Przygody Chronometryczne narzucały takie, a nie inne warunki – żeby kryć własny tyłek! Dlaczego niby musiał być w tym ciasnym skafandrze ciśnieniowym i na tym łóżku co do sekundy o danej porze? Czy był Kopciuszkiem na balu? Dlaczego nie mógłby wejść od niechcenia do pokoju o, dajmy na to, północy, po czym wcisnąć się w gumowy skafander i – szust! – zniknąć? O co to wielkie halo?

– Widziałaś kapsułę czasu? – zapytał Virginię.

– Czytałam o niej w szkole. Zakopano ją na pięć tysięcy lat.

– Jej zawartość jest wystawiona w Westinghouse. Robot Electro też. Wiesz, co to jest telewizja? Po prostu musisz zobaczyć telewizję. – Bert wstawał od stołu. – Wybierzemy się do Westinghouse?

– Chodźmy! – Wzrok Carmen znów się śmiał.

Do kapsuły czasu załadowano same bzdury – komiksy z Myszką Miki, papierosy i całe zestawy książek na mikrofilmach.

Kapsuła czasu i Electro robiły wrażenie, ale to na widok telewizji Virginia nie posiadała się ze szczęścia. Mogła oglądać swoją ciocię i pana Allenberry'ego na małym czarno-białym ekranie, prawie jakby byli gwiazdami kina, ale ich postaci były zmniejszone, wyświetlane z ekranu w szafce nie większej od domowego radioodbiornika. Tak naprawdę byli w innej sali, stali przed kamerą, którą Virginia widziała po raz pierwszy w życiu, a zarazem miała ich przed sobą. Ta wizja była pasjonująca. Kiedy zamienili się miejscami, Virginia pomachała i zawołała do mikrofonu:

– To ja, w telewizji, witam się z wami stąd, a wy mnie widzicie tam!

– Popatrz no tylko! – zawołała Carmen. – Jaka jesteś śliczna! Taka dorosła! Och, Bercie! – Odwróciła się do niego. – To powinno być niemożliwe, ale się dzieje!

Bert nie patrzył na Virginię na ekranie, tylko na Carmen. Poczuł ciarki, kiedy z jej ust zamiast „pana Allenberry'ego" dobiegło jego imię.

Zerknąwszy na zegarek, zobaczył, że jest 19:06. Ostateczny termin minął, dwadzieścia dwie godziny dobiegły końca i – proszę, proszę – ciągle był jeszcze margines tolerancji!

Zwiedzili pawilony DuPonta, Carriera i Przemysłu Naftowego, w których nie było żadnego odjechanego eksponatu zdolnego przebić telewizję. Szklany Budynek, wystawa Amerykańskiego Tytoniu i Kontynentalnych Wypieków służyły tylko do zabicia czasu; im dłużej się w nich ociągali, tym bliżej było do zmroku i pokazów świetlnych.

Po obejrzeniu filmów o narciarzach wodnych w Akademii Sportu Bert kupił trzy kubki lodów, które zjedli drewnianymi łyżeczkami.

– To nasze miejsca! – Virginia zajęła im ławkę.

W pogłębiającym się indygo wieczoru widzieli wszystko na przestrzał od laguny do olbrzymiego George'a Washingtona, którego sylwetka rysowała się na tle Perysfery, czuwającego nad zapoczątkowanym przez siebie wielkim narodem. Kiedy zapadła noc, budynki wystawy zamieniły się w obrysy jaskrawych linii na tle pogłębiającego się mroku. Nad horyzontem unosiła się poświata wieżowców Manhattanu. Podświetlone drzewa na terenie Wystawy lśniły jakby od środka, swoim własnym blaskiem.

Bert Allenberry chciał, żeby ten wieczór trwał bez końca, po wsze czasy. Chciał siedzieć obok Carmen nad Laguną Narodów, nasłuchując wystawowego szumu i wdychając podszyte wonią bzu i wanilii ciepłe powietrze tysiąc dziewięćset trzydziestego dziewiątego roku.

Kiedy Virginia zebrała ich kubeczki, by odnieść je do śmietnika, Bert i Carmen po raz pierwszy zostali sami. Dotknął jej dłoni.

– Carmen – zaczął. – To był idealny dzień.

Carmen na niego patrzyła. Och, te jej orzechowe oczy.

– Nie dzięki Przyszłoświatu. Ani telewizji.

– Dzięki krowie Elsie? – zapytała, uśmiechając się i wstrzymując oddech.

– Pozwoliłabyś mi po zamknięciu wystawy odwieźć siebie i Virginię do domu?

– Och, nie mogę. Moja siostra mieszka za daleko na Bronksie.

– Weźmiemy taksówkę. Potem pojedziemy do ciebie. Na Wschodnią Trzydziestą Ósmą Ulicę.

– To by było bardzo miłe z twojej strony, Bercie – przyznała Carmen.

Bert chciał objąć Carmen, pocałować ją, może na tylnym siedzeniu taksówki na Wschodniej Trzydziestej Ósmej Ulicy. Albo w pokoju 1114. A najlepiej na setnym piętrze jego budynku przy Piątej Alei 909.

– Cieszę się, że przyszedłem dziś na wystawę – powiedział z uśmiechem. – I mogłem cię spotkać.

– Ja też się cieszę – wyszeptała Carmen. Nawet na chwilę nie puściła jego dłoni.

Z ukrytych wokół Laguny Narodów głośników zaczęła płynąć muzyka. Virginia przybiegła z powrotem na ławkę w chwili, kiedy z fontann wystrzeliła w niebo woda, a podświetlone gejzery zamieniły się w kolumny płynnych barw. Wszyscy zwiedzający przystanęli, żeby popatrzeć. Dzięki projekcjom Perysfera przeobraziła się w świetlistą kulę z chmur.

– Jejku! – Virginia była zachwycona.

– Piękne – powiedziała Carmen.

Niebo przecięły pierwsze fajerwerki, które rozsypały się na komety, po czym rozpierzchły jako dym.

Właśnie wtedy Bert poczuł uderzenie w czoło młotka z noskiem kulistym. Oczy wyschły mu boleśnie i nieznośnie swędziały. Nos i uszy zaczęły krwawić. Nogi zwiotczały, a krzyż odczepiał się od miednicy. Pierś przeszył mu palący ból, kiedy cząsteczki składające się na jego płuca zaczęły się rozchodzić. Wydawało mu się, że spada.

Ostatnie, co usłyszał, to krzyk Virginii:

– Panie Allenberry!

Ostatnie, co zobaczył, to strach w orzechowych oczach Carmen.

Olympia

# Zatrzymajcie się u nas

MUZYKA: *Mama Said Knock You Out* LL Cool J-a

Z ROZJAŚNIENIA

PLENER. LAS VEGAS. RANO.
Miejsce jest znane – the Strip. Kasyna. Fontanny.
Ale chwileczkę... Na tle nieba maluje się nowy, olbrzymi, luksusowy hotel.

*OLIMP.*

Góruje nad całą resztą. Jeżeli z was szycha, to bujacie się i pogrywacie z bogami na OLIMPIE.

ZBLIŻENIE NA: OCZY FRANCISA XAVIERA RUSTANA

Znanego również jako F.X.R. Zielone oczy, przyprószone złotem, pląsają ze szczęścia pod byle pretekstem.

ZBLIŻENIE NA: EKRANY KOMPUTERÓW

Lewy ekran: SZCZEGÓŁOWE PLANY ARCHITEKTONICZNE olbrzymiej ELEKTROWNI SŁONECZNEJ

Środkowy ekran: OBRAZY z Google Earth niezamieszkanych, pustych parceli, MAPY USGS, MAPY topograficzne i WYKRESY ekologiczne

Prawy ekran: ZMIENIAJĄCE SIĘ OBRAZY. Facet łapie marlina, facet na lotni, facet się wspina, facet na pontonie. Steve McQueen w *BULLITCIE*. Facet to zawsze F.X.R.

Oprócz Steve'a McQueena.

Na dole ekranu przesuwa się PASEK INFORMACYJNY. Pojawiają się okna z OSTRZEŻENIAMI, WIADOMOŚCIAMI i TYTUŁAMI UTWORÓW, LL Cool J-a zastępuje właśnie...

MUZYKA: *Mambo Italiano* Deana Martina

Pojawia się WIADOMOŚĆ TEKSTOWA:

MERCURY: *Szefie? Śniadanie jak zwykle?*

IDENTYFIKACJA ROZMÓWCY pokazuje PANIĄ MERCURY – krótkie kruczoczarne włosy. Mocna czerwona szminka.

F.X.R. odpowiada *klikaniem* na klawiaturze.
F.X.R.: *Zamówione. Nicholas przyniesie.* MERCURY: *Kto?*
F.X.R.: *Nowy.*

CIĘCIE DO:

WNĘTRZE. WINDA TOWAROWA. C.D.
PANI MERCURY to przepiękny okaz kobiety o deprymującej urodzie supermodelki. Ponad metr osiemdziesiąt wzrostu, doskonale szczupła, o ciele wyrzeźbionym na pilatesie. Ubrana do bólu na czarno. Kobieta, której lepiej nie podskakiwać, bez względu na okoliczności.

Przeczytała wiadomość i wrzeszczy!

PANI MERCURY

Jaki nowy?!

Jest prawą ręką F.X.R.-a od dwunastu lat – to zawód, który pochłania ją bez reszty i któremu poświęca każdą chwilę każdego dnia.

Przynoszący jej szefowi śniadanie „nowy" to fakt, o którym nie ma prawa nie wiedzieć!

Stuka w gadżet na nadgarstku, duży ZEGAREK/ /KOMPUTER, ściągając WIADOMOŚCI, SMS-Y, ROZKŁADY i w końcu serię ZDJĘĆ PRACOWNIKÓW. Przesuwa zdjęcia, aż ukazuje się…

NICHOLAS PAPAMAPALOS – dziewiętnaście lat. Mętny wzrok, jakby to był jego pierwszy dzień w pierwszej pracy (tak zresztą jest).

Drzwi windy otwierają się i oto on – NICHOLAS PAPAMAPALOS, w stroju kelnera hotelowego w Olimpie, popycha stolik z zakrytym posiłkiem.

PANI MERCURY

*(z przesadnym uśmiechem)*

Nicky, chłopie!

*Nicky jest skołowany. Skąd ta wysoka pani zna jego imię? Wchodzi do windy.*

NICHOLAS

Jestem tu nowy.

PANI MERCURY

Nie mów! Patrzcie no państwo, strój za duży, wiezie śniadanie F.X.R.-owi...

NICHOLAS

Coś nie tak?

PANI MERCURY

Na razie nie, mały.

NICHOLAS

Skąd pani wie, że to dla pana Rustana?

*Pani Mercury wciska przycisk sto pierwszego piętra. Drzwi się zamykają i winda powoli rusza.*

PANI MERCURY

Bo ja wiem o wszystkim, co się dzieje w Olimpie, Nickusiu. A wiesz dlaczego?

NICHOLAS

Nie. Jestem tu nowy.

PANI MERCURY

Pozwól, że coś ci o sobie opowiem.

*(potem)*

Wiesz, czym byłam zajęta do trzeciej w nocy? Pilnowaniem, żeby kolekcja stu trzydziestu dwóch zabytkowych motocykli Francisa X. Rustana trafiła do nowego klimatyzowanego magazynu, gdzie będą utrzymywane w doskonałym stanie na mało prawdopodobny wypadek, gdyby pewnego dnia zebrało mu się na przejażdżkę. Ostatni raz zdarzyło się to w maju dwa tysiące trzynastego roku. Fakt, że nie zaszczycił jeszcze swoją obecnością nowego składu swoich skupowanych latami zabytkowych pianoli ani tabliczek z reklamami Burma-Shave, nie odwiódł mnie od nakazania dwóm tuzinom ludzi, żeby owinęli motocykle plandeką i ostrożnie umieścili je w wysoce zmechanizowanym garażu o wymiarach i orientacyjnym koszcie jaskini Bruce'a Wayne'a.

*(potem)*

F.X.R. to bardzo zamożny człowiek, który w temacie swojego imperium markuje wszechwiedzę i pełną kontrolę. „Markuje" z akcentem, podkreślone, kursywą. Oto coś, czego o El Jefe nie wie żaden z milionów jego wielbicieli, akolitów, podlizuchów i speców od kupczenia wpływami – że mając pod nosem kajzerkę, mięso w plastrach i słój majonezu, nie umiałby przygotować sobie przekąski. Lubi bujać w obłokach, bo w jego mózgu jest od cholery szurniętych planów, na których zbija fortunę. A my – ty i ja – jesteśmy po to, żeby umożliwić mu taki styl życia. Ja mam pracować dwadzieścia dwie godziny na dobę i być na każde jego zawołanie. Ty masz przygotowywać mu posiłki i próbować je w celu wykluczenia obecności trucizny. Tylko żartuję. O tej truciźnie. A może nie?

*Dzyń! Są na sto pierwszym piętrze.*

WNĘTRZE. KORYTARZ TOWAROWY. 101 PIĘTRO. C.D.
Ale długi korytarz!

PANI MERCURY
*(ciągle z uśmiechem)*
Powiedz, że wieziesz mu perfekcyjne śniadanie, bo inaczej cię pokanceruję.

NICHOLAS
Miałem wszystko przygotowane. Organiczne musli siedmiu zbóż, mango i ananas w plasterkach, sok pomidorowy i café au lait z cynamonem.
Ale wtedy…

PANI MERCURY
*(uśmiech? Zniknął!)*
Ale wtedy?

NICHOLAS
Pół godziny temu wysłał do kuchni wiadomość.

PANI MERCURY

Pokaż mi ją!

*Nicholas pokazuje jej swój zegarek/komputer:*

FXR: *Szanowni Pichciarze, zmiana planu – naleśniki z blachy!*

PANI MERCURY

Z blachy! Z BLACHY? Nie, nie, nie, nie!

*Podnosi pokrywę. A tam, na talerzu:*
*naleśniki z blachy. Znane również jako naleśniki.*

PANI MERCURY

Do jasnej wulgarnej! To przecież naleśniki z blachy!

NICHOLAS

Z syropem z malinojeżyn.

*Pani Mercury nie posiada się z troski.*

PANI MERCURY

Oj, Nicky, Nicky. To nie wróży najlepiej. Chyba właśnie zepsułeś mi dzień i żebyś wiedział – jeżeli dziś polegnę, to z tobą.

NICHOLAS

Przez naleśniki z blachy? Ja nic nie zrobiłem! Jestem tu nowy!

PANI MERCURY

Szef zamawia naleśniki z blachy tylko wtedy, kiedy coś chodzi mu po głowie. Będę musiała zorganizować ekspedycję na islandzkie fiordy dla trzydziestki nabliższych znajomych F.X.R.-a, żeby mógł pokajakować na otwartym morzu. Albo zlecić rozciągnięcie liny nad wąwozami z lasami tropikalnymi w Ugandzie, żeby każdy mógł podpatrzyć z góry życie szympansów na wolności. Albo zadbać, żeby każdy pracownik Olimpu był przykuty do...

*(zegarka/komputera)*

...czegoś takiego. I ja naprawdę musiałam realizować właśnie takie zachcianki. Naleśniki z blachy oznaczają, że czeka mnie robota, którą wyśmiałby nawet chomik. Naleśniki z blachy właśnie dobiły mój i tak już dogorywający dzień.

NICHOLAS

Dlaczego pani tu pracuje?

PANI MERCURY

Na swoje usprawiedliwienie mam tylko niebotyczną pensję.

*Są przed drzwiami jedynego pokoju na sto pierwszym piętrze.*

PANI MERCURY

Ustaw stolik przy sztucznym wodospadzie.
Popraw tabliczkę z imieniem. I się uśmiechaj.
Lubi pracowników, którzy tryskają entuzjazmem.

*Urywa. Bierze wdech, a jej twarz rozjaśnia promienny uśmiech. Jej zdolność do takiej przemiany jest niepokojąca. Puka... i wchodzi.*

WNĘTRZE. PENTHOUSE. DZIEŃ.

Wypasiony apartament, ze sztucznym wodospadem, sprzętem treningowym z najwyższej półki i ekranem na całą ścianę przed rzędem staroświeckich foteli kinowych. Okna wychodzą na panoramę prawie całego Las Vegas.

PANI MERCURY

*(przeszczęśliwa)*

Naleśniki z blachy dla szefa wszystkich szefów!

*F.X.R. wstaje od stanowiska komputerów.*

F.X.R.

Uwinęliście się.

PANI MERCURY

Zawsze to mówisz!

*Nicholas ustawia stolik z jedzeniem.*

F.X.R.

Ty jesteś Nicholas?

*(czyta z tabliczki)*

Na to wygląda. Witaj na pokładzie. Co się stało z O'Shayem?

PANI MERCURY

Żona O'Shaya miała dziecko, pamiętasz? Owszem, wysłałam już nową kołyskę i nawilżacz na zimną mgiełkę wraz z dwiema pełnoetatowymi opiekunkami.

*F.X.R. siada do naleśników z blachy.*

F.X.R.

Popatrz tylko na te pyszności. Naleśniki mogą być smażone na blasze albo na patelni. Czy te były usmażone na blasze, czy na patelni, Nico?

NICHOLAS

Tego akurat nie widziałem, proszę pana.

F.X.R.

„Proszę pana"? W tej okolicy wystarczy po prostu F.X.

*(potem)*

Moim zdaniem są z blachy.

*(polewa je syropem z malinojeżyn)*

Pani Mercury. Nie wiem, co dziś było w agendzie, ale proszę wszystko odwołać.

PANI MERCURY

Ostatnim razem, kiedy to mówiłeś, musiałam przemierzać Missisipi, żebyś mógł wykupić wszystkie uprawy ketmii konopiowatej w delcie.

F.X.R.

Chyba znalazłem miejsce na elektrownię słoneczną.

PANI MERCURY

Wow. Powaga. Super.

*Wzdycha i siada ciężko na kanapie. Zaczyna przeszukiwać internet na swoim zegarku/komputerze.*

PANI MERCURY

*(do siebie)*

To będzie długi dzień...

*F.X.R. podnosi talerz i podchodzi do komputerów, otwiera zdjęcia i wskazuje je widelcem ociekającym syropem z malinojeżyn.*

F.X.R.

Shepperton Dry Creek to w tej chwili nic szczególnego.
Płaski, szeroki. Suchy. Ale to cud matki natury,
który zgarnia więcej światła niż Taylor Swift lajków
na Facebooku.

PANI MERCURY

*(LAJKUJE jakiś post na facebookowej stronie Taylor Swift)*

Czyli sporo.

F.X.R.

Nieopodal Shepperton Dry Creek biegnie stara droga 88.

PANI MERCURY

Tak? Niesamowite.

F.X.R.

Pewien rzutki przedsiębiorca zacznie skupować ziemię
wzdłuż tego odcinka autostrady pod kątem nieuniknionego
wzmożenia ruchu.

PANI MERCURY

*(znudzona, ogląda paznokcie)*

Yhy.

F.X.R.

To ruszamy.

PANI MERCURY

Dokąd?

F.X.R.

Po starej drodze 88. Będzie ubaw! Tak jak kiedy w Kostaryce wybraliśmy się na Autostradę Panamerykańską, żeby zbierać pająki.

PANI MERCURY

No. To był dopiero czad. Ukąsiły mnie.

F.X.R.

Wylizałaś się.

PANI MERCURY

Weź dziś ze sobą Nicka.

F.X.R.

Nie mogę rozkazywać Nickowi. Należy do związku.

*(potem)*

Należysz do związku, prawda?

NICHOLAS

Tak, proszę pana. Znaczy się, F.X.-ie.

PANI MERCURY

Dlaczego nie możesz wziąć ślubu i zmuszać do tego wszystkiego żonę?

F.X.R.

Nie potrzeba mi żony. Mam ciebie. Żony nie znoszą facetów w moim typie.

PANI MERCURY

A ja muszę znosić? Muszę dopilnować tu wielu spraw, żeby twoje imperium nie upadło.

F.X.R.

Wycieczka obojgu nam dobrze zrobi.

*PANI MERCURY unosi bezradnie ręce.*

PANI MERCURY

Widzisz, Nicholasie! Ty i twoje naleśniki z blachy!

NICHOLAS

Co ja narobiłem?

F.X.R.

Co Nick narobił?

PANI MERCURY

Pewnego dnia rzucę tę pracę i znajdę sobie poważny zawód, dajmy na to narciarstwo wodne...

*(wpisuje coś do zegarka/komputera)*

Przygotuję odrzutowiec.

F.X.R.

Duży odrzutowiec i mały odrzutowiec. Ty polecisz małym i skołujesz nam transport naziemny. Ja dolecę dużym po treningu.

PANI MERCURY

Wedle życzenia, o magnacie przemysłowy.
Jaki automobil mam dodać do kolekcji marzeń?
Monzę? Surfera z drewnianą karoserią?

F.X.R.

Spróbujmy nie rzucać się w oczy, żeby się wtopić
w miejscowy koloryt. Gospodarka ominęła te rejony.
*(wyciąga plik banknotów)*
Kup mi jakieś auto za osiemset dolarów.

PANI MERCURY

Osiemset dolarów? Na samochód? To będzie niezły rupieć.
*F.X.R. wyciąga jeszcze parę banknotów.*

F.X.R.

Niech będzie osiemset pięćdziesiąt.
*(wyciąga dwudziestkę)*
Nick? Dla ciebie.
*Nicholas bierze pieniądze.*

NICHOLAS

Dziękuję, panie F.X.

CIĘCIE DO:

PLENER. LOTNISKO GDZIEŚ NA ODLUDZIU. DZIEŃ.
Jeden pas startowy i podniszczony budynek
polowego biura. Niewiele samolotów tu ląduje.
Ale co to takiego?

Duży odrzutowiec kołuje obok stojącego małego odrzutowca. Oba samoloty mają z boku logo Olimpu.

Pani Mercury – ciągle na aż za czarno – siedzi za kierownicą buicka cabrio z lat siedemdziesiątych ze złożonym dachem.

Schodki dużego odrzutowca się opuszczają i pojawia się F.X.R. w ubraniu, które jego zdaniem noszą zwykli ludzie – koszula jak z westernu z owocowym wzorem za mocno wciśnięta w starą parę dżinsów Jordache, pasek z okazałą sprzączką jak z reklamy Marlboro i płomiennie czerwone kowbojskie buty. Na głowie ma fabrycznie znoszoną czapkę z daszkiem Johna Deere'a, a w dłoni słomiany kapelusz kowbojski.

PANI MERCURY

Ej, Duke, Bo, czy ktoś ty za jeden. W samolocie jest mój szef?

F.X.R.

*(o swoim ubraniu)*

Nieźle, co? Autentyzm to podstawa.

PANI MERCURY

Miło, że girlsy z kasyna pozwoliły ci pobuszować w garderobie.

F.X.R.

*(o aucie)*

Jak się prowadzi?

PANI MERCURY

Zużyłam pół baku benzyny i pół litra oleju na samą drogę od dilera. Ale mam też dobre wieści: udało mi się zejść do siedmiuset dolców.

F.X.R.

Reszta do kasy. Tutaj.

*(kowbojski kapelusz)*

Nie możesz się wyróżniać!

*Wkłada jej kapelusz na głowę.*

F.X.R.

*(ze śmiechem)*

Nie wyglądamy cudnie?

PANI MERCURY

Taka fortuna, a tobie frajdę sprawia przebieranie się za biednego śmiertelnika bez zmysłu estetycznego. Mogę sprawić, że tak już zostanie. Daj mi tylko wszystkie pieniądze i będziesz potem żył długo i szczęśliwie.

*F.X.R. podbiega od strony pasażera i usiłuje wskoczyć do auta. Zahacza stopą o drzwi i przewraca się na siedzenie.*

PANI MERCURY

Z drogi, śledzie, bo przygoda jedzie!

*Wciska gaz, samochodem zarzuca, po czym ruszają, rozrzucając piasek i żwir.*

MUZYKA: *I've Been Everywhere* Hanka Snowa

PLENER. AUTOSTRADA 88. PÓŹNIEJ.

Buick telepie się po pustej autostradzie.

F.X.R. uśmiecha się na wietrze.

F.X.R.

Powinienem częściej wychodzić z penthouse'u!

PANI MERCURY

Dwa tygodnie temu surfowałeś na brzuchu
na Wielkiej Rafie Koralowej!

F.X.R.

Żeby zobaczyć Amerykę. Za mało oglądam swoją ojczyznę.
Otwarta droga. Wielkie niebo. Wstęga asfaltu z linią
przerywaną i horyzont. Kocham ten kraj!
Bóg mi świadkiem, jak ja go kocham!

*(potem)*

Niekiedy duszy dobrze robi zejście ze szczytów, pani Mercury.
W przeciwnym razie nie widzi się nic więcej. Powinienem
wysłać notkę tej treści do wszystkich pracowników.

PANI MERCURY

A jak. Poczujmy to natchnienie.

*(potem)*

To dokąd, wodzu?

F.X.R.

*(wysyłając wiadomość ze swojego zegarka do pani Mercury)*

Tutaj. Do miasteczka o nazwie Phrygia.

*(wymawia na trzy sposoby)*

Sześćset dwóch mieszkańców.

ZEGAREK: *Zdjęcia, fakty, informacje o Phrygii...*

F.X.R.

Swego czasu ważny przystanek na drodze 88, który kiedyś zwał się stolicą amerykańskiej gościnności. Zobaczymy, jak gościnni będą wobec takich jak my.

PANI MERCURY

Zanim nie obkupisz ich z każdego centymetra kwadratowego i hektara.

*(patrzy na zegarek)*

Diabli. Będziemy tam jechać godzinami! Usmażę się!

PLENER. OLBRZYMIA TABLICA.

Wyblakła, stara, z potłuczonymi neonówkami i schodzącą farbą, z napisem MOTEL OLIMP...

Słabo widoczne są duże postaci mężczyzny i kobiety machających do wyimaginowanych samochodów, wołających spłowiałymi od słońca literami: „Zatrzymajcie się u nas!".

MUZYKA: *Que te vaya bonito* na akordeonie

NAPISY: *TŁUMACZENIE HISZPAŃSKIEGO TEKSTU*

*Nie wiem, czy bez ciebie nie zginę.*

*Choć pierś moja ze stali...*

CIĘCIE DO:

WNĘTRZE. MOTEL OLIMP, PHRYGIA. DZIEŃ. C.D.

W niczym nie przypomina imiennika z Las Vegas…
Zero podobieństw.

Tak jak tablica, motel Olimp pamięta lepsze czasy.
Co można o nim powiedzieć dobrego? Że jest czysty.

MUZYKA dobiega od JESUSA HIDALGA, który gra ostatnie takty piosenki tak pięknej, że świetnie brzmi nawet na akordeonie.

NAPISY: *Ale nikt nie nazwie mnie tchórzem,*
*nie wiedząc, jak bardzo ją kocham…*

Para staruszków – PHIL i BEA (tak, to oni są na tablicy) – bije brawo, kiedy Jesus pakuje instrument i chowa go do swojego starego pikapa.

PHIL

To ci dopiero talent!

BEA

Zawsze, kiedy grasz, zbiera mi się na łzy.
Masz dar, Jesusie.

JESUS

Tak dobrze się u państwa czuję, panie Philu i pani Beo.
Zawsze się tu czuję jak w domu.

BEA

Bo jesteś, Jesusie. Jesteś w naszym domu.

PHIL

Powodzenia w Chesterton. Podobno w tej fabryce szyb samochodowych wypłacają sporo dodatków.

JESUS

Dziękuję. Jeszcze wiele razy państwa odwiedzę. Obiecuję.

BEA

Przywieź nam szybę własnej roboty.

*Jesus wsiada i furgonetka wyjeżdża,*
*trąbiąc, z parkingu. Phil i Bea przyglądają się,*
*jak znika na drodze. Przez chwilę milczą.*

PHIL

Odjeżdża nasz jedyny gość. Łóżko mniej do słania.

BEA

Boże, będzie mi brakować tego jego akordeonu.

PHIL

Sześćdziesiąt dwa dolary mniej tygodniowo. Dlaczego ktokolwiek chciałby opuścić nasz zakątek raju i przenieść się do Chesterton, tej zabitej dechami dziury...

BEA

Oj, skończ już labiedzić. Byś trochę popielił.

*Phil mierzy wzrokiem zaślubioną kobietę.*
*Kobietę, którą nadal ma za przepiękną...*

PHIL

Nie mów do mnie jak do parobka.

*(potem)*

Chyba że ta ładna sukienka znaczy, że chcesz się pobawić w uwodzenie parobka.

BEA

Chcesz mnie rozochocić, to rusz się z tą podkaszarką i popręż trochę mięśnie.

PHIL

Coś ci powiem, kobieto. Daj mi dwadzieścia minut na oczyszczenie tej połaci na południu, a potem umówmy się w dziesiątce. Może będę akurat pod prysznicem na golasa?

BEA

Randka zaklepana.

*Po drodze zbliża się buick cabrio, sygnalizując skręt.*

BEA

Zaraz. Chyba mamy gości.

PHIL

Ożeż to!

*(woła)*

Ej, wróćcie za godzinę!

*Samochód parkuje przy motelu.*
*Hej, to przecież nasi F.X.R. i pani Mercury!*
*Dach jest ciągle złożony.*
*On się uśmiecha. Ona wygląda upiornie*
*po trzygodzinnej podróży kabrioletem z opuszczonym dachem.*
*Zatrzymują się tuż przy Philu i Bei.*

F.X.R.

Siemacie!

PHIL

Siemamy?

BEA

Sami się macie.

PANI MERCURY

Śmiano się mać, macie się śmiać.

F.X.R.

*(udając prostego człowieka)*

Jak widać, trud podróży daje się nam we znaki.

PANI MERCURY

I brak filtra.

F.X.R.

Szukamy okazji, żeby odsapnąć. Wiecie – gościnności z prawdziwego zdarzenia.

BEA

Może powinniście rozejrzeć się za motelem?

F.X.R.

A moglibyście polecić coś w okolicy?

BEA

Zastanówmy się. Motel. Szukacie motelu…

PHIL

Najlepszy motel na świecie jest właśnie tu, na obrzeżach
Phrygii. Nazywa się Olimpijski albo Olimpowy,
albo coś takiego.

*F.X.R. spogląda na wyblakłą tablicę.*

F.X.R.

Motel Olimp!

PHIL

Właśnie.

F.X.R.

Pani Mercury! Motel Olimp! To zrządzenie losu!

*Pani Mercury chce jak najszybciej*
*wysiąść z samochodu i wziąć prysznic.*

PANI MERCURY

Nie inaczej. Istna oaza przeznaczenia.

BEA

Witajcie. Jestem Bea. A to Phil. Zatrzymajcie się u nas!

*Urocza para staruszków zamiera w pozycji*
*z tablicy za nimi, włącznie z wyciągniętymi rękami.*
*F.X.R. i pani Mercury wymieniają spojrzenia.*
*Phil i Bea nie ruszają się. Ciągle trwają w pozycji z tablicy.*
*Przez kolejną chwilę. I kolejną. Potem jeszcze jedną.*
*I jeszcze jedną.*

PANI MERCURY

Czyli wolne pokoje są?

BEA

*(opuszcza ręce)*

Nie ma innych.

CIĘCIE DO:

WNĘTRZE. BIURO MOTELU. C.D.

ZBLIŻENIE NA: Wyblakłe zdjęcie sprzed pięćdziesięciu lat – to młodzi Phil i Bea w tej samej pozie. Najwyraźniej to oryginał, który odwzorowano na tablicy w czasach, kiedy powstawała. Biuro jest schludne i przytulne. F.X.R. ogląda zdjęcie, podczas gdy Bea przygotowuje papiery.

BEA

Jeżeli wydaje się wam, że macie cały motel dla siebie, to dlatego, że tak właśnie jest.

F.X.R.

Słaby ruch w interesie?

BEA

Odkąd Eisenhower pociągnął międzystanówki.

F.X.R.

Od tak dawna to prowadzicie?

BEA

Niezupełnie. Ale byliśmy tu z Philem, jeszcze kiedy Phrygia miała trzy gwiazdki w Autoclubie.

*Podaje mu kartę pobytu i tani długopis.*

PLENER. MOTEL OLIMP. C.D.

Pani Mercury parkuje. Silnik nieznośnie rzęzi.

Podchodzi Phil.

PHIL

Wiewiórki chyba już ledwo zipią.

PANI MERCURY

Litr oleju i będzie po zgrzytaniu.

*Spod maski zaczyna dymić.*

PHIL

Las się pali!

*(po czym)*

Zgaś silnik, skarbie.

*Czy on właśnie zwrócił się do pani Mercury per „skarbie"?*

PANI MERCURY

Jasne, szefuniu.

*Kiedy wyłącza silnik, coś WYBUCHA. Silnik gaśnie, ale autem ciągle rzuca.*

PHIL

Zupełnie jak żywe. Podnieś maskę!

PANI MERCURY

Jak to się robi?

*Znajduje dźwignię i za nią pociąga. Maska się unosi, a spod niej wydobywa się słup dymu.*

WNĘTRZE. BIURO MOTELU. DZIEŃ.

F.X.R. widzi dym, kiedy Bea ogląda wypełnioną przez niego kartę pobytu.

BEA

F.X.R.?

F.X.R.

Obecny!

BEA

Karty kredytowej pewnie nie masz?

F.X.R.

Broń cię panie Boże. Kiedyś miałem. W takim markecie we Flint w Michigan. Narobiłem długów, no i trzeba było pryskać.

*Nigdy niczego takiego nie zrobił.*

BEA

Mieliśmy już takich delikwentów.

*(potem)*

W takim razie będzie gotówka. Z góry, bo was nie znam.

F.X.R.

Ile?

BEA

Za dwa pokoje będzie trzydzieści osiem pięćdziesiąt.

*F.X.R. wyciąga własnoręcznie wybrany portfel rodem z westernu.*

F.X.R.
*(zatroskany)*
Oj...

BEA
Albo jeden z dwoma łóżkami – dwadzieścia dwa pięćdziesiąt.

F.X.R.
*(szpera w porftelu)*
Aż tyle?

BEA
Jeden pokój, podwójne łóżko, szesnaście pięćdziesiąt.

F.X.R.
Wygląda na to, że mam tylko... dwanaście dolarów... i drobniaki.

BEA
No... to dostaniecie zniżkę dla jedynych gości w motelu.

PLENER. MOTEL OLIMP. DZIEŃ.
Pani Mercury nachyla się nad samochodem z Philem, który szaleje z kluczem francuskim.

PANI MERCURY
Nie znam się na samochodach. Wciskam gaz i jadę.

PHIL

Myślałaś, że to będzie prosta sprawa, co nie?

*(wyciąga pompę olejową)*

Wiesz, co to takiego?

*Pani Mercury patrzy na pompę*
*jak na zdechłego szczura.*

PANI MERCURY

Zdechły szczur?

PHIL

Zdehipoksyfikowany akcelerator fuzji z tlenospojlerami oporowymi.

PANI MERCURY

Serio?

PHIL

Wymienię go wam. Muszę tylko zadzwonić do Tommy'ego Boyera. Dostarczy nowy tak szybko, jak się da.

PANI MERCURY

Zgoda. Świetnie.

PHIL

Mogę wam go zainstalować, żebyście mogli wyruszyć o świcie.

PANI MERCURY

O świcie to będę miała przed sobą jeszcze trzy godziny w łóżku, ale proszę bardzo.

*Słychać okrzyk.*

F.X.R. (OFF)

Pani Mercury!

*Wszyscy się obracają. F.X.R. jest z Beą, która otwiera drzwi do jednego z pokojów.*

F.X.R.

Chodź zobaczyć nasze lokum.

WNĘTRZE. POKÓJ W MOTELU. DZIEŃ.

Bea i Phil stoją i patrzą, jak F.X.R. sprawdza łóżko, podczas gdy pani Mercury ogląda łazienkę.

F.X.R.

Nie chcę wyjść na marudę, ale dokucza mi dysk po upadku podczas wycinki drzew w Albercie.

*Pani Mercury piorunuje go wzrokiem. Wszystko zmyślone.*

F.X.R.

Ten materac prędzej mnie zabije, niż uśpi.

BEA

*(zastanawia się)*

Czy w trójce nie ma nowszego?

PHIL

Ma ledwie parę miesięcy. Wymienię go w try miga.

F.X.R.

*(dotyka pościeli)*

A ta... yyy... „pościel"? O wiele za szorstka.
Mam przypadłość skórną.

BEA

Mogę otworzyć nową.

F.X.R.

A da się ją wyprać? Nie ma nic gorszego niż pościel prosto ze sklepu.

BEA

To prawie jak zawał. Zmiękczę ją dla was.

PHIL

*(zatroskany)*

Lepiej sprawdź też poduszki. Jak będą za twarde, to plecy żyć ci nie dadzą.

F.X.R.

Jak będą za twarde, to rano nie będę mógł ruszyć szyją.

*(sprawdza poduszkę, łapie się za kark)*

Au! Nie ma mowy!

BEA

My śpimy na miękkich. Założę świeże poszewki i dostaniecie je na noc.

F.X.R.

I na sam koniec ten obrazek nad łóżkiem.

*Strumyk płynie z wolna plus gospodarstwo.*

F.X.R.

Kojarzy mi się z rodziną zastępczą, w której swego czasu spędziłem wieczność. Macie coś, czym dałoby się go zastąpić?

*Pani Mercury powtarza bezgłośnie: „Rodziną zastępczą?”.*

PHIL

W dwunastce jest obrazek z kaczkami.

F.X.R.

Mam lęk przed ptactwem wodnym.

PHIL

W ósemce jest obraz z kołami wozu.

PANI MERCURY

Kołami wozu? Po co malować koła wozu? Nie rozumiem.

PHIL

W trzynastce jest twarz klauna.

*Nie ma mowy.*

*Na samą myśl F.X.R. się wzdryga.*

BEA

A może po prostu zdejmiemy obrazy?

F.X.R.

I po problemie.

CIĘCIE DO:

WNĘTRZE. POKÓJ W MOTELU. DZIEŃ.

Później. Phil wnosi nowy materac. Pani Mercury nie może się nadziwić miękkości ręczników, a Bea wkłada wypożyczone poduszki do poszewek.

PANI MERCURY

*(zupełnie zadziwiona)*

Czym zmiękczyłaś ten ręcznik? Jest jak norka!

BEA

Po prostu je piorę, skarbie. A potem wywieszam, żeby wyschły.

PANI MERCURY

Nie mogę się doczekać prysznica!

BEA

Najpierw musi zlecieć zimna woda. To może chwilę potrwać.

F.X.R.

Dobra. Ostatnia sprawa. Jak można się tu gdzieś pożywić?

PHIL

Naprzeciwko była kiedyś kawiarnia. Nazywała się U Trumana. Mieli pyszne ciasto. Jeszcze lepszą duszoną wołowinę z jarzynami. Zamknęła się w dziewięćdziesiątym pierwszym.

BEA

Jest mnóstwo fast foodów w Chesterton. Dwieście dziewiętnaście kilometrów prosto jak strzelił.

PHIL

Wolałbym strzelić sobie w łeb, niż coś w nich zjeść.

PANI MERCURY

Wszystko jedno. Nie ruszymy się stąd. W aucie poszedł tlenospojler.

PHIL

*(coś sobie przypomina i rzuca się do drzwi)*

Miałem zadzwonić do Tommy'ego Boyera!

*Kiedy wychodzi…*

PANI MERCURY

Jest szansa na posiłek na miejscu?

BEA

Jeśli się nie boisz pobrudzić sobie rączek.

CIĘCIE DO:

PLENER. NA TYŁACH MOTELU. PÓŹNIEJ.

Miniferma. Z kurnikiem i ogrodem. Pięknie utrzymana. Bea fachowym okiem ogląda warzywa, podczas gdy pani Mercury usiłuje zerwać pomidory z krzaka.

PANI MERCURY

*(wrzucając pomidory do kosza)*

Dobra. Pomidory. Rzodkiewki. To długie i zielone. I połowa moich paznokci.

BEA

Czy awokado nie byłoby w sam raz? Muszę posadzić parę drzew.

PANI MERCURY

To one rosną na drzewach?

BEA

Tak. Ale potrzeba dwóch. Męskiego i żeńskiego. Inaczej nici z awokado.

PANI MERCURY

Drzewa… uprawiają seks?

BEA

Raz na tydzień. Tak jak staruszek ze mną.

*Bea się ŚMIEJE.*

*Nawet kurczaki GDACZĄ rozbawione.*

PANI MERCURY

Ta wiedza nie była mi niezbędna…

CIĘCIE DO:

PLENER. PRZY BASENIE. ZMIERZCH.

Phil ustawia stary rożen, na którym obraca się cherlawy kurczak. Basen, pusty…

F.X.R.

Czyli nie macie dzieci?

PHIL

*(kręci głową)*

Nie dało rady. Ale nie szkodzi. Swego czasu pełno tu było dzieciarni. To przez ten basen. Tuzin moteli przy osiemdziesiątce ósemce, zanim odcina nas międzystanówka. Tylko trzy miały baseny. Poustawiałem tablice co trzydzieści kilometrów z napisem: „Góra Olimp – basen". Zgadnij, gdzie chciały się zatrzymać dzieciaki?

F.X.R.

U Phila i Bei.

PHIL

Robiłeś kiedyś w hotelarstwie?

F.X.R.

Nie oficjalnie.

*Phil posyła mu zdziwione spojrzenie.*

PHIL

Tej branży nie da się nauczyć. Trzeba mieć dryg. Trzeba lubić ludzi i im ufać. I umieć skłamać, kiedy ktoś z obłędem w oczach pyta o wolne miejsca. Nie ma się czego wstydzić. To mądrość.

F.X.R.

Musisz lubić ten biznes.

PHIL

Lubię ten motel. A biznes mógłby się lepiej kręcić.

MUZYKA: *Last Date* Floyda Cramera

CIĘCIE DO:

PLENER. KRAJOBRAZ. ZACHÓD SŁOŃCA.
Dokładnie w tej chwili słońce, z ostatnim mrugnięciem, znika za horyzontem.

CIĘCIE DO:

PLENER. MOTEL OLIMP. CAŁOŚĆ. NOC.
Neonówki na tablicy nie działają, oświetla ją tania lampa ogrodowa.

Przy basenie widzimy dwójkę motelarzy i ich gości delektujących się kolacją na świeżym powietrzu.

PHIL

Powiedzcie mi taką jedną rzecz. Długo już ze sobą jesteście, dzieciaki?

PANI MERCURY

Że co?

PHIL

Wasza dwójka. Dwie połówki?

BEA

Phil, to nie twoja sprawa.

PANI MERCURY

*(robi wielkie oczy!)*

Dwie połówki? Dwie połówki?

PHIL

Przyjeżdżają facet i kobita. Razem w samochodzie.
Wchodzą razem do motelu. Wynajmują razem pokój.
Wielkie mi mecyje...

*Pani Mercury przewraca oczami.*
*Potem potrząsa głową. Potem śmieje się do siebie.*

PANI MERCURY

*(wskazuje F.X.R.-a)*

Prędzej zacznę puszczać bułki zamiast bąków,
niż ten człowiek zostanie moją drugą połówką.

BEA

Oj, to ci akurat zwędzę.

F.X.R.

Przychylam się do podsumowania pani Mercury – nasza relacja pracodawcy i pracownika jest pod każdym względem nieskazitelna.

PANI MERCURY

Jeżeli on nie będzie spał na kanapie, a nie będzie,
bo w życiu nie spał na kanapie, to ja na bank będę!

PHIL

Jasne.

*(potem)*

Jesteś ty może gejowską lesbijką?

PANI MERCURY

Nie, aż tak nie nadążam za modą. Jestem po prostu singielką.

BEA

Znaczy chłopa nie masz?

PANI MERCURY

Słuchajcie... Pozwolę sobie zreferować tę sferę mojego życia dwójce miłych, ale – bez urazy – nieznajomych.

*(potem)*

Mężczyzna stanowiłby w moim życiu nie lada komplikację. Facet jest mi potrzebny tak bardzo, jak waszym kurom satelita. Nie jestem uwiązana, nie mam zobowiązań. Nadejdzie dzień, kiedy rzucę to wszystko, pożegnam się z szefem i zdecyduję na męża, dzieci, kostiumy ręcznej roboty na Halloween i całą resztę. Do tego czasu jestem szczęśliwą singielką na usługach tego osobnika...

*(F.X.R-a – który potakuje)*

...który doprowadza mnie do szału, ale zna się na żartach. Trzepię niezłą kasę i zwiedzam kawał świata, od Tasmanii po ten urokliwy przybytek. Nie. Ma. Miejsca. Na. Faceta.

*Przez chwilę panuje cisza.*

BEA

I to jest odpowiedź na moje pytanie.

*Kolejna pauza. Cisza jest wszechogarniająca, wspaniała.*

F.X.R.

Posłuchajcie tego.

PANI MERCURY

Czego? Nic nie słyszę.

F.X.R.

Bo nie słuchasz.

PANI MERCURY

Nieprawda, zamieniam się w słuch.

BEA

Ciszy. Chodzi mu o wsłuchanie się w ciszę.

PANI MERCURY

Aha.

*(wsłuchuje się w ciszę)*

Naprawdę się staram... ale nic nie słyszę.

F.X.R.

Tak jak teraz, w tej ciszy, czuję się tylko wtedy, kiedy...

*(zachowuje to dla siebie)*

I to zawsze się kończy.

PHIL

Nie tu.

BEA

Nauczyłam się delektować jej wszechobecnością. Bez względu na problemy czy troski w nocnej ciszy jest pociecha.

*Phil spogląda na żonę. F.X.R. spogląda na Beę.*
*Pani Mercury spogląda w mrok.*

PANI MERCURY

Ojej. Teraz słychać. Ciszę. Macie na myśli dźwięk ciszy.

*(nasłuchuje)*

Och. Ach.

*Z oddali dobiega KLAKSON.*
*Pojawiają się światła samochodu*
*i na motelowy parking wjeżdża furgonetka.*

F.X.R.

No i tak.

BEA

To Tommy Boyer.

PHIL

Z częścią do auta singielki nad singielkami.

*(do pani Mercury)*

Jako że nie nadążasz za modą, Tommy może ci się spodobać.

PANI MERCURY

*(znów przewraca oczami)*

Jejku, żebym tylko zdążyła poprawić fryzurę...

PHIL

*(woła)*

Tommy!

*Z furgonetki wysiada TOMMY BOYER.*
*Najdorodniejszy okaz mężczyzny na ziemi.*

PANI MERCURY

To jest Tommy Boyer?

*(jest w szoku)*

Panie Boże...

*Zaczyna natychmiast poprawiać fryzurę.*

PANI MERCURY

Ojej. Jej, jej, jej...

BEA

Tommy uwielbia gotować.

PANI MERCURY

*(przylizując sobie włosy śliną)*

Wy. Jaja. Sobie. Robicie?

*Boski Tommy Boyer podchodzi. Niesie część silnika.*

TOMMY BOYER

Dobry wieczór, Beo. Dobry wieczór wszystkim.

BEA

Zjesz z nami, Tommy?

TOMMY BOYER

Dziękuję, już jadłem. Potrzebna ci była stara pompa olejowa do GM-a, co nie, Phil?

PHIL

Zgadza się. Dla tej oto młodej damy.

*Wszyscy widzą, że Tommy zupełnie zawrócił pani Mercury w głowie.*

TOMMY BOYER

Dobry wieczór.

PANI MERCURY

*(rozanielona)*

Dobry, to mało powiedziane, wieczór.

TOMMY BOYER

Problemy z autem?

PANI MERCURY

Jakżeby inaczej. Niesforneż to moje samochodzisko.

TOMMY BOYER

Tamten buick.

PANI MERCURY

To buick? A i owszem. Stara biedna buiczyna...

TOMMY BOYER

Zobaczymy, czy da się z niego coś jeszcze wycisnąć.

PANI MERCURY

Jasna sprawa. Się pstryknie maskę...

*(szeptem do Bei)*

Ścięło mnie jak sześciolatkę. Pomocy.

BEA

Tommy rozwiódł się trzy lata temu. Ma córeczkę.
Zeszłego lata rzucił palenie. Dużo czyta.

PANI MERCURY

Jasne. Dzięki.

*Odchodzi z Tommym Boyerem.*

PHIL

Tak oto znów zadziałał urok Olimpu.

BEA

*(wstaje)*

Posprzątam. A wy, faceci, zajmijcie się marnowaniem czasu, jak zawsze, kiedy kobiety biorą się do sprzątania.

PHIL

Zgoda.

*(potem do F.X.R.-a)*

Chcesz się przejść po okolicy?

CIĘCIE DO:

PLENER. MOTEL OLIMP. SKRAJ DZIAŁKI. NOC.
Phil i F.X.R. przechadzają się wzdłuż obrzeży posesji.

PHIL

*(wskazuje)*

Chciałem coś zrobić z tamtymi czterema hektarami, ale nic mi nigdy z tego nie wyszło. Kiedyś omal nie założyłem tam hodowli węży.

F.X.R.

Hodowli węży?

PHIL

Pewnie. Mieliśmy wystawić na osiemdziesiątce ósemce tablice: „Hodowla węży zaprasza: 225 km", „Hodowla węży: 100 km. Klimatyzacja!". Ale Bea zwróciła mi uwagę, że nie znam się na hodowli węży. Więc zostaliśmy z samym motelem.

F.X.R.

To wspaniały motel. Gościnny zakątek. Świetna nazwa.

PHIL

Nie da się tu wytrzymać non stop, żeby nie postradać zmysłów. Raz w tygodniu któreś z nas jedzie do Chesterton. Pójść do banku, zrobić zakupy. Skorzystać z wi-fi w Theo's Coffee Hutch. Połączyć się z resztą świata na kilka godzin w tygodniu.

F.X.R.

*(z tęsknotą)*

Święta prawda.

*(odzyskuje manierę prostego człowieka)*

Jak se kiedyś sprawię takiego komputeryzowanego tableta, to też spróbuję.

*Phil mierzy F.X.R.-a wzrokiem.*

PHIL

Jakie drugie imię zaczyna się na X? Oprócz Xaviera?

*(potem)*

Francis Xavier Rustan.

*F.X.R. zatrzymuje się. Wie, że wpadł.*

PHIL

Bea cię sprawdziła, kiedy wpisywałeś dane. F.X.R. Słyszałeś o czymś takim jak sełudonim?

F.X.R.

*(nie udaje już prostego człowieka)*

Przepraszam, że was okłamałem.

PHIL

Zaraz tam okłamałeś. Chyba że oszustwem jest, kiedy słynny bogacz jeździ starym gratem.

*(potem)*

To takie tajne wakacje dla hecy?

F.X.R.

No, nie.

PHIL

Chcesz nas ciągać po sądach o nazwę, że niby Olimp to twój znak handlowy?

F.X.R.

Nie robię takich rzeczy.

PHIL

To jesteś w mniejszości.

F.X.R.

Szukam ziemi i słońca.

PHIL

Jednego i drugiego tu ci pod dostatkiem. Ziemia kosztuje. Słońce jest za friko.

*(potem wskazuje)*

Nasza posesja jest stamtąd dotąd. Lekarze i zdrowy rozsądek nam mówią, że długo już nie pociągniemy. Chcielibyśmy dożyć końca swoich dni w jakimś miejscu nie gorszym od tego tu.

F.X.R.

Mam ci zatem złożyć propozycję?

PHIL

*(powstrzymuje go dłonią)*

O interesach to tylko z Beą. Ona tu szefuje.

*(potem)*

Wracam na kubek ovaltiny.

*F.X.R. przygląda się odchodzącemu staruszkowi.*

CIĘCIE DO:

PLENER. MOTEL OLIMP. PARKING. NOC.

Buick ma podniesioną maskę. Pani Mercury trzyma światło i podaje narzędzia Tommy'emu Boyerowi.

PANI MERCURY

Czyli klucze metryczne różnią się od calowych?

TOMMY BOYER

Nie inaczej.

*(potem)*

Dobra. Spróbuj odpalić.

*Pani Mercury wskakuje za kierownicę.*

PANI MERCURY

Dobra! Odpalam!

*Przekręca kluczyk. Silnik buicka*
*z rykiem budzi się do życia!*

PANI MERCURY

A niech mnie! Musiałeś się sporo naczytać
o naprawie aut!

*Podchodzi F.X.R.*

Szefie! Wybieramy się z Tommym Boyerem na...
jazdę próbną.

TOMMY BOYER

Tak?

PANI MERCURY

Trzeba sprawdzić, jak sobie poradzi z dłuższym kawałkiem
osiemdziesiątki ósemki! Chwilę może nas nie być. Więc
nie czekaj. Nie żebyś zamierzał. Czekać. Na mój powrót.
Z jazdy próbnej...

*(do Tommy'ego)*

Ja prowadzę.

*Tommy wsiada od strony pasażera i zapina pas.*
*Pani Mercury włącza RADIO,*
*po czym wrzuca TYLNY bieg.*
*Potem dodaje gazu i znikają w mroku.*

MUZYKA: *We've Only Just Begun* The Carpenters

WNĘTRZE. BIURO MOTELU. NOC.

Słychać PISANIE NA MASZYNIE. F.X.R. wchodzi i zastaje Beę przy biurku stukającą jednym palcem w klawisze maszyny. Olympii.

F.X.R.

Serio macie ovaltinę?

BEA

Na płycie.

*F.X.R. znajduje rondel mleka, kubek, słoik i przygotowuje sobie gorący napój z proszku zaprawionego słodem.*

BEA

Kantuję cię trochę na sprzętach, bo wiem, że i tak wszystko zburzycie. Chcesz wykupić całą ziemię w okolicy?

F.X.R.

Jeżeli się uda.

BEA

To będziemy twoim pierwszym nabytkiem. To dla nas nawet trochę zaszczyt.

*F.X.R. spogląda na zdjęcie Bei i Phila, oryginalny pierwowzór popsutej tablicy sprzed motelu.*

F.X.R.

Ile mieliście lat na tym zdjęciu?

*Bea widzi, że F.X.R. ogląda fotografię.*

BEA

Ja dziewiętnaście. Phil dwadzieścia trzy. To był nasz miesiąc miodowy. W Grecji. Na wyspie tak ciepłej, tak cichej, że nie chciało nam się wracać. Oczywiście musieliśmy. Phil poszedł do lotnictwa. Ja skończyłam szkołę. Jechałam osiemdziesiątką ósemką i zobaczyłam miejsce godne wpakowania w nie wszystkich oszczędności. I całkiem nieźle nam to wyszło.

*Wyciąga kartkę z maszyny i wręcza F.X.R.-owi.*

Twoi prawnicy na pewno wezmą to jeszcze w obroty, ale wszystko, co ważne, już tu jest – nie ma targowania.

*F.X.R. nawet nie spogląda na kartkę.*

F.X.R.

Wracacie czasami do Grecji? Na wakacje?

BEA

Jesteśmy motelarzami. Każdy dzień to dla nas wakacje.

CIĘCIE DO:

PLENER. MOTEL OLIMP, PHRYGIA. PARKING. PÓŹNIEJ.

F.X.R. składa napisaną na maszynie umowę, wsuwa ją sobie do kieszeni na piersi i wraca do pokoju. Za nim w biurze gaśnie światło, a potem słaba żarówka wymierzona w starą tablicę.

F.X.R. zatrzymuje się w nocnej ciszy...

ŚCIEMNIENIE

MUZYKA: *Mi reina y mi tesoro*

NAPISY: *Teraz wiem,*
*że naprawdę tak bardzo ją kocham...*

ROZJAŚNIENIE

PLENER. MOTEL OLIMP, PHRYGIA.
WCZESNY WIECZÓR.
Po zachodzie słońca dzień staje się niebieski.

NAPISY: *Że będę walczył,*
*żeby zdobyć jej serce...*

Trwa PRZYJĘCIE. ŚWIATŁA rozwieszone na parkingu
przydają czaru zapadającemu zmrokowi.

Jesus Hidalgo gra z ZESPOŁEM, a PARY tańczą.
Śpiewa o swojej królowej i bezgranicznej miłości,
jest tu cała jego rodzina, a DZIECI pluskają się
w świeżo napełnionym basenie.

Tommy Boyer jest tu ze swoją CÓRECZKĄ i jej
KOLEŻANKAMI, skaczącymi na SKAKANCE
z zupełnie odmienioną panią Mercury, która nosi
teraz dżinsy i bluzkę na ramiączkach.

ROBOTNICY kłębią się przy ciężarówkach, odnoszą
narzędzia – ich dzień pracy nareszcie się skończył.

Nicholas, kelner hotelowy, kończy przygotowywać wykwintną kolację, która wygląda jak coś godnego podania przy basenie na Statku Miłości.

MIEJSCOWI aż z Chesterton przyjechali na wielkie przyjęcie z własnymi leżakami.

F.X.R. jest w garniturze w stylu eleganckim swobodnym. Rozmawia nad planami z PÓŁ TUZINEM ARCHITEKTÓW.

Na dwóch krzesłach, podwójnym miejscu honorowym, siedzą Phil i Bea, oboje z zawiązanymi oczami, jak w programie *To Tell the Truth*.

BEA

Och, brakowało mi tego jego akordeonu!

PHIL

Sądząc po odgłosach, jak zdejmiemy te opaski, ujrzymy istny cyrk.

*Bea kiwa się w rytm meksykańskiej melodii, a brygadzista, COLLINS, podchodzi i szepcze coś do F.X.R.-a, który energicznie odsyła architektów.*

F.X.R.

Pani Mercury! Jesteśmy gotowi.

PANI MERCURY

*(energicznie obracając skakanką)*

Pani Mercury? Co to za jedna?

F.X.R.

Ojej. Przepraszam. Stary nawyk.

*(próbuje jeszcze raz)*

Diane! Jesteśmy gotowi!

PANI MERCURY

Jasne, F.X.! Już idę!

*(do córki Tommy'ego)*

Chodź, Lizzie. Czas na przedstawienie!

*Jesus kończy grać z rozmachem.*

*Zespół dostaje owację.*

*F.X.R. podchodzi do Phila i Bei.*

F.X.R.

Podglądaliście? Nie kłamać.

PHIL

Nie!

BEA

Nie szykujesz plutonu egzekucyjnego, prawda?

F.X.R.

Diane, jest już wystarczająco ciemno?

PANI MERCURY

Chyba tak.

F.X.R.

Dobra. Collins!

*Collins stoi przy głównym przełączniku zasilania.*

COLLINS

Wyłączam!

*Collins WYŁĄCZA wszystkie światła*
*na motelowym parkingu.*
*Robi się ciemno.*

F.X.R.

Dobra. Możecie zdjąć opaski.

*Zdejmują. Wszędzie jest ciemno.*

PHIL

Kurde, nic nie widać.

BEA

Gdzie mam patrzeć?

PHIL

Gdzie ten cholerny cyrk?

F.X.R.

*(woła)*

Niechaj się stanie światłość!

*Collins przełącza kolejną dźwignię.*
*Parking i wszyscy obecni nań ludzie są znienacka skąpani…*
*odcieniami czerwonego, niebieskiego i złotego światła neonówek.*
*Na twarzy pani Mercury maluje się zachwyt w obliczu wielkiego*
*piękna. Tommy Boyer stoi obok, obejmując córkę.*

TOMMY BOYER

Wow…

*Goście, wszyscy rozpromienieni, patrzą z podziwem w niebo.*

PANI MERCURY

Boże! Co za niebiański blask!

ZBLIŻENIE NA: oniemiałych Phila i Beę, o twarzach, na których światła odgrywają magiczne, nieziemskie przedstawienie…

TABLICA

Wielki Phil i wielka Bea, rozświetleni kolorami jaskrawymi i śmiałymi, witają świat niczym dwójka olbrzymów na nocnym niebie. „Zatrzymajcie się u nas!" – wołają z uniesionymi rękami, promienni, gościnni, młodzi.

Tablica jest piękna. Naprawdę piękna.
Bea bierze męża za rękę.
Spoglądają sobie w oczy.

BEA

Jakbyśmy mieli tu zostać już na zawsze…

*F.X.R. to słyszy. Spogląda na tablicę.*
*Jego twarz też się mieni.*

CIĘCIE DO:

PLENER. MOTEL OLIMP. CAŁOŚĆ. C.D.

Tablica góruje nad panoramą motelu Olimp.

Po czym…

Krajobraz powoli PRZEOBRAŻA SIĘ w…

...TĘTNIĄCE ŻYCIEM SKRZYŻOWANIE.

Martwa pustynia wypełnia się ustawionymi symetrycznie budynkami, z których każdy to architektoniczne cacko.

Powstała ELEKTROWNIA SŁONECZNA OLIMP, która ciągnie się w siną dal.

Phrygia rozrosła się w urocze miasteczko...

...wokół tej kluczowej tablicy.

...wokół Bei i Phila, którzy będą, przez wiele pokoleń, zachęcać wszystkich przejezdnych: *Zatrzymajcie się u nas.*

ŚCIEMNIENIE.

# Idź do Kostasa

Ibrahim dotrzymał słowa. Za cenę jednej butelki Johnniego Walkera Red Label dostarczył Assanowi dwie, prawie na pewno kradzione, ale żadnemu z nich to nie przeszkadzało. W tamtych czasach amerykański alkohol był cenniejszy niż złoto, cenniejszy nawet niż amerykańskie papierosy.

Z obiema butelkami pobrzękującymi w plecaku Assan, ubrany w swój prawie nowy niebieski garnitur w prążki, szukał w licznych tawernach portowego miasta Pireusu starszego oficera na Berengarii. Chodziły słuchy, że oficer ceni sobie smak i działanie Johnniego Walkera Red Label. Wiadomo było również, że Berengaria płynie z ładunkiem do Ameryki.

Assan znalazł starszego oficera w tawernie Antholis, usiłującego nacieszyć się poranną kawą.

– Nie potrzebuję kolejnego palacza – powiedział Assanowi.

– Ale ja się znam na statkach. Władam językami. Mam sprawne ręce. I nigdy się nie chwalę. – Assan uśmiechnął się, zadowolony ze swojego żarciku. Oficer nie. – Proszę spytać kogokolwiek z Despotika.

Starszy oficer pomachał do chłopca z obsługi, żeby przyniósł mu kolejną kawę.

– Nie jesteś Grekiem.

– Jestem Bułgarem – wyjaśnił Assan.

– Co to za akcent? – Podczas wojny oficer robił sporo interesów z Bułgarami, ale ten miał dziwną intonację.

– Jestem z gór.

– Pomak?

– To coś złego?

Oficer pokręcił głową.

– Nie. Pomacy są cisi i twardzi. Wojna dała im w kość.

– Wojna dała wszystkim w kość – stwierdził Assan.

Chłopiec przyniósł starszemu oficerowi drugą kawę.

– Od jak dawna jesteś na Despotiku? – zapytał.

– Od sześciu miesięcy.

– Chcesz, żebym cię przyjął, a potem dasz nogę w Ameryce. – Oficer nie był idiotą.

– Chcę, żeby mnie pan przyjął, bo macie ropę. Palacz sprawdza tylko pęcherzyk w rurze. Nie wrzuca węgla. Jak ktoś za długo wymachuje łopatą, to po pewnym czasie nic więcej nie potrafi.

Starszy oficer zapalił papierosa, nie częstując Assana.

– Nie potrzebuję kolejnego palacza.

Assan sięgnął do plecaka między stopami, wyciągnął po butelce Johnniego Walkera Red Label w każdej garści i postawił je na stoliku obok porannej kawy oficera.

– Proszę. Zmęczyło mnie ich taszczenie.

---

Trzy dni po wypłynięciu część załogi zaczęła się dawać starszemu oficerowi we znaki. Steward z Cypru utykał i za wolno sprzątał po posiłkach. Marynarz Sorianos był kłamcą, mówił, że sprawdził spływniki, podczas gdy nie sprawdził spływników. Jasona Kalimerisa zostawiła żona – znowu – więc jeszcze łatwiej go było wyprowadzić z równowagi. Każda rozmowa z nim kończyła się kłótnią, nawet przy dominie. Za to Assan nie sprawiał kłopotów. Nigdy nie bumelował z papierosem w zębach, zawsze wycierał zawory albo zdzierał rdzę drucianą szczotką. W karty i domino grał po cichu. I co było jego największym atutem, nie rzucał się w oczy kapitanowi. Oficer wiedział, że kapitan widzi wszystko. Ale Assana nie widział.

Za Gibraltarem statek starł się ze wzburzonymi wodami Atlantyku. Na morzu starszy oficer wstawał wcześnie każdego ranka i chodził po Berengarii, wypatrując potencjalnych kłopotów. Tego dnia jak zwykle wspiął się na mostek na kawę, która zawsze tam na niego czekała, potem schodził na dół. Wszystko było w porządku, aż dotarł do kotłowni i usłyszał bułgarski.

Assan klęczał i masował nogi jakiegoś mężczyzny opartego o gródź. Mężczyzny czarnego od oleistego brudu, w lepiącym mu się do skóry ubraniu.

– Teraz już mogę chodzić, niech no się przeciągnę – powiedział brudas, stawiając chwiejne kroki po stalowym pokładzie. On też mówił po bułgarsku. – Ech. Teraz dobrze. – Mężczyzna pociągnął głęboki łyk wody z butelki, po czym łapczywie zjadł trzymaną przez chustkę grubą pajdę chleba.

– Jesteśmy już na oceanie – powiedział Assan.

– Czuć. Buja. – Mężczyzna skończył chleb i popił go wodą. – Długo jeszcze?

– Może z dziesięć dni.

– Mam nadzieję, że mniej.

– Lepiej się schowaj – polecił Assan. – Masz tu puszkę.

Assan wręczył mu pustą puszkę, w której kiedyś były herbatniki, odbierając od brudasa pojemnik, swego czasu na kawę, a teraz, sądząc po zapachu, z odchodami. Zakrył puszkę chustką i wręczył mężczyźnie zakorkowaną butelkę wody, a brudas wpełzł z powrotem do dziury, wąskiej szczeliny w pomoście, z którego podniesiono płytę. Nie bez trudu przecisnął się i zniknął. Assan podniósł i przesunął stalową płytę z powrotem na miejsce, jak część układanki.

---

Starszy oficer nie doniósł kapitanowi o tym, co zobaczył. Wrócił za to do swojej kajuty i popatrzył na dwie butelki Johnniego Walkera Red Label, jedną za Assana, drugą za jego kompana chowającego się w półmetrowej szczelinie między stalowymi płytami. Na statkach do Ameryki pasażerowie na gapę nie należeli do rzadkości, a życie było łatwiejsze, jeżeli niczego się nie widziało i nie zadawało pytań. Oczywiście czasami kończyło się to wyładowaniem na brzeg trumny.

Ech, świat się sypał. Ale sypał się nieco mniej po łyku z pierwszej otwartej flaszki. Gdyby ktoś odkrył tego brudasa pełzającego w kryjówce między pokładami, rozpętałoby się piekło, a kapitan musiałby się zdrowo nagimnastykować. To była sprawa Assana. A jeżeli kapitan nigdy się nie dowie, cóż, to nigdy się nie dowie.

---

Dwa sztormy na morzu spowolniły Berengarię, potem statek musiał odczekać dwa dni na nabrzeżu, aż pilot w końcu przypłynął łódką, wspiął się po drabince i dotarł na mostek, żeby wprowadzić statek do portu. Kiedy Berengaria stała zacumowana w doku obok wielu innych statków, zapadła już noc. Starszy oficer zobaczył Assana przy relingu, spoglądającego na linię dachów miasta na horyzoncie.

– To Filadelfia w Pensylwanii. Ameryka.

– Gdzie jest Szy-ka-go? – zapytał Bułgar.

– Dalej od Filadelfii niż Kair od Aten.

– Tak daleko? Sukinkot.

– Filadelfia wygląda jak raj, co nie? Ale kiedy zacumujemy w Nowym Jorku w stanie Nowy Jork, to dopiero zobaczysz prawdziwe amerykańskie miasto.

Assan zapalił papierosa, częstując starszego oficera.

– W Stanach mają lepsze. – Starszy oficer palił, przyglądając się Bułgarowi, który nie sprawił mu żadnego kłopotu. Ani jednego. – Jutro przeszukają statek.

– Kto?

– Ważniaki z Ameryki. Przeszukają statek, od góry do dołu, szukając pasażerów na gapę. Komunistów.

Na wzmiankę o komunistach Assan splunął przez barierkę.

– Przeliczą załogę – ciągnął oficer. – Jeżeli coś nie będzie im się zgadzać, to będzie krucho. Jeżeli nic nie znajdą, to po rozładunku wyruszamy do Nowego Jorku w stanie Nowy Jork. Zabiorę cię tam na golenie. Lepsze niż u Turków

Assan przez chwilę milczał.

– Jeżeli na tym statku są jacyś komuniści, to mam nadzieję, że ich znajdą – powiedział, jeszcze raz spluwając przez reling.

---

Assan leżał na koi i udawał, że śpi, kiedy inni członkowie załogi przychodzili i wychodzili. O czwartej w nocy ubrał się po cichu i wymknął na korytarz, sprawdzając za każdym rogiem, czy ktoś go nie widzi. Dotarł do kotłowni i podważył żelaznym prętem stalową płytę w podłodze, po czym ją odsunął.

– Teraz – polecił.

Ibrahim wypełzł z kryjówki z łokciami i kolanami otartymi do żywego i krwawiącymi od chowania się w ciasnej, ciemnej szczelinie między pokładem a wnętrzem kadłuba. Ile tam spędził? Osiemnaście dni? Dwadzieścia? Czy to miało jakieś znaczenie?

– Tylko wezmę puszkę – wyszeptał chrapliwie Ibrahim.

– Zostaw ją. Idziemy. Natychmiast.

– Proszę, zaczekaj chwilę. Moje nogi.

Assan rozmasowywał mu nogi tak długo, póki wystarczyło mu odwagi, po czym pomógł przyjacielowi się podnieść. Ibrahim stał tylko kilka minut każdego dnia. Krzyż bolał go nieznośnie, a kolana aż mu się trzęsły.

– Musimy iść – powiedział Assan. – Trzymaj się dwa metry za mną. Na każdym rogu będziemy się zatrzymywać. Jak usłyszysz, że z kimś rozmawiam, schowaj się, gdzie się da.

Ibrahim przytaknął i drobnymi krokami ruszył za Assanem.

Drabinka prowadziła do włazu, który prowadził do sali, która prowadziła do kolejnego włazu i kolejnego korytarza, i kolejnej drabinki. Na samej górze był jeszcze jeden korytarz i następna drabina, choć ta bardziej przypominała schody. Assan pociągnął ciężkie stalowe drzwi, które otworzyły się do środka i zatrzymały. Ibrahim poczuł świeże powietrze pierwszy raz od dwudziestu jeden dni, czyli od kiedy Berengaria wypłynęła z Pireusu z nim schowanym pod stalowym pokładem.

– W porządku – wyszeptał Assan.

Ibrahim wyszedł przez drzwi i w końcu znalazł się pod gołym niebem. Na szczęście zapadła noc, bo jego wzrok ciągle przyzwyczajał się do światła. Powietrze było ciepłe, letnie. Stali przy relingu na lewej burcie, plecami do nabrzeża, z wodą dwanaście metrów niżej. Przed kilkoma godzinami palacz, Pomak, przywiązał linę, nie do odróżnienia od innych na statku, do najniższej poręczy barierki.

– Zejdź po niej. Podpłyń do nabrzeża i znajdź wejście.

– Mam nadzieję, że umiem jeszcze pływać – skomentował Ibrahim. Zaśmiał się, jakby żart był śmieszny.

– Niedaleko są krzaki. Schowaj się w nich, a jutro po ciebie przyjdę.

– A jeżeli będą psy?

– To się z nimi polubisz.

Ibrahim znów się zaśmiał i przeszedł na drugą stronę barierki z liną w dłoniach.

---

Starszy oficer i kapitan pili poranną kawę w skrzydle budki pilota na prawej burcie. Dokerzy rozładowali większość towarów, a na nabrzeżu roiło się od ciężarówek, dźwigów i robotników.

– Pójdziemy do hotelu Waldorf – oznajmił kapitan i w tej samej chwili starszy oficer zobaczył Assana schodzącego po trapie z plecakiem, w którym kiedyś były butelki Johnniego Walkera Red Label. Poza tym niósł pod pachą paczkę. Załoga wnosiła na statek różne pakunki, towary, które można było zdobyć tylko w Ameryce. Ale teraz Assan z taką paczką wychodził.

– Wielkie steki, takie. – Kapitan uniósł palce, pokazując grubość czekającego nań steku. – Hotel Waldorf Astoria. Oni to mają steki.

– To dobre miejsce – powiedział starszy oficer, kiedy Assan zniknął w krzakach.

---

Assan nie znalazł śladu Ibrahima i martwił się, że ważniacy z Ameryki szukali komunistów i nadprogramowych pasażerów również w krzakach. Nie chcąc wołać go po imieniu, zawył jak pies. W odpowiedzi też usłyszał psie wycie, ale to był Ibrahim, który wyszedł z zarośli rozebrany do pasa i z ubrudzonymi smarem butami w dłoni.

– Co to za psisko? – zapytał z uśmiechem.

– Dałeś sobie radę w nocy?

– Zrobiłem posłanie z trzciny – powiedział Ibrahim. – Miękkie. A noc nie była zimna.

Assan otworzył pakunek, pokazując ubrania, mydło, jedzenie i przybory do golenia. Była tam też złożona gazeta związana szpagatem. W środku znajdowała się Ibrahimowa część drachm, które obaj odłożyli podczas dorywczych prac w Grecji. Ibrahim schował banknoty do kieszeni bez przeliczania.

– Ile będzie kosztował pociąg do Szy-ka-go, Assanie?

– A ile z Aten do Kairu? Znajdź kantor na dworcu.

Ibrahim zjadł i się umył, a Assan posadził na kamieniu i ogolił brzytwą przyjaciela, który bez lustra nie mógł sam się tym zająć.

---

Ze skrzydła mostku starszy oficer przeszukiwał przez lornetkę krzaki. W szczelinie między poruszającymi się gałęziami zobaczył Assana golącego twarz nieznajomego mężczyzny. Kłopot zmył się ze statku, nie niepokojąc kapitana. I trumna nie była potrzebna. Assan był cwanym Pomakiem.

Kiedy Ibrahim przebiegał grzebieniem po mokrych włosach, Assan usiłował wyczyścić mu buty.

– Lepiej nie dam rady – skwitował, oddając obuwie.

Ibrahim sięgnął do kieszeni, wyciągnął drachmę i plasnął nią o dłoń przyjaciela.

– Proszę. Doskonałe buty doskonale wypucowane.

Assan się ukłonił i obaj wybuchnęli śmiechem.

Poszli razem na skraj stoczni, wtapiając się w tłum. Zobaczyli olbrzymie samochody, ciężarówki wielkości domów zmieniające biegi i ciągnące potężne ładunki oraz inne statki, jedne dużo większe i nowsze od Berengarii, drugie – przerdzewiałe łajby. Widzieli mężczyzn jedzących bułki z parówkami w środku przy budce z szyldem, który Assan zdołał przeczytać – nauczył się amerykańskich liter – HOT DOGI. Obaj Bułgarzy byli głodni, ale żaden z nich nie miał amerykańskiej waluty. Na końcu stoczni była brama ze strażnikiem. Wszyscy Amerykanie mijali ją, nawet nie przystając.

– Assanie, zobaczymy się kiedyś w Szy-ka-go – powiedział Ibrahim. Potem po angielsku dodał: – *Tenkjuu beri mucz.*

– Nie ma sprawy, przyniosłem tylko twoje graty – odparł Assan, wyciągając papierosa, po czym oddał paczkę Ibrahimowi. Paląc, przyglądał się, jak przyjaciel podchodzi do bramy, mija strażnika ze skinieniem i znika na drodze wiodącej ku konturom Filadelfii na horyzoncie.

---

Po powrocie na statek Assan przez cały ranek czymś się zajmował, a w kambuzie pojawił się pod koniec pierwszego posiłku, kiedy prawie cała załoga już sobie poszła. Zebrał resztki chleba, warzyw i zupy i usiadł przy stole. Utykający Cypryjczyk przyniósł mu kawę.

– Pierwszy raz w Ameryce? – zapytał Assana.

– Tak.

– Ameryka jest świetna, mówię ci. Nowy Jork w stanie Nowy Jork ma wszystko, czego dusza zapragnie. Poczekaj, aż sam zobaczysz.

– Te ważniaki. Kiedy wchodzą na pokład? – zapytał Assan.

– Jakie ważniaki?

– Amerykanie, którzy przeszukują statek. Polują na czerwonych. Robią aferę.

– Co ty, kurwa, gadasz?

– Sprawdzają, czy wszystko się zgadza w papierach. Starszy oficer mi powiedział. Przychodzą ważniaki i przeszukują statek.

– Ale po co? – Cypryjczyk wrócił do kuchni po swoją kawę.

– Sprawdzają nasze dokumenty, co nie? Ustawiają nas w rzędzie i sprawdzają papiery. – Assan musiał już tyle razy szykować się na kontrolę dokumentów, że nie zdziwiłby się, gdyby to samo go czekało w Stanach.

– Kapitan się zajmuje tym gównem. – Cypryjczyk wypił haustem połowę kawy. – Słuchaj: znam taki jeden burdel w Nowym Jorku. Przynieś jutro forsę, to się zabawimy.

---

Kiedyś, na wsi, Assan widział czarno-białe filmy migające na białej ścianie. Niekiedy filmy były amerykańskie, o kowbojach na koniach i z pistoletami, z których po każdym strzale wylatywały długie smugi dymu. Najbardziej podobała mu się kronika filmowa z fabrykami, placami budowy i nowym wieżowcem w mieście o nazwie Chicago. W Chicago było wiele wysokich budynków i ulic zakorkowanych czarnymi sedanami.

Ale Nowy Jork w stanie Nowy Jork wyglądał jak miasto bez końca, miasto, które rozświetlało nocne niebo, rzucając na niskie chmury złotą poświatę, i od którego powierzchnia wody mieniła się jak kolorowy dym. Gorący wiatr dął, kiedy statek sunął powoli w górę szerokiej rzeki, a miasto przesuwało się jak jaskrawa zasłona wysadzana klejnotami: potężna masa miliona podświetlonych okien, promiennych wież lśniących jak zamki i bliźniaczych świateł samochodów, tylu samochodów, bzyczących wszem wobec jak owady. Z otwartymi ustami i wielkimi oczami Assan stał przy barierce, a jego ubraniem targał wiatr.

– Sukinkot – zagaił do Nowego Jorku w stanie Nowy Jork.

---

Rano starszy oficer znalazł go w kotłowni.

– Assan, włóż ten swój garnitur w prążki. Chcę się ogolić.

– Mam tu obowiązki.

– A ja, jako starszy oficer, mówię ci, że nie masz. Chodźmy. I zostaw tu pieniądze, żeby cię od razu pierwszego dnia nie okradli.

Wiele ze śmigających po ulicach samochodów było żółtych z napisami z boku. Zatrzymywały się z piskiem na rogach, gdzie jedni ludzie wysiadali, a inni wsiadali. Światła w skrzynkach na słupach migały czerwono, potem zielono, potem pomarańczowo i tak w kółko. Wszędzie były znaki, też na słupach, na ścianach i w oknach; było ich tyle, że Assan nie próbował nawet rozszyfrowywać liter. Szybkim krokiem chodzili zdawałoby się zamożni Amerykanie. Ci, którzy sprawiali wrażenie mniej zamożnych, też się śpieszyli. Trzech czarnoskórych mężczyzn, umięśnionych pod przepoconymi koszulami, wnosiło po schodach do budynku dużą drewnianą skrzynię. Zewsząd dobiegały krzyki, muzyka, silniki i dźwięki radia.

Jakiś młody mężczyzna na dwukołowym motorowerze z rykiem minął Assana i starszego oficera tak szybko, że prawie ich przejechał, kiedy przechodzili przez szeroką ulicę. Assan widział kiedyś w kronice filmowej policjantów na dużych rowerach z silnikami, ale ten młodzieniec nie był gliną. Czy w Ameryce każdy mógł czymś takim jeździć?

Minęli kiosk z gazetami, słodyczami, napojami, papierosami, czasopismami, grzebieniami, długopisami i zapalniczkami. Dwie minuty później minęli kolejny, z tym samym. Kioski były najwyraźniej wszędzie. Strumień jadących aut, ludzie, zatłoczone autobusy, ciężarówki, nawet konie z furmankami – wszystko to sunęło po ulicach rozciągających się jak okiem sięgnąć.

Starszy oficer szedł szybko.

– W Nowym Jorku w stanie Nowy Jork musisz chodzić, jakbyś był spóźniony na ważne spotkanie, bo inaczej przyuważą cię kieszonkowcy.

Mijali ulicę za ulicą i skręcili za niejeden róg. Assan przewiesił swoją niebieską marynarkę w prążki przez ramię. Był spocony i kręciło mu się w głowie, skołowanej nadmiarem Ameryki.

Starszy oficer zatrzymał się na rogu.

– Zobaczmy. Gdzie jesteśmy?

– Nie wie pan?

– Zastanawiam się, jak najlepiej stąd pójść. – Starszy oficer rozejrzał się i zobaczył coś, co go rozśmieszyło. – Popatrz no tylko.

Assan przekrzywił głowę i też spojrzał na okno na piętrze jednego z budynków. Zobaczył tam flagę, powieszoną jak znak, niebiesko-białą flagę Grecji z krzyżem, symbolem kościoła, i paskami odwołującymi się do morza i nieba. W oknie stał jakiś mężczyzna bez marynarki i w rozluźnionym krawacie, wykrzykując coś do telefonu i machając cygarem.

– My, Grecy, jesteśmy wszędzie, co nie? – Starszy oficer zaśmiał się jeszcze raz, po czym uniósł rozłożoną dłoń. – Spójrz, Nowy Jork w stanie Nowy Jork to miasto, którego łatwo się nauczyć. Jest w kształcie dłoni. Aleje z numerami są długie i biegną od koniuszków palców do nadgarstka. Ponumerowane ulice przecinają dłoń poziomo. Broadway to ta skręcająca linia życia. Dwa środkowe palce to Central Park.

Assan przyjrzał się swojej dłoni.

– A te znaki – oficer wskazał dwie tabliczki przyczepione na krzyż na słupie – mówią nam, że jesteśmy na skrzyżowaniu Dwudziestej Szóstej Ulicy i Siódmej Alei. Czyli mniej więcej tu, widzisz? – Pokazał miejsce na dłoni. – Dwudziesta Szósta i Siódma. Rozumiesz?

– W kształcie dłoni. Sukinkot. – Assanowi wydawało się, że rozumie.

Szli dalej ocienioną stroną Siódmej Alei, potem skręcili za róg. Oficer zatrzymał się przy schodach prowadzących do zakładu fryzjerskiego w piwnicy.

– Jesteśmy na miejscu – oznajmił i zszedł do drzwi.

Salon był tylko dla mężczyzn, w odróżnieniu od zakładów w starym kraju. Kiedy starszy oficer i Assan weszli, wszystkie oczy zwróciły się na nich. Grało radio, ale nie nadawało muzyki, tylko niekończące się opowieści jakiegoś człowieka zagłuszanego przez odgłosy tłumu w tle. Niekiedy tłum ryczał albo wiwatował. Na półkach stały rzędy butelek z różnokolorowymi płynami. Palono tyle papierosów, że z dwóch popielniczek na słupku wysypywały się niedopałki.

Oficer zwrócił się po angielsku do starszego fryzjera – był jeszcze drugi, młodszy, może syn – a potem usiadł na fotelu z boku. Assan zajął miejsce obok niego, wsłuchując się w angielszczyznę i przeglądając czasopisma ze zdjęciami uzbrojonych przestępców i kobiet w obcisłych spódniczkach. Czekało też trzech Amerykanów – jeden z nich usiadł przed drugim fryzjerem, na dużym, wygodnym fotelu ze skóry i stali. Po wszystkim klient zapłacił, powiedział coś, co rozśmieszyło pozostałych, wyszedł z salonu i wrócił po schodach na ulicę. Kiedy kolejny klient został obsłużony, też powiedział coś zabawnego, wręczył fryzjerowi kilka monet i wyszedł.

Starszy oficer zajął miejsce na dużym skórzanym fotelu, pokazał na Assana i coś opowiadał. Fryzjer popatrzył na Bułgara i odparł: „Jasne". Owinął oficera białym płótnem, umocował mu je mocno pod szyją, po czym go ogolił. Trzy razy z gorącym ręcznikiem, mydleniem i brzytwą, tak blisko skóry jak Turcy w Konstantynopolu. Potem przyciął mu włosy i po namydleniu ogolił go brzytwą na karku i za uszami. Rozbawieni mężczyźni opowiadali sobie różne historie, a Assan uznał, że gadatliwy oficer musi płynnie mówić po angielsku. Amerykanie zaśmiali się i popatrzyli na Assana, jakby rozumiał ich żarty.

Kiedy starszy oficer był czysty i pachniał korzenną wodą kolońską, zapłacił fryzjerowi papierowymi pieniędzmi i powiedział coś po angielsku, wskazując na Assana. Fryzjer powtórzył: „Jasne" i machnięciem ręki wskazał Bułgarowi fotel.

Golibroda owijał Assana płótnem, gdy oficer odezwał się po grecku:

– Golenie za darmo. Już zapłaciłem. A to dla ciebie. – Podał Assanowi plik zwiniętych papierowych pieniędzy. Amerykańskich. – Taki bystry człowiek jak ty da sobie radę w Stanach. Powodzenia.

Kiedy oficer wspinał się po schodkach na ulicę, Assanowi mignęły tylko jego buty. Więcej już go nie zobaczył.

---

Assan szedł, dotykając swojej gładkiej twarzy i wdychając woń wody kolońskiej, gdy tymczasem nad Nowym Jorkiem w stanie Nowy Jork zapadała noc późnego lata, a światła nabrały nowego ciepła. Widział tyle niesamowitych rzeczy: okna pełne dziesiątków opiekających się kurczaków, obracanych na mechanicznych rożnach, mężczyznę sprzedającego nakręcane samochodziki na skrzynce z przybitymi na górze drewnianymi barierkami, żeby zabawki nie pospadały, i restaurację z przeszkloną ścianą, z Amerykanami siedzącymi w środku przy stolikach i na stołkach przy długim barze. Kelnerki pląsały po sali z posiłkami na tacach i ciastami na deser. Assan minął długie schody prowadzące pod ulicę ze zdobionym żelaznym ogrodzeniem i pełne ludzi, wchodzących i schodzących, którzy dzięki pośpiechowi nie byli łatwym celem dla kieszonkowców.

Budynki się skończyły, odsłaniając niebo, a po drugiej stronie zalanej samochodami ulicy rosły grube drzewa. Assan domyślił się, że musi być przy swoich środkowych palcach, w Central Parku. Nie wiedział, jak przejść na drugą stronę szerokiej jezdni, ale podążał za innymi. Przy niskim zaokrąglonym murku jakiś mężczyzna z wózkiem sprzedawał HOT DOGI, a Assan zrobił się nagle bardzo, bardzo głodny. Wyciągnął podarowane przez starszego oficera papierowe pieniądze, wyszukując banknot z jedynką. Wręczył go mężczyźnie, który go o coś zapytał, a Assan nie mógł mu nic odpowiedzieć. Zrozumiał tylko słowo „coca-cola", które wyczerpywało jego znajomość angielskiego.

Mężczyzna podał mu bułkę z parówką ociekającą czerwonym i żółtym sosem, z włóknistą, mokrą cebulą, i butelkę coca-coli. Potem wręczył Assanowi garść monet trzech różnych rozmiarów, które ten wolną dłonią schował do kieszeni. Usiadł na ławce i zjadł przepyszny posiłek. Kiedy zostało mu jeszcze pół coli, wrócił do mężczyzny. Wyciągnął monety, sprzedawca wziął jedną z cieńszych i przygotował kolejną przeładowaną bułkę z parówką.

Słońce zaszło, niebo pociemniało, a latarnie świeciły, gdy Assan spacerował ścieżkami pięknego parku, dopijając coca-colę. Widział fontanny i pomniki. Widział mężczyzn i kobiety, w parach, trzymających się za ręce i roześmianych. Jakaś zamożna dama wyprowadzała maleńkiego psa, najzabawniejszego, jakiego Assan w życiu widział. Miał ochotę ofuknąć go dla żartu, ale uznał, że może bogata pani poskarży się gliniarzowi, a ostatnie, czego było mu trzeba, to żeby policjant poprosił go o dokumenty.

Przy bocznym wejściu, bramie w murku, Assan doszedł do miejsca, gdzie znów zaczynało się miasto. Było już późno i ludzie przechodzili przez ulicę, kierując się do parku z kocami i poduszkami. Te białe, czarne i brązowe rodziny z rozchichotanymi dziećmi, mężczyźni i kobiety zmęczeni po całym dniu pracy nie przypominali bogatej damy z pieskiem. Assan nagle też poczuł się bardzo zmęczony. Podążył za jedną z rodzin z powrotem do parku i dotarł do wielkiego trawnika, gdzie inni rozkładali koce i pościel, żeby spędzić na dworze gorącą, wilgotną noc. Niektórzy już spali, inni uciszali dzieci i szykowali sobie miejsca przy drzewach na skraju pola.

Assan znalazł kawałek miękkiej trawy. Zdjął buty, z marynarki zrobił poduszkę. Zasnął przy dźwiękach odległego ruchu ulicznego i cichych rozmów małżeńskich.

---

Umył twarz w toalecie jednego z kamiennych budynków. Otrzepał palcami spodnie i marynarkę, strzepnął elegancką koszulę, po czym się ubrał, rozmyślając, dokąd dzisiaj pójdzie.

Wtedy pomyślał o mężczyźnie, który krzyczał coś do słuchawki, mężczyźnie, który rozśmieszył starszego oficera, mężczyźnie w oknie z grecką flagą. Gdzie to było? Spojrzał na mapę na wewnętrznej stronie dłoni i przypomniał sobie, jak oficer mówił o rogu Dwudziestej Szóstej Ulicy i Siódmej Alei, i postanowił, że znajdzie to miejsce.

Kiedy znalazł się na rogu Dwudziestej Szóstej i Siódmej i spojrzał do góry, nikogo nie zobaczył, choć grecka flaga nadal tam wisiała. Assan dostrzegł nieopodal przejście, a w nim małą tabliczkę z kolejną grecką flagą i napisem po grecku: „Międzynarodowe Stowarzyszenie Helleńskie". Wszedł do budynku i ruszył po schodach.

Dzień był już upalny i w biurze panowała duchota, nawet przy otwartych drzwiach i uchylonych oknach. Assan usłyszał muzykę – spokojną melodię, a w tle powtarzane słowa. *I... i... i... spacja... es... es... es... spacja.* Po każdym słowie słychać było stukanie maszyny do pisania. *De... stuk... de... stuk... de... stuk.* Stojący w drzwiach Assan widział tylko bałagan na biurku i parę foteli.

*Ef... trzask... ef... trzask... ef... trzask... spacja... łup.* Assan wszedł. W ciasnym przechodnim biurze jakaś dziewczyna siedziała przed niewielką zieloną maszyną do pisania na maleńkim biurku. Koncentrowała się na palcach lewej dłoni, uderzając w klawisze zgodnie z nagranymi poleceniami. Assan nie odzywał się, nie chcąc jej przerywać lekcji maszynopisania.

– *Ti kaneis?*

Assan się odwrócił. Mężczyzna, który wczoraj wrzeszczał do telefonu, właśnie wszedł z małą papierową torbą.

– Ktoś ty? – zapytał po grecku.

– Assan Czepik.

– Nie jesteś Grekiem?

– Nie, Bułgarem. Ale przyjechałem z Grecji. Zobaczyłem flagę.

Mężczyzna wyciągnął tekturowy kubek wypełniony czymś, co pachniało jak kawa, i okrągłe ciastko z dziurką w środku.

– Szkoda, żeś nie zapowiedział wizyty, Assan, przyniósłbym ci śniadanie! – Mężczyzna roześmiał się głośno. – Dorothy! Assanowi trzeba zrobić kawę.

*El... el... el... spacja.*

– Właśnie zaczęłam lekcję!

– Podnieś igłę. Jak Bułgar głodny, to wpada w szał! – Mężczyzna zwrócił się do Assana. – Dorothy przyniesie ci kawę. A w każdym razie coś, co tu nazywają kawą.

---

Assan sączył gorący napój, w którym czuć było mleko z cukrem i lekki smak kawy. Dorothy wróciła do maszyny do pisania, wstukając litery zgodnie z płytą. *U... u... u... spacja... i... i... i... spacja.* Dymitri Bakas, jak nazywał się mężczyzna, przepytywał Assana. Ten opowiedział mu o swojej pracy na Berengarii i o tym, że dopiero wczoraj zszedł ze statku, choć nie zająknął się na temat kryjówki Ibrahima pod pokładem ani na temat wymknięcia się przyjaciela w mieście o nazwie Filadelfia.

Assan przemilczał też cztery lata od końca wojny, nie wspomniał o swoich próbach przekroczenia granicy między Bułgarią a Grecją. Nie opowiedział o pewnym wczesnym ranku, kiedy jego brat popełnił błąd i rozpalił ognisko, żeby zagotować wodę. Byli w górach, spali między dwoma głazami i zamierzali szybko przenieść się gdzie indziej, ale Assan miał w kieszeni trochę kawy. Jego brat chciał tylko jeden kubek, twierdził, że brakuje mu energii, choć tak naprawdę zamarzył mu się smak gorącej kawy w chłodny poranek. Łowcy nagród, komuniści, byli na ich tropie i zobaczyli dym z ogniska. Assan robił kupę po drugiej stronie zagajnika. Przyglądał się z ukrycia, jak jego brat nie chce się poddać i jak jeden z komunistów strzela mu w głowę. Nie powiedział też Dymitriemu o pewnym człowieku, którego musiał zabić. Assan pił wodę z biegnącego wzdłuż ścieżki strumienia, kiedy przyuważył go jakiś miejscowy. Mężczyzna nosił na wytartej marynarce przypinkę partii, a jego mina mówiła wszystko. Rolnik puścił się biegiem do pobliskiej wsi, żeby donieść na zmierzającego ku granicy zdrajcę, ale Assan go dogonił, zabił kamieniem, a potem wrzucił ciało do żlebu. I Assan przemilczał to, jak po przybyciu do Aten poszedł pod wskazany przez dopiero co poznanego mężczyznę adres, gdzie uchodźcy tacy jak on mieli wspólnie mieszkać. Po dotarciu do tego domu został pobity, wrzucony do nieoznaczonej ciężarówki i przewieziony z powrotem przez granicę do Bułgarii, skuty z innymi, którzy dali się nabrać na opowieść donosiciela. Assan nie wspomniał o kapitanie komuniście, który przywiązał go łańcuchem do krzesła, potem wykrzykiwał pytania, a niezadowolony z odpowiedzi, potraktował go pięściami i specjalnymi narzędziami, po czym znów wrzeszczał w kółko te same pytania. Assan nie mówił o obozie, o więźniach rozstrzeliwanych tam na jego oczach, o więźniach wieszanych tam na jego oczach.

Nie pisnął o dziewczynie poznanej po wyjściu z obozu, o ich krótkim romansie ani o tym, jacy byli ciągle głodni. Nie powiedział, że miała na imię Nadieżda ani że zaszła w ciążę, ani o ich ślubie na kilka miesięcy przed urodzinami ich syna Petara. Nie zająknął się o tym, jak jego młoda żona cierpiała podczas porodu, i o tym, że akuszerka nie umiała zatamować krwawienia. Bez mleka matki chłopiec przeżył tylko miesiąc. Dymitri nie dowiedział się o synu Assana, Petarze.

Assan nie zdradził, jak trafił do aresztu za kradzież pustych butelek, choć nie ukradł żadnej pustej butelki. Jego imię było na jakiejś liście, więc znów znalazł się w więzieniu. Nie wspomniał o swojej czwartej próbie ucieczki, aresztowaniu, roku w obozie pracy, poznaniu tam Ibrahima i o nocy, kiedy przyjechał pociąg, który oddzielił ich od strażników po drugiej stronie torów, ani o tym, jak wyrzucili łopaty i wskoczyli do rzeki. Nie opowiedział o rolniku, który znalazł ich wiele kilometrów dalej przemoczonych i przemarzniętych, który mógł ich wydać partyjnemu oficjelowi we wsi, ale zamiast tego przygotował im gorący posiłek, podczas gdy ich ubrania się suszyły. Dał im też trochę pieniędzy – każdemu dwadzieścia lewów.

Assan i Ibrahim kupili bilety na autobus w góry przy granicy z Grecją. Kiedy na pokład weszła policja, żeby sprawdzić dokumenty, nie mieli czego pokazać. Ale los sprawił, że ich więzienne stroje wyglądały tak samo jak mundury szeregowych w wojsku, tylko bez naszywek i emblematów. Kiedy Assan powiedział policjantowi, że jadą do szpitala polowego, bo mają tyfus, mężczyzna zrobił wielkie oczy i prawie uciekł z pojazdu.

Przekroczyli granicę wysoko w górach. W Atenach odkładali przez większość roku drachmy zarobione pracą kilofów i łopat, wysiłkiem dłoni i pleców, aż Assan został palaczem na Despotiku, gdzie wrzucał węgiel do kotła, kiedy prom kursował między Pireusem a licznymi greckimi wyspami.

Assan nie zrelacjonował żadnej z tych historii, powiedział tylko, że był palaczem na Berengarii, gdzie pilnował pęcherzyka ropy, a teraz, po zejściu na ląd, znalazł się w Stanach.

Dymitri wiedział, że Assan nie opowiedział mu wszystkiego, ale było mu to obojętne.

– Wiesz, co mogę dla ciebie zrobić z tego biura?

– Nauczyć mnie pisać na maszynie? – Dorothy wstukiwała teraz: *duże... łup... ku... stuk... spacja... łup... duże... łup... wu... stuk... spacja... łup.*

Dymitri zaśmiał się głośno.

– Mamy życzliwych ludzi, którzy pomogą nam pomóc tobie. Trochę to zajmie. Ale powiem ci od razu: jeżeli będziesz miał na pieńku z prawem, jeśli podpadniesz policji, to zrobi się bardzo krucho. Jasne?

– Pewnie. Oczywiście.

– Dobrze. No więc. Nauczysz się mówić po angielsku. Tu masz adres darmowej szkoły. Zajęcia są wieczorami. Po prostu wchodzisz, zapisujesz się i uważasz na lekcjach.

Assan wziął adres.

– Masz coś wartościowego, co możesz sprzedać? Coś ze złota albo coś szczególnego ze starego kraju?

– Nic. Wszystko zostało na statku.

– Mój ojciec zrobił to samo. W tysiąc dziewięćset dziesiątym roku. – Dymitri wyciągnął z kieszeni marynarki cygaro. – Wróć za parę dni, to znajdziemy ci ubranie na zmianę. Dorothy! Zdejmij z Assana miarę na kilka par spodni. Koszule też!

– Jak skończę! – Dorothy nie odrywała wzroku od klawiatury. *Duże. Te. Spacja. Duże. Gie. Spacja. Łup, stuk, łup, stuk...*

– Masz narajoną jakąś robotę, Assan? – Dymitri zapalił cygaro kulą ognia, która rozbłysła na końcu olbrzymiej zapałki.

Assan nie miał narajonej żadnej roboty.

– Idź tam. To w centrum. – Dymitri napisał coś na kolejnej kartce i wręczył ją Assanowi. – Zapytaj o Kostasa.

– Kostasa. Jasne.

Kiedy Assan wychodził z biura, nagranie do nauki pisania się skończyło, a Dorothy odwróciła płytę, szykując się do drugiej lekcji.

---

Adres wypadał bardzo nisko na dłoni Assana, tam, gdzie ulice nie miały numerów i biegły jak popadnie. Przez większość dnia włóczył się po przecznicach o dziwnych kształtach, kręcąc się w kółko i mijając wiele razy te same miejsca. W końcu znalazł swój cel: małą restaurację z napisem OLIMPIJSKI GRILL w greckiej ramce. Składały się na nią całe cztery stoliczki przy ścianie ze skórzanymi ławami i ośmioma wysokimi stołkami przy barze. Nie było wolnych miejsc, a w środku panował gorąc. Za barem kręciła się jakaś kobieta, tak zajęta, że na Assana spojrzała dopiero, kiedy ten odczekał swoje. Warknęła do niego po grecku:

– Poczekaj na miejsce na dworze, głupku!

– Przyszedłem do Kostasa – wyjaśnił Assan.

– Co? – wrzasnęła kobieta.

– Przyszedłem do Kostasa! – powtórzył.

– Skarbie! – ryknęła kobieta, odwracając się plecami do Assana. – Jakiś głupek do ciebie!

Kostas był niskim mężczyzną z wąsem w kształcie szczotki. Porozmawiał z Assanem, choć nie miał na to czasu.

Czego chcesz?

– Pan Kostas? – zapytał Assan.

– Czego chcesz?

– Pracy – odparł Assan ze śmiechem.

– Jezu – jęknął Kostas, odwracając się.

– Dymitri Bakas mnie do pana wysłał.

– Kto? – Kostas sprzątał naczynia i przyjmował pieniądze od klienta.

– Dymitri Bakas. Powiedział, że da mi pan pracę.

Kostas zamarł i spojrzał Assanowi w oczy. Był tak niski, że musiał się odchylić, żeby spiorunować Bułgara wzrokiem.

– Wypierdalaj stąd!

Klienci, którzy rozumieli po grecku, spojrzeli znad posiłków. Ci, którzy władali tylko amerykańskim, jedli dalej.

– I nie wracaj!

Assan odwrócił się i wypierdolił stamtąd.

---

Powrót na piechotę do środkowych palców Central Parku trwał bardzo długo. Było gorąco i parno – koszula lepiła się do pleców Assana i nie chciała wyschnąć. Szedł i szedł jakąś aleją, aż trafił w migotliwie oświetlone miejsce, gdzie dziewięć ulic zderzało się ze sobą w masie ludzi, autobusów, żółtych aut, a nawet żołnierzy na koniach, choć mogli to być gliniarze. Assan nigdy w życiu nie był w takim tłumie, w którym każdy szedł gdzie indziej.

W olbrzymim barze szybkiej obsługi zapłacił monetami za kolejną parówkę H O T  D O G i tekturowy kubek ze słodkim sokiem, lodowatym i smaczniejszym od wszystkiego, co w życiu pił – nawet od coca-coli. Jadł na stojąco, jak większość klienteli, choć o niczym tak nie marzył, jak o zdjęciu butów. Po drugiej stronie trójkąta z ulic i ludzi dostrzegł coś, co wyglądało na kino z łańcuchem ścigających się świateł. Assan zobaczył cenę – czterdzieści pięć centów. Czyli cztery najmniejsze monety z jego kieszeni i większa, grubsza z garbatą krową na rewersie. Nagle zapragnął usiąść na wygodnym fotelu, zdjąć buty i obejrzeć film. Miał nadzieję, że będzie o Chicago.

Kino było jak katedra, mężczyźni i kobiety w specjalnych strojach kierowali do foteli strumień ludzi – rozgadane pary i grupki młodzieńców, z których wszyscy prowadzili głośne rozmowy i śmiali się rechotliwie. Kolumny były jak w ateńskim Partenonie, na ścianach widniały pozłacane płaskorzeźby współczesnych aniołów, a ciemnoczerwona kurtyna miała trzydzieści metrów wysokości.

Kiedy kurtyna się rozsunęła i na ekranie wielkim jak kadłub Berengarii rozpoczął się krótki film, Assan zdjął buty. Grała muzyka, przesuwały się i wirowały niezwykłe wyrazy, które pojawiały się tak szybko, że nie mógł wyłapać nawet jednej litery. Film był o tańczących kobietach i skłóconych mężczyznach. Potem puszczono kolejny krótki film i znów grała muzyka i śmigały wyrazy. W tym filmie byli bokserzy i widok nieba pełnego samolotów. Trzecia historia była o bardzo poważnej kobiecie, która mówiła bardzo poważne rzeczy, potem szlochała, potem biegła po ulicy, wołając czyjeś imię, a potem film się skończył. Za chwilę ekran rozbłysnął jaskrawymi kolorami i jakiś dziwny mężczyzna przebrany za kowboja z przepiękną kobietą o czarnych włosach i najczerwieńszych w świecie ustach śpiewali piosenki i mówili różne rzeczy, a po katedrze niósł się śmiech. Mimo to Assan szybko zasnął i spał jak zabity.

---

Następnego dnia w Stowarzyszeniu Helleńskim nikogo nie było. Całe miasto wydawało się ciche, mniej ludzi wchodziło po schodach z tuneli i wiele budynków było pustych. Assan znalazł adres, pod którym odbywały się lekcje angielskiego – budynek na Czterdziestej Trzeciej Ulicy, ale nie było tam nikogo, z kim mógł porozmawiać po angielsku.

Jednak po powrocie Assana do parku wydało mu się, jakby mieszkańcy wszystkich otaczających środkowe palce budowli wyszli między drzewa, na ścieżki, place zabaw i szerokie pola zieleni. Rodziny z dziećmi były wszędzie – w zoo, na łódkach, jeździły na butach na kółkach, bawiły się na koncertach, z psami, maluchy rzucały, łapały i kopały najróżniejsze piłki. Assanowi najbardziej podobały się psy i przyglądał się im najdłużej.

Późnym południem niebo zasnuły chmury, rodziny się spakowały, gry w piłkę ustały, a park opustoszał. Niedługo potem się rozpadało, więc Assan znalazł sklepione przejście i spędził w nim noc, dzieląc to miejsce z paroma innymi mężczyznami, którzy mieli za łóżko tekturę, a za okrycie własne marynarki. Nie mówili w żadnym ze znanych Assanowi języków. Nie wydawali się szczęśliwi, ale Assan wiedział, co to znaczy moknąć, a teraz było całkiem znośnie. Zdarzało mu się ukrywać pod mostami, chodzić w przemoczonym ubraniu, być w podróży wiele dni, a nawet uciekać przed ludźmi ze starego kraju, którzy mieli tak samo nieszczęśliwe miny. To? To była pestka.

Rano Assan obudził się z kaszlem

---

– Te spodnie powinny pasować. – Dorothy mówiła po grecku. – Buty też. Proszę przymierzyć w wucecie na korytarzu.

– Co to jest wucet? – Assan nigdy wcześniej nie słyszał tego słowa.

– Ubikacja. Toaleta.

Spodnie pasowały. Używane buty nie tylko weszły na jego małe stopy, ale były już rozbite. Dorothy dała mu długie skarpety, kilka różnych koszul, dwie pary grubych spodni – czysta przyjemność po tylu dniach w niebieskim garniturze w prążki, który dziewczyna wzięła do prania.

– Co się stało z tym Bułgarem, który był tu w piątek? – Dymitri wszedł z torbą okrągłych ciastek z dziurkami w środku i słodką amerykańską kawą. – Assan? Wyglądasz, jakbyś był z New Jersey!

Dorothy usiadła z powrotem do swojej maszyny i nastawiła kolejną płytę. Muzyka była teraz żwawsza – *duże te ha e spacja ku u i ce ka spacja* – a dziewczyna stukała w klawisze.

– Byłeś u Kostasa? – zapytał Dymitri.

Assan wypił łyk kawy i wgryzł się w okrągłe ciastko, smaczne, choć kiedy je przełykał, zabolało go gardło.

– Tak. Kazał mi wypierdalać. – Zerknął przez drzwi na Dorothy, która na szczęście nie usłyszała wulgaryzmu.

– Ha! Kostasowi musiał się nie spodobać twój wygląd. Ale teraz przypominasz faceta z Hoboken, weekendowego Sinatrę. – Assan nie miał pojęcia, co to znaczy. – Kostas jest mi dłużny, więc możesz wrócić i powiedzieć mu, że przychodzisz ode mnie. Powiedziałeś mu, że to ja cię wysłałem, prawda?

– Nie obchodziło go, kto mnie wysłał.

– Powiedz mu, że przychodzisz ode mnie.

---

Assan znów pomaszerował do centrum, a kiedy dotarł do Olimpijskiego Grilla, zajęta była tylko połowa miejsc. Kostas siedział na stołku najdalej od drzwi i z kubkiem kawy przed sobą czytał gazetę, tak niski, że wymachiwał nogami jak chłopiec. Assan podszedł i poczekał, aż mężczyzna podniesie wzrok. Ale ten nie zareagował.

– Dymitri mówi, że da mi pan pracę.

Kostas dalej czytał.

– Hę? – powiedział, zapisując coś ołówkiem w otwartym notatniku. Na stronie było mnóstwo wyrazów.

– Dymitri Bakas. Wysłał mnie do pana.

Kostas nie ruszył się, ale przynajmniej oderwał się od gazety i listy wyrazów i zwrócił do Assana.

– Co, do diabła? O co chodzi?

– Dymitri Bakas. Powiedział, że mam się do pana zgłosić po pracę. Bo jest mu pan coś winien.

Kostas wrócił do czytania i pisania.

– Gówno, nie winien. Zamawiaj coś albo się wynoś.

– Powiedział, że mam się zgłosić po pracę.

Kostas zerwał się ze stołka z płomieniem furii w ciemnych oczach.

– Skąd jesteś? – zawołał.

– Z Bułgarii, ale przypłynąłem z Aten.

– To wracaj do Aten! Nie mogę ci pomóc! Wiesz, gdzie byłem, kiedy ty się brandzlowałeś w swojej gównianej stodole w Bułgarii? Byłem tutaj! Byłem w Ameryce. A wiesz, co robiłem? Zbierałem baty za samą myśl, że mógłbym założyć restaurację!

– Ale Dymitri kazał mi iść do Kostasa. Więc przyszedłem.

– Może mnie pocałować w dupę, a ty naszczać do kapelusza! Żywię tu gliny. Jak poproszę, to rozwalą ci łeb. Wróć tu jeszcze raz, a będziesz miał gliniarzy na karku!

Assan czmychnął z jadłodajni. Miał jakieś inne wyjście? Nie chciał zadzierać z glinami.

---

Dzień był jak zwykle upalny. Ryk samochodów i autobusów był głośny jak wiatr sztormowy. Gwar tylu ludzi, wszystkich zatrudnionych, z pieniędzmi w kieszeni i bez większych problemów, zatykał Assanowi uszy. Gardło go piekło, nogi ciążyły mu jak worki z piaskiem.

Szedł na Czterdziestą Trzecią Ulicę na lekcję angielskiego, kiedy przystanął na maleńkim trójkątnym skrawku trawy i drzew, bo przeszyła go fala bólu. Załupało go coś w głowie, tuż nad oczami. Przy fontannie do picia wygiął dłoń, żeby nabrać trochę wody, ale palenie w gardle nie ustępowało. Zobaczył dwóch mężczyzn dzielących ławkę w cieniu, ławkę dla czterech osób, i chciał szybko usiąść. Wtedy, jakby po brutalnym, niewidzialnym ciosie w brzuch, zgiął się wpół i zaczął wymiotować.

Jakiś mężczyzna zadawał mu pytania, których Assan nie rozumiał, inny poprowadził go za ramię w cień ławki, a od kogoś, może kobiety, dostał chusteczkę do wytarcia ust. Ktoś wręczył mu butelkę ciepłej wody gazowanej, którą Assan wypłukał sobie usta, a potem wypluł. Ktoś na niego za to nakrzyczał, ale Assan nic nie odpowiedział. Odchylił głowę w tył na ławce i zamknął oczy.

---

Myślał, że przespał tylko kilka minut, ale kiedy podniósł powieki, cienie były dłuższe, a w maleńkim parku widać było innych ludzi. Amerykanów, którzy ignorowali drzemiącego na ławce mężczyznę.

Assan sięgnął do kieszeni. Jego amerykańskie papierowe pieniądze zniknęły. Zostało trochę monet, nic więcej. Zgodnie z ostrzeżeniem starszego oficera jakiś kieszonkowiec go okradł, kiedy Assan przestał się śpieszyć. Długo siedział z bólem głowy.

Kiedy z popołudnia zrobił się wczesny wieczór, Assan nie miał ochoty wracać na piechotę do samego Central Parku, ale jakiś gliniarz podszedł i zaczął mu się przyglądać. Musiał się zbierać. Jakąś godzinę później spał pod drzewem w parku z głową na zwiniętej parze spodni na zmianę.

---

W biurze Dymitriego byli inni ludzie – wszyscy w garniturach i ze skórzanymi teczkami pełnymi papierów. Żaden z nich nie był Grekiem. Dymitri stał przy oknie, wrzeszcząc do słuchawki po angielsku, tak jak pierwszego dnia, kiedy Assan zobaczył to miejsce. Dwaj mężczyźni w garniturach zaśmiali się ze słów Dymitriego, inni zapalili papierosy. Ktoś puszczał kółka z dymu. Assan słyszał stukanie Dorothy, stuk, stuk, stuk, bez pomocy płyty z muzyką.

– Poczekaj – powiedział Dymitri na widok Assana, zakrywając słuchawkę dłonią. – Dorothy ma twój garnitur. Dorothy!

Wszyscy w biurze spojrzeli na Assana, jego pogniecione ubranie, jego zarost, widząc kolejnego z tych biednych, naiwnych nieszczęśników, których zawsze można było zastać u Dymitriego. Dorothy wyszła z garniturem na drucianym wieszaku: marynarka i spodnie były świeżo wyprasowane i czyste, koszula zwinięta w kostkę jak obrus. Assan wziął ubranie i wycofał się z biura, kiwając w podzięce głową. Oczy i twarze obecnych mężczyzn go zdeprymowały, poczuł się mały, jak w starym kraju, kiedy żołnierze go przeszukiwali, pomiatali nim i sprawdzali jego dokumenty dłużej niż było trzeba, kiedy strażnicy kazali mu stać i odpowiadać w kółko na pytania, kiedy on i inni więźniowie obozowi musieli godzinami stać na apelach.

Na schodach na ulicę usłyszał śmiech mężczyzn i wprawiającą się na maszynie Dorothy: *stuk, stuk, stuk. Stuk.*

---

Kostas przeliczał właśnie zapas drobnych w kasie, kiedy jakiś mężczyzna w czystym garniturze w niebieskie prążki usiadł na stołku przy barze. Niedługo pojawi się tłum w porze lunchu, bywalcy będą się schodzić aż do piętnastej, a on potrzebował drobnych, żeby wydawać resztę z papierowych pieniędzy. Potem będzie miał czas na lekturę gazety z listą wyrazów pod ręką. Angielski nie był trudnym językiem, jeżeli tylko codziennie czytało się gazetę i miało mnóstwo amerykańskich klientów do słuchania i rozmowy, rozmowy i rozmowy.

Żona wycierała stoliki, więc to Kostas zapytał mężczyznę w czystym i wyprasowanym niebieskim garniturze w prążki:

– Czym mogę służyć, kolego?

Assan położył na ladzie te kilka monet, które zostały mu w kieszeni.

– Poproszę kawę. Amerykańską, słodką, z mlekiem.

Kostas poznał Assana i zaczerwienił się z gniewu.

– To ma być żart?

– Nie żartuję.

– Dymitri cię tu wysłał? Znowu?

– Nie. Przyszedłem tylko na kawę.

– Gówno prawda, żeś tu przyszedł na kawę! – Wściekły Kostas trzasnął kubkiem przed termosem z taką siłą, że mu pękł. – Nico! – wrzasnął.

Jakiś chłopiec, niski jak Kostas, wyjrzał z kuchni.

– Czego?

– Kubki do kawy!

Nico wyniósł tacę ciężkich kubków na amerykańską kawę. Nie było mowy, żeby chłopiec nie był synem Kostasa. Dzieliło ich tylko dwadzieścia lat i dziesięć kilo.

Kostas prawie cisnął gorącą kawę Assanowi na kolana.

– Pięć centów! – zażądał, po czym zgarnął z lady jedną z grubych monet, tę z garbatą krową.

Assan wlał do kubka mleko, wsypał cukier i wymieszał powoli.

– Wchodzisz do mojej knajpy i wydaje ci się, że jak już dotarłeś do Ameryki, to robota będzie na ciebie czekać. – Kostas opierał się o ladę, tak niski, że miał oczy na wysokości twarzy Assana. – Przylatujesz na skargę do tego bękarta z Korfu, a on ci mówi: „Idź do Kostasa", i ja mam ci płacić, żebyś dla mnie pracował?

Assan sączył kawę.

– Jak ty się w ogóle nazywasz?

– Assan.

– Assan? Nawet nie jest Grekiem i przychodzi po pracę!

– Dziś przyszedłem na kawę.

Kostas kiwał się na piętach, jakby z wściekłości był gotów przeskoczyć przez ladę i wszcząć bójkę.

– Bo niby taki ze mnie bogacz, że dla każdego mam robotę, nie? „Kostas to się dopiero urządził! Ma własną restaurację! Zbija takie kokosy, że może zatrudniać na prawo i lewo! Przyjeżdżaj do Ameryki i pracuj u niego!" Gówno prawda!

Kubek Assana był prawie pusty.

– Mogę poprosić jeszcze jedną?

– Nie! Nie dostaniesz już kawy! – Kostas przez długą chwilę patrzył Assanowi prosto w oczy. – Bułgar, co?

– Zgadza się. – Assan skończył kawę i postawił kubek na ladzie.

– No dobra – oznajmił Kostas. – To zdejmuj tę swoją marynarę i powieś ją na haczyku na zapleczu. Nico nauczy cię szorować gary.

Miejskie sprawy.
Felieton
Hanka Fiseta

## WASZA EWANGELISTKA ESPERANZA

Mała czarna? Nie mogę bez niej żyć! Mowa o kawie, rzecz jasna. Widzicie, robię w prasie, a założę się, że redakcja, która nie jedzie na kawie, wypuszcza kiepską gazetę. Dzbanki w „Dzienniku/Heraldzie Trójmiejskim" są zawsze pełne, mimo że większość ekipy chadza do wszechobecnych kawiarni z wyższej półki, tych z baristami i dodatkami smakowymi po sześć dolców za sztukę. Rundka po salonach kofeinistów w naszej metropolijnej trójcy dowiedzie, że dobry rozbudzacz jest palony, parzony (również pod ciśnieniem) i rozlewany w iście wybornym stylu. Dajcie szansę Amy's Drive-Thru, przerobionej budce z taco na Miracle Mile. Dostaniecie takie potrójne espresso z pieprzową posypką, że oczy wyjdą wam z orbit. W kawiarni Corker & Smythe w starym budynku Kahle Mercantile na Triumph Square dopiero od niedawna sprzedają kawę na wynos, i to niechętnie. Lepiej siedzieć przy barze i sączyć ów nektar mroku z głębokich porcelanowych kubków. Kaffee Boss ma trzy lokale – jeden na Wadsworth i Sequoia – gdzie bywalcy mogą skosztować kawy ze słojów w skórzanych koszyczkach. Pod żadnym pozorem nie proście o mleko ani śmietankę. Ci kawowi puryści chętnie wytłumaczą wam dlaczego. Zakawoparzona na Second Boulevard w North Payne na East Corning ma coś, z czym nie może się równać żadna inna kawodajnia – unikalne brzmienie. *Ssssszysz* spieniacza, gadu-gadu obsługi i klienteli i muzykę, cichą, w tle, jak ścieżka dźwiękowa lecącego nieopodal filmu. Co jakiś czas słychać też *stuk-stuk* maszynistki, choć tak ją nazwać to o wiele za mało.

***

Esperanza Cruz-Bustermente, urodzona i wychowana w pobliskim Orangeville, jest doradcą finansowym w miejscowym banku, choć dla wielu to jej drugi zawód. Jest powszechnie znana jako ewangelistka, maszynistka, która użycza innym sprawności palców na klawiaturze. Kiedyś w Meksyku wykształcone zakonnice służyły swojej trzódce, przepisując na maszynie ważne dokumenty – podania, rachunki, oficjalne pisma, zeznania podatkowe, czasami nawet listy miłosne – niepiśmiennym i tym bez dostępu do cudu techniki, jakim swego czasu była maszyna do pisania. Rodzice Esperanzy, i nie tylko oni, uczyli się pisać na maszynie od tych ewangelistek, po czym zarabiali na życie, przepisując w ten sposób wiadomości, listy i notatki zapotrzebowania publicznego. Nikt się na tym nie dorobił, ale zdania wbijano w papier.

***

Esperanza ma stolik w Zakawoparzonej, gdzie, ze swoją dużą mocno sojową, pracuje przy ryzie czekających pod ręką czystych, nagich stron. Zadomowiła się tam już jakiś czas temu. Klienci nieprzyzwyczajeni do odgłosów i rytmu maszyny do pisania nie oswoili się ze stukaniem Esperanzy tak od razu. „Na początku były skargi" – przyznała Esperanza. – „Przepisywałam jakiś tekst, a ktoś mnie pytał, dlaczego nie pracuję na laptopie, co jest cichsze i łatwiejsze. Kiedyś wchodzi dwóch policjantów, a ja myślę: czyżby nasłali na mnie gliny? Okazało się, że wstąpili po latte".

***

A czemu tak analogowo? „Ktoś zhakował mi maila" – wyjaśniła Esperanza. Kto? – „Rosjanie? Rada Bezpieczeństwa Narodowego? Lewi nigeryjscy książęta? Kto wie? Straciłam dane. Przez kilka miesięcy moje życie to był jeden wielki chaos". Dzisiaj Esperanza korzysta z internetu oszczędnie i ma staroświecki telefon z klapką, taki, co wysyła SMS-y, ale którego ona woli używać klasycznie – do rozmów telefonicznych. Nigdy nie musi prosić o hasło do wi-fi. A Facebook, Snapchat, Instagram itp.? „Odpuściłam sobie" – mówi prawie z dumą. – „Kiedy po zhakowaniu straciłam dostęp do mediów społecznościowych, w mojej dobie zwolniło się jakieś sześć godzin! Tyle czasu traciłam na sprawdzanie co kilka minut telefonu. Nawet nie chcę myśleć, ile mi schodziło na grze w ŚnieżKanta, gdzie zbierałam punkty, łapiąc kolorowe kulki lodu do trójkątnego koszyka". Jedyny minus? „Moi znajomi musieli przejść kurs, jak mnie teraz łapać". Co ona właściwie wstukuje na tej swojej maszynie? „Mnóstwo rzeczy! Mam dużą rodzinę. Na urodziny siostrzeńcy i bratanice dostają list i banknot pięcio- lub dziesięciodolarowy. Piszę notatki służbowe do pracy, które albo kseruję, albo przepisuję i wysyłam mailem w biurze. A to... – podniosła kartkę zapełnioną perfekcyjnie równym i doskonale sformatowanym tekstem – ...to jest moja lista zakupów".

***

Inni klienci zwracają się do Esperanzy, chcąc skorzystać z jej usług zakonnych. „Dzieciaki są zafascynowane moją maszyną. Pozwalam im wstukać jednym palcem imię, kiedy mama czeka na zamówienie. Młodzież chce, żebym wpisywała rap i wiersze". O pomoc proszą też dorośli. „Nikt nie ma maszyny do pisania, prawie żadna już nie działa. A listy napisane na maszynie są niezwykłe. Niektórzy przychodzą z tekstami ułożonymi na komputerze, które mam im przepisać, żeby były jedyne w swoim rodzaju. Przed walentynkami albo Dniem Matki mogłabym tu siedzieć godzinami i tylko wstukiwać, a kolejka zawijałaby się za rogiem. Gdybym brała za to pieniądze, mogłabym zarobić tyle co dobry kwiaciarz". Za tak osobistą usługę Esperanza może przyjąć kawę. Rano zwykłą, wieczorem bez kofeiny.

***

„Ktoś czekał kiedyś na kawę i zaczął mi opowadać o starej maszynie do pisania, którą wyrzucił. Żałował, że już jej nie ma. Chciał poprosić swoją dziewczynę o rękę. Gdyby napisał to na maszynie, jego list i ta chwila zostałyby uwiecznione. Wkręciłam czystą kartkę i kazałam mu dyktować – miałam jakieś wyjście? Usługi sercowo-maszynowe. Powstało sześć różnych wersji". Jak się w końcu oświadczył? „Tajemnica". A przyjęła? „Nie mam pojęcia. Przeczytał list sto razy, upewniając się co do stosowności użytych wyrazów. Potem go wziął, odebrał waniliowe capuccino i tyle go widziałam".

***

Przenośna maszyna do pisania pozwala Esperanzy wstukiwać tekst na zamówienie w dowolnym miejscu, ale Zakawoparzona to jej centrala. „Miejscowi mnie tolerują i inspirują. Lubię otaczać się ludźmi. A niektórym jestem potrzebna". Och, i to jeszcze jak, ewangelistko Esperanzo!

# Steve Wong jest doskonały

Dzięki rozchodzącym się po świecie w mgnieniu oka filmikom wszyscy zachwycają się prosiakiem, który uratował tonącą owieczkę. Nie, chwila. To był fejk. Za to wyczyn Steve'a Wonga był prawdziwy, serio miał miejsce, nawet przy świadkach, no i wyszedł mu viral.

Otóż wybraliśmy się pewnego wieczoru na kręgle, a Steve, jak rasowy alejuper, nawsadzał, napakował, nabił – naturlał – tak niewiarygodną liczbę punktów, że zasłużył sobie na uwielbienie wszystkich kręglomaniaków. Jeśli jednak nie mieliście okazji oglądać jego serii, moglibyście uznać, że Anna, MDywiz i ja wszystko to spreparowaliśmy

Wyczyny Steve'a nie były ani fałszem, ani łutem szczęścia. Już jako kapitan drużyny kręglarskiej pierwszaków w St. Anthony Country Day zdobywał puchary w turniejach młodego kręglarza w Surfside Lanes. Miał nawet na koncie grę doskonałą – dwanaście razy z rzędu strącił wszystkie kręgle pierwszą kulą i zebrał komplet trzystu punktów – w wieku zaledwie trzynastu lat. Jego nazwisko trafiło do gazety i dostał od Surfside tonę gratisów.

Kiedy MDywizowi wybiła pierwsza rocznica przyznania obywatelstwa, uczciliśmy to, zabierając chłopaka na kręgle. Przekonaliśmy go, że to wielka amerykańska tradycja, że imigranci z Wietnamu, Chile i innych krajów zawsze chodzą poturlać w pierwszą rocznicę naturalizacji, więc on też powinien. Łyknął to. Steve Wong przyniósł swoją profesjonalną rękawicę do kręgli, jak również uszyte na zamówienie specjalne buty! My byliśmy w lichym obuwiu z wypożyczalni, ze sznurówkami nie do kompletu, przechowywanym w zawilgoconych pakamerach za recepcją, podczas gdy on paradował w unikatowych żółto-brązowych butach kręglarskich, na przodzie z napisami STEVE i WONG i z trzema iksami na każdej pięcie – XXX – na cześć ostatniej rundy owej perfekcji sprzed lat. Jego buty były w torbie z tego samego koszmarnego brązowo-żółtego zestawu. Pocieraliśmy je jak magiczne lampy, chcąc sprowadzić dżina. Kiedy nasze piwa przybyły, ryknąłem:

– Moje życzenie się spełniło!

MDywiz nigdy nie grał w kręgle w swojej wiosce na południe od Sahary, więc zabukowaliśmy mu tor i poprosiliśmy obsługę, żeby podniosła bandy dla dzieci, dzięki którym kule nie wpadają maluchom do rynny. Szalejąc rykoszetem, pociski MDywiza zawsze coś tam trafiły, nabijając mu nieziemskie pięćdziesiąt osiem punktów. Ja zdobyłem najwięcej sto trzydzieści osiem – niczego sobie, zwłaszcza w świetle wszystkich wyduldanych rolling rocków. Poczciwa Anna tak bardzo się koncentrowała na technice, że pobiła mój rekord sześcioma kręglami – sto czterdzieści cztery. Dreszcz zwycięstwa przyprawił ją o zawrót głowy i wyściskała MDywiza twardymi jak postronki ramionami, zwracając się do niego: „nasz amerykański przyjacielu".

Ale niespodziankę wieczoru sprawił Steve Wong swoimi wyczynami na torze. Jego trzy gry – dwieście trzydzieści sześć, dwieście czterdzieści trzy i końcowy rekord: dwieście sześćdziesiąt dziewięć – zmarginalizowały naszą rywalizację. Był tak dobry, że zmęczyło nas podziwianie, jak główny kręgiel pada w drugiej rundzie. W pewnej chwili miał na koncie jedenaście strike'ów w dwóch rozgrywkach. Zagroziłem, że zabiorę mu tę jego rękawicę i ją spalę.

– Następnym razem przyniosę własną kulę – powiedział. – Nie mogłem jej znaleźć.

– Ale te paskudne buty zawsze masz pod ręką?

Tydzień później znów wybraliśmy się całą czwórką na kręgle. Steve znalazł z moją pomocą kulę. Podjechałem po niego do za dużego domu w Oxnard i przeszukałem garaż i trzy szafy wnękowe. Jego torba na kulę – ech, ta cudowna żółto-brązowa skóra – leżała za starą, rozsypującą się walizką w szkocką kratę po maszynie do pisania na najwyższej półce szafy należącej swego czasu do jego siostry, obok pudełka z setką starych lalek Barbie z bezmyślnymi uśmiechami i niewiarygodnie wąskimi taliami. Kuriozalna mieszanka barw nie ominęła też kuli, przypominającej sferyczny zlepek sztucznych rzygów ze sklepu ze śmiesznymi rzeczami. Między trójcą otworów na palce był nadrukowany chiński znak błyskawicy. Po dotarciu do kompleksu kręglarskiego Ventura Steve włożył kulę do jakiejś maszyny, która, jak się okazało, służyła do jej polerowania. I wypożyczył dla Anny rękawicę, taką ze znakomicie usztywnionym nadgarstkiem.

MDywiz nadal urzędował na torze z bandami obok nas – w czterech rozgrywkach nie przebił osiemdziesięciu siedmiu punktów. Moja pierwsza skończyła się wynikiem sto dwadzieścia sześć, po czym przestałem się przejmować, bo, cóż, graliśmy w kręgle przed tygodniem, a jak dla mnie cztery turlania na rok w zupełności wystarczą. Anna? Jak opętana! Znowu! Zmieniła kule trzy razy podczas pierwszej gry, po czym wróciła po tę wybraną na początku. Ze swoją specjalną rękawicą, skoncentrowana na rozbiegu i wymachu, co chwilę susząc sobie dłoń nad wiatraczkiem znajdującym się nad zwrotem kuli, ta kobieta przez cały wieczór igrała z dwusetką, w końcu dobijając do dwustu jeden. Była w tak świetnym nastroju, że pociągnęła parę łyków mojego piwa.

A Steve Wong? Z trzema palcami wsuniętymi w precyzyjnie dopasowane otwory swojej lśniącej kuli odstawił show, że głowa mała. W gracji pracy nóg, linii wymachu, wypuszczeniu kuli z dłoni wiodącej, po rzucie skierowanej w górę ku komputerowej tabeli wyników, widać było lata praktyki. Miał równowagę tancerza, stopę wspierającą zostawił wysuniętą za lewym butem, stuknięciem prawego palucha posyłając w twarde drewno niecenzuralnego (XXX) brązowo-żółtego całusa. Ani razu tego wieczoru nie zbił mniej niż dwieście siedemdziesiąt punktów, a skończył na... trzech setkach.

Tak jest. Komputer wyświetlał migający napis GRA DOSKONAŁA, GRA DOSKONAŁA, GRA DOSKONAŁA, a kierownik salonu uderzył w stary marynarski dzwonek za biurkiem. Inni bywalcy – dla których kręgle to poważna sprawa – podeszli uścisnąć Steve'owi dłoń, poklepać go po plecach i zapłacić za wszystkie zamawiane przeze mnie rolling rocki, dowodząc tym samym, że owszem, obuwie Steve'a to czysta magia.

Kolejny raz graliśmy kilka dni później – na żądanie MDywiza. Kręgle chodziły mu po głowie nawet w nocy.

– We śnie widzę czarną kulę, zawijającą do głównego piona, szykującą się do zbicia kompletu, ale nie uderza po mojej myśli. A ja chcę je strącić wszystkie! – Przebicie setki stało się teraz dla niego poszukiwaniem wizji. Już na trzecim wyjściu na kręgle kazał zdjąć bandy dla dzieci i sprawnie posłał pięć kul z rzędu do rynny.

– Witamy w drużynie uczelnianej – powiedziałem, po czym mój rzut ominął o trzydzieści centymetrów piony dziewiąty i dziesiąty. Ósemka w otwartej ramce – niech będzie. Anna strąciła w drugim rzucie komplet, zbijając siedem, więc już mnie wyprzedziła. Na koniec Steve Wong wymiótł wszystko.

Gwałtowna powódź zaczyna się od kropli deszczu na kamieniu. Woń odległego dymu to zapowiedź pożaru lasu. Gra doskonała może zaistnieć tylko wtedy, jeżeli w kwadraciku w rogu ramki numer jeden pojawi się X, pierwszy z dwunastu. Steve Wong nabił dziewięć strike'ów z rzędu, więc w dziesiątej i ostatniej rundzie naszej pierwszej rozgrywki tego wieczoru – MDywiz zdobył trzydzieści trzy punkty, ja sto osiemnaście, a Anna sto czterdzieści siedem – wokół naszego toru zebrała się grupka około trzydziestu osób (przy szóstej ramce inni gracze przerwali swoje partie, żeby doświadczyć być może drugiej z rzędu gry doskonałej Steve'a Wonga – dziwactwa i cudu rzadkiego jak podwójna tęcza).

Dziesiątkę otworzył strikiem. Tłum zapiał, a Anna zawołała:

– Zuch dziecina!

Zapadła cisza. Steve wziął rozbieg, zamach i pełna dyszka kręgli znów się rozsypała w jego jedenastym komplecie tej rozgrywki, a do powtórki z perfekcji brakowało jeszcze tylko jednego pełnego łomotu. Ktoś dowcipny inaczej mógłby powiedzieć: było cicho jak strikiem zasiał. Ostatni rzut Steve'a odbywał się w absolutnym milczeniu. Kiedy zatrąbiło, a na komputerowej tablicy zaczął migać napis GRA DOSKONAŁA, GRA DOSKONAŁA, GRA DOSKONAŁA, można by uznać, że jednocześnie minęła północ Nowego Roku, otwarto most Brookliński, Neil Armstrong spacerował po Księżycu, a Saddama wywleczono z jego nory. Rozpętała się wongomania i wyszliśmy z kręgielni dopiero o trzeciej w nocy – trójce z dwoma zerami. Kapewu?

Gdybyśmy tego wieczoru zdecydowali się jednak na drugą rozgrywkę, być może nie czytalibyście teraz tej relacji. Steve mógł skasować dwieście dwadzieścia i przerzucić się na pinball. Ale Parki to szurnięte damy. Cztery dni potem, turlając za friko – w nagrodę za jego dwadzieścia cztery pełne dychy z rzędu – byliśmy z powrotem widzami komedii, w której MDywiz zmaga się z fatum rynnowej trzydziestki trójki. Ale Steve Wong zmienił tok wieczoru, strącając chińską błyskawicą pełny zestaw. Potem nabił kolejnego strike'a. A potem, no cóż, niech to krasula trzaśnie, jak się mawia w kręgielniach na subkontynencie indyjskim.

Steve pakował komplet za kompletem, mówił coraz mniej i wkroczył w strefę skupienia, która wyparła resztę egzystencji. Nie odzywał się, nie siadał, nie oglądał się przez ramię. Ludzie SMS-owali do swoich kumpli od kuli, żeby zasuwali do nas ASAP. Przyjechała darmowa pizza. Smartfonowe pstrykacze zawitały na potęgę i pojawiła się sześcioosobowa rodzina, maluchy w piżamach wyciągnięte z łóżek, bo nie dało się znaleźć opiekunki, a mama i tata nie chcieli przegapić kolejnej gry doskonałej. Steve Wong w trzeciej rozgrywce z rzędu turlał same czarne iksiochy. W aurze totalnego zadziwienia i oczarowania nabijał jak najęty trzydziestopunktowe ramki w czwartej, piątej i – zgadza się – szóstej grze. Z rzędu.

Opadnięte szczęki zmęczyły się nam od wrzasków, a naszą trójkę, skuloną wokół stoliczka między torami siódmym i ósmym, otaczała gromada ponad stu czterdziestu chłopa. Przestałem rzucać. Anna, zamiast turlać piątą ramkę drugiej gry, zaczęła się nerwowo przechadzać, nie chcąc zmącić niechcący aury toru i popsuć Steve'owi serii. Tylko MDywiz się nie poddawał, zaliczając dwie rynny na każdą kulę, która dobrnęła do kręgli.

Euforia wzbierała i opadała między apogeum szału a ciszą nabrzmiałą od wstrzymywanych oddechów. Często słychać było „zuch dziecinę" Anny, nie tylko po każdym z kompletów Steve'a, ale, litościwie, po pojedynczych zbiciach MDywiza. Kiedy siedemdziesiąty drugi strike S. Wonga został zaliczony jako szósta trzysetka z rzędu, szef wszystkich kręgli stał na linii spalonego, przecierając oczy, tyłem do rozszalałej gawiedzi, która wrzeszczała, tupała i wznosiła toasty piwem w butelkach i napojami gazowanymi w kubkach. Żadne z nas nie było nigdy świadkiem takiego wyczynu – dla niektórych banalnego, bo w końcu czym są kręgle, jak nie kolejną grą? Ale chwila moment! Sześć sztuk dowolnej perfekcji wystarczy, żeby na zawsze wryć się w pamięć.

Poszukajcie w necie nagrań z tego wieczoru, a ujrzycie kamienną twarz Steve'a, podczas gdy nieznajomi i kumple fetują go niby świeżo upieczonego posła. Zerknijcie na komentarze: zdaniem dobrych dziewięćdziesięciu procent anonimowej hordy to zwykły fejk, ale mniejsza z nimi. Dzień później Steve odbierał telefony od mediów, które domagały się komentarzy, zdjęć i występów przed kamerą. Poszedł do miejscowych wiadomości i cztery programy, każdy z osobna, nagrywały go, jak stoi sztywno przy torze siódmym – uosobienie telewizyjnej tremy. Naprawdę zdobył pan za każdym razem komplet punktów? Jakie to uczucie zbijać komplet punktów? O czym pan wtedy myślał? Czy przyszło panu kiedyś do głowy, że zbije pan tyle punktów? Tak. Miłe. O kolejnym strike'u. Nie.

Każda ekipa prosiła, żeby na zakończenie wywiadu zaturlał. Zgodził się i zaliczył cztery komplety, na żywo, na zawołanie. Seria trwała nadal. Szczytem wszystkiego był telefon z ESPN-u z zaproszeniem do programu o nazwie *Międzykręgle*. Mieli mu zapłacić tysiąc siedemset dolców za samo pokazanie się, a gdyby udało mu się wytoczyć kolejną grę doskonałą, to zainkasuje jeden z tych dwumetrowych czeków na sto tysięcy dolarów.

Można by uznać, że kilka takich zakręconych dni to świetna sprawa, z zaproszeniem na wizję i w ogóle. Ale Steve jest, z dziada pradziada, z tych spokojnych, skromnych Wongów. Zamknął się w sobie. MDywiz zobaczył go w pracy w Home Depot, jak stoi bez ruchu w dziale narzędzi elektrycznych, niby ustawiając na stojakach brzeszczoty szablaste, ale faktycznie gapiąc się na dwa różne wkłady w opakowaniach zawiasowych, jakby etykiety były w obcym języku. Budził się w środku nocy i zbierało mu się na mdłości. Kiedy po niego przyjechaliśmy moim volkswagenem busem, żeby podrzucić go na występ w ESPN-ie, prawie zapomniał toreb z butami z monogramem i z chińską błyskawicą.

Pokaz miał się odbyć w Koronnych Torach w Fountain Valley – długo się tam jedzie, więc przed wyruszeniem na autostradę zatrzymaliśmy się w burgerowni Przejezdna. W kolejce do okienka Steve w końcu przyznał, co nie daje mu spokoju. Nie chciał grać w kręgle przed kamerami.

– Masz coś przeciwko forsie leżącej na ulicy? – zapytałem go. Sam byłem najbliżej stu koła, kiedy trafiłem dwójkę w totka.

– Kręgle to powinna być frajda – powiedział Steve. – Kupa śmiechu w niezobowiązującym kontekście towarzyskim. Przychodzi twoja kolej, turlasz i nikt nie przejmuje się wynikiem.

MDywiz chciał, żeby odebrał wygraną w srebrnych dolarach.

Steve pociągnął wątek, kiedy ślimaczyliśmy się w kolejce. W Przejezdnej zawsze się stoi.

– Zarzuciłem zawody w St. Anthony Country Day, kiedy zalała ich biurokracja. Trzeby było składać wnioski i podpisywać tabele wyników. Utrzymywać średnią. Frajda się skończyła. Wtedy się stresowałem. Teraz się stresuję.

– Spójrz na mnie, Stevie, dziecino – poprosiła Anna, wychylając się z siedzenia i łapiąc jego twarz w dłonie. – Odpręż się! Dziś wszystko się może zdarzyć!

– W której poczekalni wisiał ten plakat?

– Chodzi mi tylko o to, że powinieneś zapełnić ten dzień frajdą przez duże F. Dzisiaj, Stevie Wongu, pójdziesz do telewizji i będzie mnóstwo frajdy. Frajdy, frajdy, frajdy, frajdy.

– Chyba jednak nie – odparł Steve. – Nie, nie, nie, nie.

W Koronnych Torach odbywał się kiedyś konkurs Stowarzyszenia Zawodowych Kręglarzy. Mieli tam siedzenia jak na stadionie, ESPN-owskie banery, reflektory studyjne i mnóstwo kamer. Kiedy Steve zobaczył trybuny pełne zapalonych miłośników kręgli, zaklął – co mu się nie zdarzało.

Znalazła nas wyczerpana kobieta z podkładką i w słuchawkach z mikrofonem.

– Który z panów to Steve Wong? – Podnieśliśmy z MDywizem ręce. – Dobrze. Będzie pan na torze czwartym po grze Shakera al-Hassana z Kim Terrell-Kearny. Zwycięzca zawalczy o finał z Kyung Shin Parkiem albo Jasonem Belmonte'em. Do tego czasu jest pan wolny.

Steve wyszedł na parking na nerwową przechadzkę z Anną u boku, która snuła opowieści o tym, jaka to musi być frajda pracować w ESPN-ie. Wzięliśmy z MDywizem po napoju gazowanym i usiedliśmy w sektorze vipowskim, skąd oglądaliśmy, jak Kyung Shin Park pobił Jasona Belmonte'a dwunastoma punktami w przednio klasycznym pokazie gry w dziesięć kręgli na twardym parkiecie. W drugiej turze MDywiz mocno dopingował Shakera al-Hassana – przed przybyciem do Stanów znał wielu al-Hassanów – ale Kim Terrell-Kearny (tak przy okazji: kobieta zawodowiec) wyprzedziła go dwieście siedemdziesiąt dwa do dwustu sześćdziesięciu dziewięciu. Kiedy kamery przesuwano na tor czwarty, a ekipa zaczęła dostrajać światła, tłum się zakłębił i przyszła do nas Anna.

– Steve rzyga na parkingu – powiedziała. – Między wozami transmisyjnymi.

– Nerwy? – zdziwiłem się.

– Głupiś?

MDywiz zostawił nas i poszedł pstryknąć sobie selfie z Shakerem al-Hassanem.

Znalazłem Steve'a siedzącego na zewnątrz na niskim murku przy wejściu, z głową w dłoniach, jakby trawiła go gorączka i miał zaraz puścić kolejnego pawia.

– Wongaczu – zagaiłem, ściskając go za ramię. – Oto co dzisiaj zrobisz. Poturlasz parę razy chińską błyskawicę. I wrócisz na chatę z tysiakiem siedemset w kieszeni. Proste jak budowa cepa.

– Nie dam rady, stary. – Steve podniósł głowę, spoglądając przez parking na horyzont. – Wszyscy spodziewają się totalnej perfekcji. Zawieź mnie natychmiast do domu.

Usiadłem obok niego na niskim murku.

– Pozwól, że cię o coś spytam. Czy ten tor do kręgli nie jest taki sam jak każdy tor do kręgli na tej planecie, z linią spalonego i strzałkami na drewnie? Czy na jego końcu nie stoi dziesięć pionów? Czy twoja kula nie powróci jak za sprawą magii przez podziemny otwór?

Aha, jasne. Dodajemy mi animuszu.

– Odpowiedz na moje wnikliwe pytania.

– Tak. Fakt. Kurde felek, chyba masz rację. Będzie klawissimo, bo wszystko mi wyłożyłeś. – Steve mówił monotonnym głosem. – Jestem niezwykły i mogę osiągnąć, co tylko sobie zaplanuję, a marzenia się spełniają, jeżeli tylko scarpuję diem.

– Zuch dziecina – podsumowałem.

Przez kilka minut siedzieliśmy bez ruchu. Wykończona kobieta w słuchawkach przyszła i na nas nawrzeszczała, bo Steve Wong miał właśnie wchodzić na lajw.

Potargał sobie kruczoczarne włosy, a potem wstał i puścił wiąchę bardzo niewongopodobnych inwektyw. Dobrze, że nie było tam jego rodziców.

---

Kiedy Steve włożył te swoje obrzydliwe buty do kręgli, po tłumie rozeszły się szepty: „Hej, to ten gość...". Jego internetowa legenda go wyprzedzała. Zaczęli kręcić, Steve'a zapowiedział gospodarz *Międzykręgla*, a hala zatrzęsła się od aplauzu. Nawet zawodowcy zerknęli na czwórkę.

– Steve Wong – zaintonował prowadzący. – Sześć gier doskonałych jedna po drugiej. Siedemdziesiąt dwa striki z rzędu. Na usta ciśnie się jednak pytanie, czy pańska niesamowita seria nie była wytworem sprytnego montażu i komputerowych efektów specjalnych. Co ma pan do powiedzenia na taki zarzut? – Gospodarz podetknął mu mikrofon pod nos.

– Ma sens, wiadomo, co się wyrabia w necie. – Rozbiegany wzrok Steve'a przeskakiwał z prowadzącego na publiczność, na nas, na podłogę, i z powrotem na mężczyznę – wszystko tak szybko, że wyglądało, jakby z tremy dostał epilepsji.

– Czy spodziewał się pan osiągnięcia takiego poziomu techniki i formy, dzięki którym mógł pan zamknąć tyle ramek?

– Turlam dla frajdy.

– Oficjalny rekord strike'ów z rzędu, czterdzieści siedem, należy do Tommy'ego Gollicka, ale pan twierdzi, że zbił dwadzieścia cztery indyki jeden po drugim. Światek kręglarstwa może zakwestionować realność takiej serii.

Odwróciłem się do sąsiada, który, w koszulce z logo Koronnych Torów, musiał być obywatelem Międzykręgla.

– O co chodzi z tymi indykami?

– To trzy striki z rzędu, platfusie. A ten knypek za Chiny nie wyturlał dwudziestu kilku. – Po czym wrzasnął co sił w płucach: – Lewizna!

– Jak może pan słyszy, panie Wong, niektórzy podają w wątpliwość nie tylko pańskie zapewnienia, ale również słowo menedżerów pana rodzimej kręgielni – Kompleksu Kręgli, Bilardu i Rozrywki Ventura.

Steve rozejrzał się po publiczności, prawdopodobnie widząc tylko piorunujące go spojrzenia niedowiarków.

– Już mówiłem. Turlam dla frajdy.

– Cóż, że tak powiem, co się potoczy, to nie utonie, a zatem, panie Wong, proszę podejść do linii i zaprezentować nam formę, z którą dziś się pan u nas stawił. A naszych widzów proszę, aby pamiętali, że w pobliskiej kręgielni na całą rodzinę czeka moc zabawy. Szał zbijania naprawdę wciąga!

Steve podszedł do zwrotu kuli, wkładając swoją rękawicę, podczas gdy nasza trójka wiwatowała i wrzeszczała: „Zuch dziecina!". Część publiczności gwizdała. Steve westchnął tak ciężko i z takim przejęciem, że nawet my, siedząc wysoko w odległym rzędzie, widzieliśmy, jak opadają mu ramiona. Odwrócił się do wszystkich plecami i jeszcze raz westchnął. Kiedy podniósł swoją chińską błyskawicę i włożył palce w wywiercone na miarę otwory kuli, my, którzy znaliśmy Steve'a Wonga, mogliśmy stwierdzić tyle – frajdy nie było.

Mimo to z jego ruchów nadal biła gracja, kulę wypuścił płynnie i bez wysiłku, nadgarstkiem podkręcił ją tak samo, jak tyle razy wcześniej na naszych oczach, jego palce wyprężyły się ku sufitowi po wymachu dłonią wiodącą, palce prawej stopy stuknęły dwa razy w twarde drewno na krzyż za lewym butem, dając po oczach trzema iksami na pięcie.

Grzmot. Uderzenie. Komplet. W Koronnych Torach rozległy się wrzaski: „Fuks!". Steve, plecami do świata, studził dłoń, czekając, aż błyskawica wychynie z otworu. Z kulą w dłoni przyjął postawę i wszystko powtórzył. Grzmot. Łomot. Komplet numer dwa.

Potem zbił komplety od trzeciego do szóstego, zaliczając w czwartej ramce sto dwadzieścia. Steve zdecydowanie wkradł się już w łaski publiczności, ale wątpię, czy to zauważył. Nawet nie spojrzał w naszą stronę.

Shaker al-Hassan zapytany, co myśli o formie Steve'a, skomentował na żywo wszystkim obywatelom Międzykręgla: „Nieziemsko fenomenalna!".

Po kompletach siódmym, ósmym i dziewiątym cała czwórka zawodowców wypowiedziała się na temat równowagi Steve'a, jego techniki, opanowania pod presją, które Kyung Shin Park nazwał „tunelem", a Jason Belmonte podsumował jako „linię losu". Kim Terrell-Kearny skonstatowała, że w Stowarzyszeniu Zawodowych Kręglarzy jest miejsce dla zawodnika o samokontroli Steve'a Wonga.

Widok ramek z nałożonymi komputerowo iksami na monitorach wprawił gospodarza w osłupienie – powiedział wręcz:

– Wyczyny tego młodzieńca, wzoru dla wszystkich kręglarzy, wprawiły mnie w osłupienie!

Tłum zerwał się na nogi, wykrzykując słowa zachęty godne publiczności walk gladiatorów. Jedenasty rzut Steve'a był surrealistyczną chwilą, hipnotycznym baletem, szybującym swobodnie niebiańskim obiektem, który wpasował się w doskonałą lukę między kręglami głównym a trzecim, po czym zdemolował pozostałą ósemkę.

Steve, którego od gry doskonałej, stu tysięcy dolarów i nieśmiertelności w annałach ESPN-u dzielił już tylko ostatni strike, bez śladu emocji poszurał po kulę – zero oczekiwań, zero niepokoju, zero strachu. Frajdy zresztą też zero. Na ile mogłem to wywnioskować z jego karku, twarz Steve'a musiała przypominać maskę pośmiertną z otwartymi oczami.

Kiedy trzymał kulę przed sercem, przygotowując się do finału, w Koronnych Torach zapadła nie tyle cisza, ile próżnia dźwięku, jakby z sali wypompowano atmosferę, odbierając falom dźwiękowym ich nośność. Palce Anny wpijały się w ramiona moje i MDywiza, a na jej wargach układała się niema „zuch dziecina".

Dokładna chwila początku dwunastego i ostatniego rzutu Steve'a była niedostrzegalna, niczym powolny start rakiety na Księżyc, tak ciężkiej, że pomimo odpalenia ładunków wspomagających i ogromu wściekłego żaru nic się nie rusza. W nanosekundzie, w której chińska błyskawica załomotała o parkiet, rozległo się wycie tak potężne, jakby każdy mieszkaniec Międzykręgla dokładnie w tej samej chwili miał szczytować z miłością (płci dowolnej) swojego życia. Pod wzmagającym się rykiem, od którego zadrżały posady hali, podczas gdy brązowo-żółta kula zakreślała łuk, zginąłby sam silnik odrzutowy SABRE. Kiedy kulę od kręgli dzieliły ledwie centymetry, Koronne Tory wchłonęła ściana dźwięku.

Dźwięk uderzenia w lukę tuż między kręglem głównym a trzecim dobiegł z oddali, jak grzmot błyskawicy setki kilometrów stąd. Wszyscy ujrzeliśmy błysk bieli, niczym uśmiech olbrzyma, któremu znienacka wybito komplet perfekcyjnego uzębienia, cała dziesiątka kręgli rozsypała się i rozstukotała, aż została tylko pustka i martwi żołnierze – w liczbie dziesięciu.

Steve stał na linii faulu, mierząc wzrokiem próżnię na drugim końcu toru, a pionowe kręgle wyłoniły się po automatycznym resecie. Kiedy gospodarz wrzasnął do mikrofonu: „Steve Wong jest doskonały!", nasz przyjaciel przykląkł na jedno kolano, jakby dziękował Bogu – swojej wizji Boga – za ten triumf.

Jednak faktycznie rozwiązywał sznurowadło lewego buta – STEVE'a. Zdjął go i ustawił przodem do linii spalonego. To samo zrobił z prawym WONG-iem, skrupulatnie prezentując swoje szyte na miarę obuwie do kręgli tak, żeby trzy iksy zaistniały w telewizji.

W ochraniaczach poczłapał do zwrotu kuli i podniósł to, co właśnie przybyło. Niosąc chińską błyskawicę oburącz, jakby to była płyta chodnikowa, położył ją na swoich butach gestem, który Anna, MDywiz i ja odczytaliśmy jako: „Nie zagram już w kręgle. Do końca życia".

Cisnął rękawicę w tłum – wzniecając bijatykę kolekcjonerów pamiątek – a Kim Terrell-Kearny podbiegła, objęła go i ucałowała w policzek, podczas gdy reszta zawodowców ściskała mu dłoń i czochrała czuprynę.

Kiedy przedarliśmy się przez rozmiłowanych kręglarzy – teraz już rzesze fanów Steve'a – Anna płakała. Zarzuciła mu ręce na szyję i szlochała tak mocno, że zacząłem się martwić, czy nie zemdleje. MDywiz powtarzał coś w swoim ojczystym narzeczu, bez wątpienia same superlatywy. Wzniosłem na cześć Steve'a toast piwem znalezionym w lodówce przy jednej z kamer, potem wziąłem jego rzeczy do kręgli i wcisnąłem je do jego torby na rzeczy do kręgli.

Tylko nasza trójka słyszała, jak powiedział:

– Cieszę się, że już po wszystkim.

---

Przez kilka następnych miesięcy żadne z nas nie poszło na kręgle, ale to przez przypadek. Na nodze wyszła mi narośl wielkości dolarówki, która wydała mi się paranoicznie podniesiona i niepokojąca, więc zapisałem się na operację w znieczuleniu miejscowym, żeby ją usunąć, wyciąć, obrać ze mnie jak skórkę z ziemniaka. Nic poważnego. MDywiz znalazł nową posadę, rezygnując ze ścieżki kariery w Home Depot na rzecz etatu w Targecie, a jego nowe stanowisko pracy od poprzedniego dzielił olbrzymi, wspólny dla obu marketów parking. Przeszedł do drugiej sieci, zmienił koszulkę i ani się nie obejrzał. Anna zapisała się na prowadzony przez Wydział Parków kurs wędkarstwa muchowego – przy miejskich stawach rybnych imienia Stanleya P. Swetta, o których nikt nigdy nie słyszał, nie do znalezienia bez Google Maps. Usiłowała mnie namówić, żebym poszedł w jej ślady, ale wędkarstwo muchowe to dla mnie sport analogiczny do saneczkarstwa – łączy je to, że żadnego z nich nie będę nigdy uprawiał.

Życie Steve'a Wonga się wyciszyło. Dowiedział się, ile z jego ESPN-owskich dolarów trzeba będzie oddać fiskusowi, i wszystko odpowiednio rozplanował. Wrócił do pracy, przez jakiś czas musiał pozować do selfie z klientami i powiedział MDywizowi, że przejście z Home Depot do Targeta to jak emigracja z jego czarnoafrykańskiej ojczyzny do Korei Północnej (taka jest wrogość do konkurencji podsycana przez szefostwo Home Depot). O jednym Steve ani pisnął – o kręglach.

Ale oto pewnego wieczoru turlamy sobie za darmochę, a bywalcy przy torach podchodzą do Steve'a przybijać żółwika z pięścią, która wytoczyła te wszystkie trzysetki. Steve i ja przyszliśmy pierwsi. Wcześniej po niego zajechałem, a on wychodzi z domu z pustymi rękami!

– Fajfusie! – zagajam, kiedy wsiada do busa od strony pasażera.

– Co?

– Zasuwaj z powrotem po sprzęt. Buty, torbę i chińską błyskawicę.

– Dobra – odparł po długiej przerwie.

Do czasu, kiedy pojawiła się Anna, a potem MDywiz, skończyłem rolling rocka, a Steve pakował ćwierćdolarówki do automatu do gier z motocrossem. Zanieśliśmy jego rzeczy na przydzielony nam tor, przebraliśmy się w wypożyczone buty i wybraliśmy kule, Anna chyba po analizie każdej jednej. Kiedy zawołaliśmy do Steve'a, że możemy zaczynać, ciągle ścigał się na automacie i dał znak machnięciem ręki, żebyśmy ruszali bez niego. Rozegraliśmy w końcu dwie rundy, tylko we troje. Anna wygrała obie, ja przegrałem obie, a MDywiz pysznił się zgarnięciem mi sprzed nosa srebrnego medalu.

Steve podszedł do toru i oglądał ostatnie ramki naszej drugiej gry. Rozważaliśmy, czy poturlać jeszcze raz, bo robiło się późno, a był czwartek. Chciałem iść do domu, MDywiz chciał odebrać Annie złoto, a ona chciała podeptać nasze marzenia trzeci raz z rzędu tego wieczoru. Steve, któremu było wszystko jedno, oznajmił, że przeczeka następną rundę i może strzeli sobie piwko.

– Nie zagrasz z nami? – Anna nie mogła się nadziwić. – Od kiedy tak ci uderzyła sodówa?

– Steve, daj spokój – prosił MDywiz. – Ty i kręgle jesteście moimi stanami zjednoczonymi miłości.

– Wkładaj buty – poleciłem. – Czy wracasz do domu?

Steve siedział przez chwilę, po czym zwyzywał nas od sukinkotów i zdjął buty, żeby włożyć te swoje paskudy do kręgli.

Turlałem pierwszy, zbijając pierwszą kulą mierną czwórkę, potem o parę milimetrów chybiając pozostałe. MDywiz prawie się przekręcił ze śmiechu. Jego pierwszy rzut przetrwały trzy figury, którym potem spuścił łomot, zgarniając spare'a.

– Dziś wieczorem – syknął do Anny – idziesz do piachu!

– Wyluzuj z tymi groźbami – odparła. – W trakcie rozgrywki w kręgle nikt nie zginie, chyba że zmiecie nas tornado. – Potem zbiła dziewiątkę i fachowo zamknęła ramkę drugą kulą, remisując z MDywizem.

Wtedy przyszła kolej Steve'a Wonga, który westchnął, wyciągając ze swojej niepowtarzalnej torby swoją niepowtarzalną kulę, sferyczne narzędzie legendarnych wyczynów na torze. Może przesadzam, twierdząc, że kręglarze oderwali się od swoich zajęć, żeby przyglądać się mistrzowi w akcji, że cała hala nagle ucichła, zastanawiając się, czy jakimś cudem błyskawica znów zapowie uderzenie pioruna i rozpocznie kolejną reakcję łańcuchową gier doskonałych, dowodząc, że Steve Wong to prawdziwe bóstwo indyków. Chyba w dużej mierze to sobie zmyśliłem.

Stał bez ruchu na swoim torze, znów przykładając kulę do serca, ze wzrokiem utkwionym w odległym klinie dziesięciu białych kręgli. Potem wziął rozbieg, niby stepując ku linii spalonego, i cisnął błyskawicę, dłoń wiodącą kierując ku niebu.

Czubkiem prawej stopy stuknął w podłogę za lewą piętą, bijąc po oczach podwójną trójką iksów. Jego podkręcona kula potoczyła się po długich pasach lśniącego twardego drewna, zmierzając ku luce między kręglem głównym a trzecim, z pewnością szykując się do zbicia kompletu.

# Podziękowania

Wielkie dzięki Anne Stringfield, Steve'owi Martinowi, Esther Newberg i Peterowi Gethersowi – czwórce teściów tych zaślubionych wyrazów.

Szczególna wdzięczność należy się E. A. Hanks za redakcyjny ołówek i czujne, szczere oko.

Ponadto chylę czoło i kapelusz przed Gail Collins i Deborah Triesman.

I dziękuję wszystkim w Penguin Random House, którzy te historie zgłębiali, podziwiali, ulepszali i pudrowali.

# Spis treści